# La cuisine italienne

**Données de catalogage avant publication (Canada)**
Vedette principale au titre :
  La cuisine italienne de Weight Watchers
  Traduction de Weight Watchers simply the best : Italian.
  1. Régimes amaigrissants – Recettes.  2. Cuisine italienne.  I. Weight Watchers International.

RM222.2.S326314  2000    641.5'635   C00-941371-5

DISTRIBUTEURS EXCLUSIFS :

* Pour le Canada
  et les États-Unis :
  **MESSAGERIES ADP★**
  955, rue Amherst,
  Montréal, Québec
  H2L 3K4
  Tél. : (514) 523-1182
  Télécopieur : (514) 939-0406
  ★ Filiale de Sogides ltée

* Pour la France et les autres pays :
  **INTER FORUM**
  Immeuble Paryseine,
  3, Allée de la Seine
  94854 Ivry Cedex
  Tél. : 01 49 59 11 89/91
  Télécopieur : 01 49 59 11 96
  **Commandes :** Tél. : 02 38 32 71 00
  　　　　　　　Télécopieur : 02 38 32 71 28

* Pour la Suisse :
  **DIFFUSION : HAVAS SERVICES SUISSE**
  Case postale 69 — 1701 Fribourg — Suisse
  Tél. : (41-26) 460-80-60
  Télécopieur : (41-26) 460-80-68
  Internet : www.havas.ch
  Email : office@havas.ch
  **DISTRIBUTION : OLF SA**
  Z.I. 3, Corminbœuf
  Case postale 1061
  CH-1701 FRIBOURG
  **Commandes :** Tél. : (41-26) 467-53-33
  　　　　　　　Télécopieur : (41-26) 467-54-66

* Pour la Belgique et
  le Luxembourg :
  **PRESSES DE BELGIQUE S.A.**
  Boulevard de l'Europe 117
  B-1301 Wavre
  Tél. : (010) 42-03-20
  Télécopieur : (010) 41-20-24

Pour en savoir davantage sur nos publications,
visitez notre site : **www.edhomme.com**
Autres sites à visiter : www.edjour.com • www.edtypo.com •
www.edvlb.com • www.edhexagone.com • www.edutilis.com

L'Éditeur bénéficie du soutien de la Société de développement
des entreprises culturelles du Québec pour son programme d'édition.

Nous remercions le Conseil des Arts du Canada de l'aide
accordée à notre programme de publication.

Nous reconnaissons l'aide financière du gouvernement du
Canada par l'entremise du Programme d'aide au développement
de l'industrie de l'édition (PADIÉ) pour nos activités d'édition.

L'ouvrage original américain a été publié
par Macmillan, marque déposée de Macmillan, Inc.
sous le titre *Weight Watchers — Simply The Best Italian*

Dépôt légal : 4e trimestre 2000
Bibliothèque nationale du Québec

ISBN 2-7619-1563-1

WEIGHT **W** WATCHERS®

# La cuisine italienne

## Plus de 250 recettes

LES ÉDITIONS DE L'HOMME

**Un mot à propos de Weight Watchers ®**

Depuis 1963, Weight Watchers connaît une croissance prodigieuse et des millions de personnes deviennent membres chaque année. Aujourd'hui, le nom de Weight Watchers est reconnu comme étant un chef de file sûr et avisé dans le domaine de la gestion du poids. Les membres de Weight Watchers composent des groupes variés qui accueillent des gens de tous âges, des plus jeunes aux plus âgés. Ces groupes se rencontrent dans presque tous les pays du monde.

Les résultats de la perte et du maintien du poids varient selon les individus, mais nous vous recommandons d'assister aux rencontres de Weight Watchers, de suivre le programme Weight Watchers et de faire de l'activité physique de façon régulière. Vous pouvez composer le 1 800 651-6000 pour connaître le groupe de rencontre Weight Watchers le plus près de chez vous. Nous vous invitons aussi à visiter notre site au www.weightwatchers. com.

Directrice de l'édition originale : Nancy Gagliardi
Éditrices en chef : Martha Schueneman, CCP et Christine Senft, M.S.
Assistante à la publication : Jenny Laboy-Brace
Créateurs des recettes : Barry Bluestein, Kevin Morrissey, Barbara Posner Beltrami, Linda Romanelli Leahy
Rédactrice : Joyce Hendley
Traductrice : Françoise Schetagne
Infographistes : Michel Fleury, Johanne Lemay
Photographe : Rita Maas
Styliste alimentaire : Mariann Sauvion
Assistante à la styliste alimentaire : Rebecca Adams
Styliste-accessoiriste : Cathy Cook

# Signification des pictogrammes

Tous les ingrédients cuisent
ensemble dans un seul plat

Peut être préparé à l'avance

Préparation rapide

Plat végétarien

Sans cuisson

# Les régions d'Italie

Trentin-Haut-Adige

Val-d'Aoste

Frioul-Vénétie-Julienne

Piémont

Lombardie

Vénétie

Ligurie

Émilie-Romagne

Toscane

Marches

Ombrie

Latium

Abruzzes

Molise

Sardaigne

Campanie

Pouilles

Basilicate

Calabre

Sicile

# Introduction

La chapelle Sistine, le *David* de Michel-Ange, le Colisée de Rome… Une assiette de *pasta con aglio e olio*. Comme toutes ces grandes œuvres, la cuisine italienne a été créée avec beaucoup de soin et de réflexion. Elle doit être partagée, savourée et appréciée. À première vue, plusieurs mets italiens semblent d'une simplicité désarmante, mais quand on y regarde de plus près (et qu'on y goûte!), on se rend vite compte de ses qualités particulières.

Les Nord-Américains ont vite su apprécier les innombrables qualités de cette cuisine. Les mets italiens ne sont-ils pas nos mets «ethniques» préférés? La cuisine italienne a toujours été bienvenue à notre table: les pâtes vite faites les soirs où tout le monde est occupé, la pizza que l'on fait livrer chez soi ou que l'on prépare à la maison avec de la pâte réfrigérée, etc. Toutefois, si vous croyez que la gastronomie italienne se limite aux spaghettis servis avec une sauce en conserve ou à la pizza toute garnie, vous serez étonné par l'infinie variété des recettes présentées dans ce livre.

Pour vraiment saisir toute la richesse de la gastronomie italienne, il faut d'abord comprendre son credo qui n'est plus un secret pour personne: l'utilisation rigoureuse d'ingrédients de grande fraîcheur et de première qualité. Contrairement à plusieurs autres cuisines du monde, où les fines herbes et les épices définissent souvent le caractère d'un plat, la cuisine italienne met d'abord en vedette l'ingrédient de base de la recette. Voilà probablement pourquoi les Italiens sont connus depuis longtemps pour être d'excellents fermiers. En Italie, chaque parcelle de terre, même dans les régions les plus montagneuses, est utilisée pour la culture de produits qui regorgent de saveur. Après plusieurs années de recherche et d'essais parfois infructueux, les maîtres de l'agriculture italienne ont trouvé le parfait équilibre entre le soleil, la terre et l'eau afin de produire des fruits et des légumes parmi les plus raffinés au monde, sans compter les fromages, les viandes, les huiles, les vinaigres et les vins dont on connaît les mérites.

Si nous n'avions pas eu tous ces immigrants italiens venus vivre en Amérique du Nord, nous n'aurions probablement jamais découvert tous les trésors gastronomiques de ce pays. Nous devons notre reconnaissance à tous ces pionniers du vingtième siècle qui sont toujours restés fidèles aux traditions de leur terre d'origine. Ces gens ont consacré leur vie à leur famille et à leur travail souvent difficile. Leur frugalité nous a beaucoup appris et a contribué à modifier nos propres habitudes alimentaires. Il est remarquable de constater qu'il y a peu de pertes dans la cuisine italienne : on utiliste les restes de pâtes dans la frittata du lendemain, le pain un peu trop sec est incorporé à la panzanella, et tous les légumes peuvent être ajoutés dans la marmite fumante de mines-trone.

Ce livre a pour but de vous faire découvrir l'infinie variété de cette cuisine et de faire de vous un chef italien plus intuitif que jamais. Nous vous présentons plus de 250 recettes qui sont issues de la plus pure tradition italienne. Nous vous mentionnons la plupart du temps les régions d'où les recettes tirent leur origine et nous vous racontons certaines anecdotes historiques qui sauront vous plaire. Nos conseils vous aideront à préparer des repas simples, originaux et authentiques.

Il est vrai que peu de chefs italiens ont été acclamés ou couronnés «officiellement» sur le plan de la gastronomie internationale. Pourtant, nous considérons que l'Italie compte des milliers de grands chefs qui, chaque jour, cuisinent à la maison pour leur famille et leurs amis. Leur simplicité et leur sensibilité nous ont permis de découvrir l'une des cuisines les plus accessibles et les plus raffinées au monde.

*Salute !*

NANCY GAGLIARDI

# Chapitre premier

# Antipasti

# Fenouil au vinaigre balsamique et au parmesan

### 4 PORTIONS

*Le fenouil est une plante aromatique très populaire en Italie.
Ses propriétés digestives sont très appréciées pendant ou après un bon repas.*

2 bulbes de fenouil, en tranches

20 ml (4 c. à thé) d'huile d'olive extravierge

10 ml (2 c. à thé) de vinaigre balsamique

30 g (1 oz) de parmesan

Poivre fraîchement moulu, au goût

**1.** Diviser le fenouil entre chacune des 4 assiettes à salade. Arroser avec l'huile d'olive et le vinaigre.

**2.** Faire des copeaux de parmesan très minces avec un éplucheur à légumes ou le côté tranchant d'une râpe. Mettre une quantité égale de fromage sur chaque portion de fenouil et poivrer. Servir à la température ambiante ou légèrement refroidi.

PAR PORTION : 82 Calories, 6 g Gras total, 2 g Gras saturé, 4 mg Cholestérol, 201 mg Sodium, 3 g Glucide total, 1 g Fibres alimentaires, 3 g Protéines, 123 mg Calcium.

POINTS PAR PORTION : 2.

*Di Giorno Pour parer le fenouil, couper les tiges supérieures et les conserver comme garniture ou pour une autre recette. Couper toutes les feuilles extérieures jaunies ou abîmées, puis couper le bulbe en deux de la tête jusqu'au fond. Enlever le cœur, placer les moitiés sur une planche, face coupée vers le fond, et couper en fines tranches diagonales.*

*Assiette d'antipasti: Poivrons rôtis et bocconcini (page 14);*
*Fenouil au vinaigre balsamique et au parmesan (page 12);*
*Crostinis au fromage de chèvre, aux tomates et au basilic (page 22)*

# Poivrons rôtis et bocconcini

### 4 PORTIONS

*Le mot bocconcini signifie «petites bouchées». Ce sont de petites boules de mozzarella faciles à trouver dans les marchés italiens. Les bocconcinis à base de lait écrémé se font plus rares. Ce hors-d'œuvre irrésistible met en vedette les poivrons, le fromage à la crème et les fines herbes.*

1 poivron vert

1 poivron rouge

1 poivron jaune

15 ml (1 c. à soupe) de vin blanc sec

10 ml (2 c. à thé) d'huile d'olive

5 ml (1 c. à thé) d'origan séché

5 ml (1 c. à thé) de basilic séché

5 ml (1 c. à thé) de thym séché

5 ml (1 c. à thé) de vinaigre de vin blanc

1 gousse d'ail, émincée

Poivre fraîchement moulu, au goût

180 g (6 oz) de mozzarella de lait écrémé, coupée en 24 cubes

**1.** Préchauffer le gril. Tapisser une plaque avec du papier d'aluminium et mettre les poivrons par-dessus. Faire griller les poivrons à 12,5 cm (5 po) de la source de chaleur, en les retournant souvent avec une pince, jusqu'à ce qu'ils soient légèrement noircis. Plier le papier d'aluminium pour couvrir les poivrons et laisser étuver 10 minutes. Placer une passoire au-dessus d'un bol. Peler, épépiner et déveiner les poivrons au-dessus de la passoire. Jeter les pelures et les graines. Couper chaque poivron en 8 lamelles et les mettre dans le jus de cuisson qui est dans le bol.

**2.** Incorporer le vin, l'huile, l'origan, le basilic, le thym, le vinaigre, l'ail et le poivre dans le bol. Ajouter la mozzarella et bien remuer. Couvrir et laisser reposer 30 minutes.

**3.** Égoutter la mozzarella et jeter le liquide. Envelopper chaque cube de fromage dans une lamelle de poivron et faire tenir avec un cure-dent. Dresser sur un plat de service.

PAR PORTION : 106 Calories, 2 g Gras total, 0 g Gras saturé, 4 mg Cholestérol, 317 mg Sodium, 7 g Glucide total, 1 g Fibres alimentaires, 14 g Protéines, 329 mg Calcium.

POINTS PAR PORTION : 2.

*Voir Di Giorno p. 339.*

# Gousses d'ail rôties

## 4 PORTIONS

*Est-il possible de manger un bulbe d'ail entier? Oui, si on le fait cuire jusqu'à ce qu'il devienne brun noisette et que sa texture soit crémeuse. Pour manger l'ail rôti, pressez le bulbe et étendez la pulpe sur du pain. Si vous mêlez l'ail à du bouillon de poulet, vous obtiendrez une sauce délicieuse pour les pâtes. Si vous le mariez à un peu de vinaigre, d'eau et d'huile, l'ail grillé se transformera en une vinaigrette crémeuse remarquable. Pour faire un pesto léger, mélangez du basilic frais haché et des pignons avec de l'ail grillé et vous serez comblé!*

4 bulbes d'ail

125 ml (½ tasse) de bouillon de poulet hyposodique

10 ml (2 c. à thé) d'huile d'olive

2 ou 3 brins de thym frais

1 ou 2 brins de romarin frais

Poivre fraîchement moulu, au goût

**1.** Préchauffer le four à 200 °C (400 °F). Couper environ 6 mm (¼ po) sur le dessus des bulbes d'ail de manière à exposer le dessus des gousses. Mélanger l'ail, le bouillon, l'huile, le thym, le romarin et le poivre dans un plat de cuisson peu profond. Remuer pour bien enrober les bulbes. Couvrir de papier d'aluminium et cuire au four de 1 à 1 ¼ heure, jusqu'à ce que les bulbes soient bruns dorés et très tendres. Pendant la cuisson, ajouter un peu de bouillon au besoin s'il manque de liquide dans le plat. Enlever le papier d'aluminium et cuire 10 minutes de plus.

**2.** Laisser refroidir à la température ambiante. Arroser les bulbes avec le jus de cuisson et servir.

PAR PORTION: 68 Calories, 3 g Gras total, 0 g Gras saturé, 0 mg Cholestérol, 19 mg Sodium, 10 g Glucide total, 1 g Fibres alimentaires, 2 g Protéines, 57 mg Calcium.

POINTS PAR PORTION: 1.

*Di Giorno Nous utilisons souvent l'ail rôti dans les recettes de ce livre. Vous pouvez en préparer à l'avance et les conserver jusqu'à 10 jours dans le réfrigérateur dans un pot en verre à fermeture hermétique.*

# Flans au parmesan et à l'ail rôti

4 PORTIONS

*Ces flans savoureux, appelés* sformati *en Italie, sont très populaires dans la région piémontaise. Là-bas, toutefois, on utilise de la crème épaisse au lieu du lait évaporé. Pour de meilleurs résultats, utilisez du parmigiano reggiano de la meilleure qualité que vous râperez juste avant de faire la recette.*

8 gousses d'ail, rôties (p. 15), épluchées

1 boîte de 341 ml (12 oz) de lait écrémé évaporé

15 ml (1 c. à soupe) de farine tout usage

2 œufs

2 blancs d'œufs

45 ml (3 c. à soupe) de parmesan, râpé

*Di Giorno Vous pouvez contrôler la saveur de l'ail selon votre manière de le couper. L'émincer, le réduire en purée, le presser ou le hacher finement font ressortir les huiles essentielles de l'ail; le couper en tranches, le hacher grossièrement ou l'écraser l'exposent moins à l'air, ce qui donne aux mets préparés un goût moins prononcé.*

**1.** Préchauffer le four à 190 °C (375 °C). Vaporiser 4 ramequins de 180 ml (6 oz) avec de l'enduit anti-collant.

**2.** Dans le robot de cuisine, réduire l'ail en purée avec 125 ml (½ tasse) de lait. Transvider la purée dans une casserole. À l'aide d'un fouet, incorporer le lait restant et la farine. Cuire sur feu moyen environ 5 minutes, sans cesser de fouetter, pour avoir une préparation humide. Incorporer en fouettant les œufs, les blancs d'œufs et le fromage. Remplir les ramequins avec une quantité égale de la préparation et les mettre dans un plat de cuisson. Remplir le plat avec suffisamment d'eau pour couvrir les ramequins à mi-hauteur. Cuire au four environ 30 minutes, jusqu'à ce que les flans soient fermes et que la pointe d'un couteau insérée au centre ressorte propre. Laisser refroidir 5 minutes et renverser sur des assiettes.

PAR PORTION : 158 Calories, 4 g Gras total, 2 g Gras saturé, 117 mg Cholestérol, 252 mg Sodium, 13 g Glucide total, 0 g Fibres alimentaires, 13 g Protéines, 89 mg Calcium.

POINTS PAR PORTION : 3.

# Bruschetta

*La bruschetta (appelée fettunta en Toscane) a été inventée pour sauver le pain qui allait se per-dre. Celui-ci était grillé puis frotté avec une gousse d'ail avant d'être trempé dans l'huile d'olive. N'hésitez pas à utiliser de l'huile d'olive extravierge de la meilleure qualité possible.*

120 g (4 oz) de pain de campagne italien croûté, coupé en 4 tranches et grillé

1 grosse gousse d'ail, coupée en deux

10 ml (2 c. à thé) d'huile d'olive extravierge

10 ml (2 c. à thé) de parmesan, râpé

10 ml (2 c. à thé) de persil plat frais, émincé

Poivre fraîchement moulu, au goût

Pendant que les tranches de pain sont encore chaudes, les frotter avec la face coupée d'une gousse d'ail. Arroser chaque tranche avec de l'huile d'olive et recouvrir avec une quantité égale de fromage, de persil et de poivre.

PAR PORTION : 103 Calories, 4 g Gras total, 1 g Gras saturé, 1 mg Cholestérol, 185 mg Sodium, 15 g Glucide total, 1 g Fibres alimentaires, 3 g Protéines, 39 mg Calcium.

POINTS PAR PORTION : 2.

# Timbales aux épinards

### 4 PORTIONS

*Si vous préférez faire une grosse timbale plutôt que quatre petites, comme le feraient les habitants de la Toscane, utilisez une assiette à tarte en verre de 20 cm (8 po) ou un moule à soufflé de 1 litre (4 tasses) pour remplacer les ramequins.*

1 paquet de 300 g (10 oz) d'épinards, décongelés et bien épongés

2 gousses d'ail, épluchées

2 œufs

125 ml (½ tasse) de lait écrémé

22 ml (1 ½ c. à soupe) de farine tout usage

2 ml (½ c. à thé) de sel

1 ml (¼ c. à thé) de poivre fraîchement moulu

6 gouttes de sauce forte aux piments verts

*Di Giorno Pour une présentation du tonnerre, servez chaque timbale sur un lit de laitues amères touillées avec un peu de vinaigre balsamique.*

1. Préchauffer le four à 190 °C (375 °F). Vaporiser 4 ramequins de 180 ml (6 oz) avec de l'enduit anti-collant.

2. Mélanger les épinards, l'ail, les œufs et 50 ml (¼ tasse) de lait dans le robot de cuisine. Actionner le moteur jusqu'à ce que les épinards soient finement hachés.

3. Mélanger le lait restant (50 ml/¼ tasse) et la farine dans une petite casserole. Cuire sur feu moyen environ 2 minutes, sans cesser de remuer, jusqu'à consistance humide. Incorporer la préparation aux épinards, le sel, le poivre et la sauce forte. Remplir les ramequins avec une quantité égale de la préparation et les mettre dans un plat de cuisson. Remplir le plat avec suffisamment d'eau pour couvrir les ramequins à mi-hauteur. Cuire au four environ 30 minutes, jusqu'à ce que les timbales soient fermes et que la pointe d'un couteau insérée au centre ressorte propre. Laisser refroidir 5 minutes et renverser sur des assiettes.

PAR PORTION : 41 Calories, 0 g Gras total, 0 g Gras saturé, 1 mg Cholestérol, 367 mg Sodium, 7 g Glucide total, 2 g Fibres alimentaires, 4 g Protéines, 121 mg Calcium.

POINTS PAR PORTION : 0.

*Timbales aux épinards*

# Crostinis aux tomates fraîches

## 4 PORTIONS

*D'origine toscane, les crostinis sont des petites rondelles de pain grillé recouvertes de garnitures de toutes sortes. Pour un pique-nique typiquement italien, faites la recette traditionnelle qui demande du pain croûté, des tomates, de l'ail et du persil. Servez-les avec des fruits frais, du vin ou de l'eau minérale gazeuse.*

4 à 6 tomates prunes, hachées

50 ml (¼ tasse) de persil plat frais ou de basilic, émincé

10 ml (2 c. à thé) d'huile d'olive extravierge

1 gousse d'ail, émincée

Poivre fraîchement moulu, au goût

120 g (4 oz) de pain de campagne italien croûté, coupé en 4 tranches et grillé

**1.** Mélanger les tomates, le persil, l'huile, l'ail et le poivre. Couvrir et laisser reposer 30 minutes.

**2.** Couvrir chaque tranche de pain avec une quantité égale de la préparation, y compris le jus qui pourrait rester. Servir à la température ambiante.

PAR PORTION : 115 Calories, 4 g Gras total, 1 g Gras saturé, 0 mg Cholestérol, 174 mg Sodium, 18 g Glucide total, 2 g Fibres alimentaires, 3 g Protéines, 32 mg Calcium.

POINTS PAR PORTION : 2.

*Di Giorno Les tomates prunes contiennent beaucoup moins d'eau que les tomates que l'on trouve habituellement au supermarché. Si vous ne pouvez en trouver, hachez les tomates que vous avez et mélangez-les dans un bol avec 2 ml (½ c. à thé) de sel. Laissez reposer environ 30 minutes, ce qui permettra aux tomates de se débarrasser d'une bonne quantité d'eau. Égouttez et mélangez avec les autres ingrédients. Ne soyez pas inquiet, les tomates resteront juteuses malgré ce traitement.*

# Crostinis aux tomates séchées

4 PORTIONS

*Si les tomates fraîches ne sont plus de saison, essayez cette version à base de tomates séchées.*

16 demi-tomates séchées (non conservées dans l'huile)

125 ml (½ tasse) d'eau bouillante

125 ml (½ tasse) de persil plat frais

2 gousses d'ail

10 ml (2 c. à thé) d'huile d'olive

1 ml (¼ c. à thé) de sel

120 g (4 oz) de pain de campagne italien croûté, coupé en 8 tranches et grillé

1. Couvrir les tomates d'eau et laisser tremper de 10 à 15 minutes pour les attendrir. Égoutter et réserver le liquide dans un autre bol.

2. Dans le robot de cuisine ou le mélangeur, réduire en purée les tomates, le persil, 1 gousse d'ail et 15 ml (1 c. à soupe) du liquide réservé, en raclant les parois au besoin. Incorporer l'huile et le sel.

3. Couper l'autre gousse d'ail en deux. Frotter les tranches de pain avec la face coupée de la gousse. Couvrir chaque tranche avec une quantité égale de préparation et servir.

PAR PORTION : 131 Calories, 3 g Gras total, 1 g Gras saturé, 0 mg Cholestérol, 314 mg Sodium, 21 g Glucide total, 3 g Fibres alimentaires, 5 g Protéines, 35 mg Calcium.

POINTS PAR PORTION : 2.

# Crostinis au fromage de chèvre, aux tomates et au basilic

### 4 PORTIONS

*Certains croient à tort que le fromage de chèvre est typiquement français, mais il ne faut pas oublier que les Grecs et les Italiens l'utilisent depuis toujours. Dans la région piémontaise, dans le nord-est de l'Italie, on en fait une tradition ancestrale. Pour cette recette, achetez n'importe quel fromage de chèvre sans croûte.*

120 g (4 oz) de pain de campagne italien croûté, coupé en 8 tranches et grillé

45 g (1 ½ oz) de fromage de chèvre

4 tomates prunes, en tranches

1 ml (¼ c. à thé) de sel

Poivre fraîchement moulu, au goût

8 feuilles de basilic frais

Tartiner les tranches de pain avec la moitié du fromage de chèvre. Couvrir chaque tranche avec 2 tranches de tomate en les faisant se chevaucher au besoin. Saler, poivrer et couvrir avec une feuille de basilic et le fromage restant. Servir à la température ambiante.

PAR PORTION : 121 Calories, 4 g Gras total, 2 g Gras saturé, 8 mg Cholestérol, 358 mg Sodium, 16 g Glucide total, 1 g Fibres alimentaires, 5 g Protéines, 60 mg Calcium.

POINTS PAR PORTION : 3.

# Crostinis au crabe

*Si la chair de crabe fraîche coûte trop cher, remplacez-la avec du surimi ou du crabe en conserve de qualité. Rincez-le à l'eau claire avant de l'incorporer aux autres ingrédients. On peut aussi choisir du homard, des crevettes ou du poisson blanc à chair floconneuse.*

120 g (4 oz) de crabe frais ou décongelé

30 ml (2 c. à soupe) de céleri, émincé

15 ml (1 c. à soupe) de basilic frais, ciselé

15 ml (1 c. à soupe) de jus de citron fraîchement pressé

10 ml (2 c. à thé) d'huile d'olive extravierge

1 ml (¼ c. à thé) de sel

1 pincée (⅛ c. à thé) de piment de Cayenne

120 g (4 oz) de pain de campagne italien croûté, coupé en 8 tranches et grillé

**1.** Mélanger la chair de crabe, le céleri, le basilic, le jus de citron, l'huile, le sel et le piment de Cayenne. Couvrir et mettre dans le réfrigérateur au moins 2 heures. Sortir du réfrigérateur au moins 1 heure avant de servir.

**2.** Couvrir chaque tranche de pain avec une quantité égale de chair de crabe et servir.

PAR PORTION : 128 Calories, 4 g Gras total, 1 g Gras saturé, 28 mg Cholestérol, 383 mg Sodium, 15 g Glucide total, 1 g Fibres alimentaires, 8 g Protéines, 60 mg Calcium.

POINTS PAR PORTION : 3.

# « Crostinis » aux artichauts

## 12 PORTIONS

*Pour une variante raffinée, on peut remplacer le pain par des rondelles de polenta disponibles dans la plupart des supermarchés.*

20 ml (4 c. à thé) d'huile d'olive

2 gousses d'ail, émincées

1 paquet de 270 g (9 oz) de cœurs d'artichaut, décongelés

2 tomates prunes, épépinées et hachées

7 ml (½ c. à soupe) de pâte d'anchois

50 ml (¼ tasse) de vin blanc sec

15 ml (1 c. à soupe) de jus de citron fraîchement pressé

360 ml (12 oz) de polenta, coupée en tranches de 1,25 cm (½ po)

15 ml (1 c. à soupe) de parmesan, râpé

**1.** Préchauffer le gril.

**2.** Chauffer un poêlon à revêtement antiadhésif. Verser l'huile, puis ajouter l'ail. Cuire sur feu vif jusqu'à ce que ses arômes se dégagent, puis ajouter les cœurs d'artichaut, les tomates, la pâte d'anchois et le vin. Cuire de 4 à 5 minutes, sans cesser de remuer, jusqu'à ce que le vin soit évaporé et que les tomates se défassent en morceaux. Ajouter le jus de citron et retirer du feu.

**3.** Passer les tranches de polenta sous le gril environ 4 minutes, jusqu'à ce qu'elles brunissent. Retourner les tranches et les couvrir avec la préparation aux artichauts. Couvrir avec le fromage et griller environ 2 minutes pour faire brunir légèrement.

PAR PORTION : 75 Calories, 3 g Gras total, 1 g Gras saturé, 8 mg Cholestérol, 126 mg Sodium, 9 g Glucide total, 2 g Fibres alimentaires, 3 g Protéines, 62 mg Calcium.

POINTS PAR PORTION : 1.

*Di Giorno Pour une préparation plus onctueuse, réduire la préparation en purée dans le robot de cuisine après l'avoir retirée du feu.*

*«Crostinis» aux artichauts*

# $\mathcal{P}$alourdes Casino

4 PORTIONS

*Essayez de trouver les plus petites palourdes qui soient pour faire cette recette.
Leur goût est certainement meilleur que celui des grosses palourdes.*

12 palourdes, brossées

50 ml (¼ tasse) de vin blanc sec

10 ml (2 c. à thé) d'huile d'olive

1 piment italien à frire, épépiné et émincé (voir Di Giorno 3, p. 341)

1 petit oignon, émincée

1 gousse d'ail, émincée

1 tomate prune, hachée

45 ml (3 c. à soupe) de chapelure nature

30 ml (2 c. à soupe) de persil plat frais, émincé

15 ml (1 c. à soupe) d'origan frais, émincé, ou 2 ml (½ c. à thé) d'origan séché

15 ml (1 c. à soupe) de basilic frais, émincé, ou 2 ml (½ c. à thé) de basilic séché

Poivre fraîchement moulu, au goût

3 tranches de bacon, cuit croustillant et émietté

4 quartiers de citron

**1.** Tapisser une rôtissoire de 22,5 x 32,5 cm (9 x 13 po) avec du papier d'aluminium, côté luisant vers le haut. Préchauffer le gril.

**2.** Mettre les palourdes et le vin dans une casserole sur feu moyen. Couvrir et cuire de 4 à 5 minutes, jusqu'à ce que les palourdes soient ouvertes. Jeter toutes les palourdes qui sont restées fermées. Quand elles sont suffisamment refroidies pour être manipulées, retirer les palourdes de leur coquille et les hacher grossièrement. Réserver les 12 coquilles ; réserver l'eau de cuisson dans un bol séparé.

**3.** Chauffer un poêlon à revêtement antiadhésif. Verser l'huile, puis ajouter les piments, les oignons et l'ail. Cuire sur feu vif environ 5 minutes, jusqu'à ce que les oignons soient dorés.

**4.** Dans le robot de cuisine, mettre les palourdes, 50 ml (¼ tasse) de liquide de cuisson, les tomates, la chapelure, le persil, l'origan, le basilic et le poivre. Activer le moteur 4 ou 5 fois, juste assez pour hacher grossièrement les palourdes et mélanger les ingrédients. Incorporer le bacon et les légumes sautés. Remplir chaque coquille avec une quantité égale de la préparation. Mettre les coquilles dans la rôtissoire et faire griller environ 5 minutes, jusqu'à ce que la préparation soit brune et croustillante. Servir avec des quartiers de citron.

PAR PORTION : 114 Calories, 5 g Gras total, 1 g Gras saturé, 14 mg Cholestérol, 139 mg Sodium, 8 g Glucide total, 1 g Fibres alimentaires, 6 g Protéines, 43 mg Calcium.

*Voir Di Giorno p. 339.*

POINTS PAR PORTION : 2.

# Palourdes à l'origan

## 4 PORTIONS

*Cette recette utilise le moins de chapelure possible pour mettre en valeur le goût exquis des palourdes. Il ne s'agit pas simplement d'un hors-d'œuvre puisque ce plat peut être servi avec une délicieuse Salade de fenouil à l'orange (p. 160) pour un lunch léger des plus appétissants.*

12 petites palourdes, brossées

50 ml (¼ tasse) de vin blanc sec

2 tomates prunes, hachées

50 ml (¼ tasse) de champignons, hachés

45 ml (3 c. à soupe) de chapelure nature

30 ml (2 c. à soupe) de persil plat frais, émincé

30 ml (2 c. à soupe) de jus de citron fraîchement pressé

20 ml (4 c. à thé) d'huile d'olive

15 ml (1 c. à soupe) d'origan frais, émincé, ou 2 ml (½ c. à thé) d'origan séché

15 ml (1 c. à soupe) de thym frais, ou 2 ml (½ c. à thé) de thym séché

2 gousses d'ail, émincées

Poivre fraîchement moulu, au goût

10 ml (2 c. à thé) de parmesan, râpé

4 quartiers de citron

1. Tapisser une rôtissoire de 22,5 x 32,5 cm (9 x 13 po) avec du papier d'aluminium, côté luisant sur le vers le haut. Préchauffer le gril.

2. Mettre les palourdes et le vin dans une casserole sur feu moyen. Couvrir et cuire de 4 à 5 minutes, jusqu'à ce que les palourdes soient ouvertes. Jeter toutes les palourdes qui sont restées fermées. Quand elles sont suffisamment refroidies pour être manipulées, retirer les palourdes de leur coquille et les hacher grossièrement. Réserver les 12 coquilles ; réserver l'eau de cuisson dans un bol séparé.

3. Dans le robot de cuisine, mettre les palourdes, 30 ml (2 c. à soupe) de liquide de cuisson, les tomates, les champignons, la chapelure, le persil, le jus de citron, l'huile, l'origan, le thym, l'ail et le poivre. Activer le moteur 4 ou 5 fois, juste assez pour hacher grossièrement les palourdes et mélanger les ingrédients. Si les ingrédients semblent trop secs, ajouter de 15 à 30 ml (1 à 2 c. à soupe) de liquide de cuisson pour obtenir la consistance désirée. Presser la préparation dans les coquilles. Couvrir de fromage. Mettre les coquilles dans la rôtissoire et griller environ 5 minutes, jusqu'à ce que la préparation soit brune et croustillante. Servir avec des quartiers de citron.

PAR PORTION : 109 Calories, 5 g Gras total, 1 g Gras saturé, 10 mg Cholestérol, 83 mg Sodium, 8 g Glucide total, 1 g Fibres alimentaires, 5 g Protéines, 54 mg Calcium.

POINTS PAR PORTION : 2.

# Salade de poulpe

6 PORTIONS

*Les polpetti sont des bébés poulpes. On les trouve dans les marchés méditerranéens, asiatiques et antillais où on les a nettoyés et surgelés, ce qui les rend très tendres.*

240 g (8 oz) de petits poulpes

1 feuille de laurier

45 ml (3 c. à soupe) de jus de citron fraîchement pressé

15 ml (1 c. à soupe) d'huile d'olive

1 ml (¼ c. à thé) de piment de Cayenne broyé

75 ml (⅓ tasse) de poivron rouge, épépiné et haché

50 ml (¼ tasse) de céleri, haché

15 ml (1 c. à soupe) de câpres, égouttées et hachées

1 ml (¼ c. à thé) de sel

**1.** Amener une grande casserole remplie d'eau à ébullition, puis ajouter les poulpes et la feuille de laurier. Réduire la chaleur, couvrir et laisser mijoter environ 45 minutes, jusqu'à ce qu'ils soient tendres sous la fourchette. Transvider les poulpes dans une passoire et rincer à l'eau froide. Jeter la feuille de laurier. Hacher grossièrement les poulpes.

**2.** Mélanger le jus de citron, l'huile et le piment de Cayenne dans un bol. Ajouter les poulpes, les poivrons, le céleri, les câpres et le sel. Bien remuer. Couvrir et laisser dans le réfrigérateur au moins 1 heure pour que les saveurs se mêlent bien.

PAR PORTION : 57 Calories, 3 g Gras total, 0 g Gras saturé, 18 mg Cholestérol, 241 mg Sodium, 2 g Glucide total, 0 g Fibres alimentaires, 6 g Protéines, 26 mg Calcium.

POINTS PAR PORTION : 1.

*Di Giorno Si vous ne trouvez que du poulpe adulte, n'hésitez pas à l'utiliser. Ou remplacez les petits poulpes par 240 g (8 oz) de calmars : coupez alors les corps en rondelles de 1,25 cm (½ po) et au lieu de les faire mijoter, faites bouillir les corps et les tentacules environ 1 minute, jusqu'à ce qu'ils soient opaques.*

# $\mathcal{A}$nchoyade

## 20 PORTIONS

*La mayonnaise adoucit le goût des anchois dans cette recette. Les anchois étant très salés, n'ajoutez pas de sel avant d'avoir goûté la préparation. Ce hors-d'œuvre fait partie de l'antipasto misto traditionnel. Servez-le sur des craquelins ou sur une carta di musica, un pain croustillant de Sardaigne si mince qu'il ressemble à du papier à musique.*

2 gousses d'ail, épluchées

125 ml (½ tasse) de persil plat frais

60 g (2 oz) de filets d'anchois (environ 15), rincés et épongés

50 ml (¼ tasse) de mayonnaise hypocalorique

20 tranches de pain italien

Dans le robot de cuisine, réduire en purée l'ail, le persil, les anchois et la mayonnaise. Tartiner chaque tranche de pain avec environ 5 ml (1 c. à thé) de la préparation.

PAR PORTION : 93 Calories, 2 g Gras total, 1 g Gras saturé, 3 mg Cholestérol, 288 mg Sodium, 15 g Glucide total, 1 g Fibres alimentaires, 4 g Protéines, 33 mg Calcium.

POINTS PAR PORTION : 2.

*Di Giorno Achetez des anchois importés d'Italie ou d'un autre pays méditerranéen. Ce sont les seuls producteurs d'anchois véritables. On trouve souvent les anchois empaquetés dans l'huile ou dans le sel.*

# Pâté de foie de poulet

## 18 PORTIONS

*Même si les pâtés sont appréciés dans toute l'Italie, ils le sont particulièrement dans le Piémont, cette région située tout près de la France qui a hérité de l'influence culinaire de ce pays. Ce pâté peut être servi de nombreuses façons. Essayez-le sur des crostinis (15 ml/1 c. à soupe par tranche de pain) ou pour farcir des raviolis (environ la même quantité par ravioli).*

1 ml (¼ c. à thé) d'huile d'olive

1 oignon, en tranches

15 ml (1 c. à soupe) de sauge fraîche, grossièrement hachée

360 g (12 oz) de foies de poulet, débarrassés de tout gras visible et rincés

2 gousses d'ail, hachées

2 ml (½ c. à thé) de sel

1 ml (¼ c. à thé) de piment de Cayenne broyé

50 ml (¼ tasse) de marsala

50 ml (¼ tasse) de chapelure nature

50 ml (¼ tasse) de ricotta écrémée

**1.** Chauffer un poêlon à revêtement antiadhésif. Verser l'huile, puis ajouter les oignons et la sauge. Cuire les oignons sur feu vif jusqu'à ce qu'ils soient dorés, puis ajouter les foies de poulet. Cuire, sans cesser de remuer, jusqu'à ce qu'ils perdent leur couleur rosée. Ajouter l'ail, le sel, le piment de Cayenne et le vin. Couvrir et cuire environ 5 minutes sur feu moyen-doux, jusqu'à ce que les foies soient bien cuits.

**2.** Transvider dans le robot de cuisine. Ajouter la chapelure et la ricotta et réduire en purée. Transvider le pâté dans un bol à l'aide d'une spatule, couvrir et laisser dans le réfrigérateur au moins 1 heure pour que les saveurs se mêlent bien.

PAR PORTION DE 30 ML (2 C. À SOUPE) : 49 Calories, 1 g Gras total, 0 g Gras saturé, 119 mg Cholestérol, 90 mg Sodium, 3 g Glucide total, 0 g Fibres alimentaires, 5 g Protéines, 13 mg Calcium.

POINTS PAR PORTION : 1.

# Caponata

4 PORTIONS

*Ce plat consistant tient son nom du mot* caupone, *qui signifie «taverne du marin» en dialecte sicilien. Les marins aimaient manger la caponata avec du pain, mais vous l'aimerez tout autant dans un sandwich de poulet grillé ou allongée dans un bouillon léger et servie sur des pâtes.*

20 ml (4 c. à thé) d'huile d'olive

2 branches de céleri, hachées

2 oignons, hachés

1 gousse d'ail, émincée

1 aubergine de 720 g (1 ½ lb) non pelée, grossièrement hachée

4 tomates prunes, hachées

250 ml (1 tasse) de jus de tomate hyposodique

250 ml (1 tasse) d'eau chaude

20 petites olives noires, dénoyautées et hachées

30 ml (2 c. à soupe) de câpres, égouttées

45 ml (3 c. à soupe) de vinaigre de vin rouge

30 ml (2 c. à soupe) de sucre

1 ml (¼ c. à thé) de sel

Poivre fraîchement moulu, au goût

1. Chauffer l'huile dans un poêlon à revêtement antiadhésif, puis ajouter le céleri, les oignons et l'ail. Cuire sur feu vif environ 3 minutes, jusqu'à ce que les oignons soient tendres. Ajouter les aubergines, les tomates, le jus de tomate, l'eau, les olives et les câpres. Couvrir et cuire de 20 à 30 minutes, en remuant souvent et en ajoutant 125 ml (½ tasse) d'eau à la fois au besoin. Quand les légumes sont tendres et que la sauce est épaisse, retirer du feu.

2. Incorporer le vinaigre, le sucre, le sel et le poivre. Réduire la chaleur et laisser mijoter 5 minutes en remuant souvent. Servir à la température ambiante ou conserver dans le réfrigérateur jusqu'à 5 jours.

PAR PORTION DE 175 ML/¾ TASSE : 212 Calories, 10 g Gras total, 1 g Gras saturé, 0 mg Cholestérol, 653 mg Sodium, 30 g Glucide total, 7 g Fibres alimentaires, 4 g Protéines, 50 mg Calcium.

POINTS PAR PORTION : 4.

# Les secrets de la cuisine italienne authentique

Il est inutile de dépenser une fortune en ingrédients exotiques pour cuisiner comme une vraie grand-maman italienne. Le secret : quelques ustensiles bien choisis, des ingrédients en conserve de première qualité et une visite quotidienne au marché pour acheter le pain, la viande, le poisson, les fruits, légumes et autres produits périssables. Voici une liste des ingrédients de base que vous aimerez toujours avoir à portée de la main.

## Dans le réfrigérateur

Mozzarella partiellement écrémée
Pancetta
Parmigiano reggiano
Pecorino romano
Pepperoni de dinde
Pignons
Prosciutto di Parma
Ricotta partiellement écrémée
Saucisse de dinde à l'italienne

## Dans le garde-manger

Ail
Câpres
Chapelure
Haricots secs et en conserve (pois chiches, can-nellinis, lentilles)
Huile d'olive
Marsala
Oignons
Olives (en pot ou dans la saumure)
Pâte de tomate, pâte d'olive et pâte d'anchois en tube
Pâtes alimentaires
Peperoncini
Piment de Cayenne broyé
Piments rôtis en conserve
Riz arborio
Semoule de maïs
Tomates prunes en conserve
Vinaigre balsamique
Vin rouge sec

## Ustensiles

Casserole à fond épais
Grande passoire
Longue fourchette pour les pâtes
Machine à faire les pâtes
Maillet à viande
Marmite pour cuire les pâtes
Poêlon à fond épais
Râpe

## Frais du potager ou du marché

Artichauts
Aubergine
Basilic
Champignons (creminis, porcinis, portobellos)
Citrons
Courgettes
Fenouil
Haricots verts
Menthe
Origan
Persil plat
Piments à frire
Poivrons
Pommes de terre nouvelles
Rapini
Romarin
Roquette
Sauge
Thym
Tomates prunes

# Tartinade de cannellinis au romarin

## 21 PORTIONS

*Les cannellinis sont populaires dans toute l'Italie, mais vous pouvez les remplacer par n'importe quel autre haricot blanc. Pour une tartinade moins épicée, remplacez la sauce forte par 1 ml (¼ c. à thé) de poivre blanc moulu. Servez-la avec des craquelins ou du pain croûté ou comme trempette avec des légumes crus. Elle peut aussi remplacer la mayonnaise dans un sandwich au poulet.*

1 boîte de 540 ml (19 oz) de haricots cannellinis, rincés et égouttés

30 ml (2 c. à soupe) de jus de citron fraîchement pressé

30 ml (2 c. à soupe) de romarin frais

5 gouttes de sauce forte aux piments

Dans le robot de cuisine, réduire en purée les haricots, le jus de citron, le romarin et la sauce forte. Transvider dans un bol, couvrir et laisser au moins 15 minutes dans le réfrigérateur pour que les saveurs se mêlent bien.

PAR PORTION DE 15 ML/1 C. À SOUPE : 22 Calories, 0 g Gras total, 0 g Gras saturé, 0 mg Cholestérol, 55 mg Sodium, 4 g Glucide total, 1 g Fibres alimentaires, 1 g Protéines, 16 mg Calcium.

POINTS PAR PORTION : 0.

# Fricos au fromage

## 16 PORTIONS

*Les fricos sont des gaufres à la fois croustillantes et crémeuses populaires dans la région du Frioul où on les sert comme antipasto ou sur une salade verte comme plat principal.*
*Ils doivent être légèrement dorés et il ne faut pas trop les cuire sinon ils pourraient devenir caoutchouteux en refroidissant. Servez seulement deux fricos par personne puisqu'ils sont très riches en matières grasses.*

---

**180 g (6 oz) de parmesan ou de montasio, râpé (environ 500 ml/2 tasses)**

Chauffer un grand poêlon à revêtement antiadhésif sur feu moyen-doux. Verser le fromage par cuillerée dans le poêlon, puis presser sur le dessus avec une spatule pour aplatir légèrement. Cuire de 2 à 3 minutes, jusqu'à ce que le fromage fonde et que des bulles apparaissent. À l'aide de deux spatules en caoutchouc, retourner délicatement les fricos et cuire 1 minute de plus. Retirer chaque frico avec une spatule et le déposer sur une assiette avec la seconde spatule. Donner à chaque frico une forme ronde pendant qu'ils sont encore chauds. Répéter les mêmes étapes pour les 32 fricos.

PAR PORTION : 51 Calories, 4 g Gras total, 2 g Gras saturé, 12 mg Cholestérol, 35 mg Sodium, 0 g Glucide total, 0 g Fibres alimentaires, 4 g Protéines, 130 mg Calcium.

POINTS PAR PORTION : 1.

*Di Giorno Soyez aussi vigilant qu'un faucon au moment de cuire les fricos puisqu'il faut empêcher le fromage de brunir trop rapidement. S'ils ne sont pas assez chauds, les fricos ne deviendront pas assez croustillants. Quand le fromage grésille et que des bulles se forment en quelques secondes seulement, la température est parfaite, mais veillez à l'ajuster tout au long de la cuisson.*

# Frico aux pommes de terre

## 8 PORTIONS

*Le montasio est un fromage fort à pâte dure qui a été vieilli de 6 à 12 mois. Si vous ne pouvez vous en procurer, optez pour un fromage plus jeune ou du parmesan.*

1 petite pomme de terre rouge

90 g (3 oz) de parmesan ou de montasio, râpé (environ 250 ml/1 tasse)

**1.** Couvrir la pomme de terre d'eau et amener à ébullition. Réduire la chaleur, couvrir et laisser mijoter environ 15 minutes, jusqu'à ce qu'elle soit tendre sous la fourchette. Égoutter et laisser refroidir. Peler la pomme de terre et la couper diagonalement en fines tranches.

**2.** Chauffer un poêlon à revêtement antiadhésif de 20 cm (8 po) sur feu moyen-doux. Couvrir le fond du poêlon avec la moitié du fromage. Placez les pommes de terre sur une seule couche sur le fromage, puis couvrir avec le fromage restant. Cuire de 4 à 6 minutes, jusqu'à ce que le fromage soit fondu et que des bulles apparaissent sur les côtés. À l'aide d'une spatule de caoutchouc, faire glisser le frico sur une assiette. Remettre le frico dans le poêlon pour le faire cuire de l'autre côté de 4 à 6 minutes de plus. Faire glisser le frico sur une assiette et le couper en pointes.

PAR PORTION : 60 Calories, 4 g Gras total, 2 g Gras saturé, 12 mg Cholestérol, 36 mg Sodium, 3 g Glucide total, 0 g Fibres alimentaires, 4 g Protéines, 131 mg Calcium.

POINTS PAR PORTION : 2.

# Frico à la saucisse et au chou-fleur

8 PORTIONS

*La plupart des épiceries italiennes vendent de la saucisse de dinde, mais rien n'est plus facile que d'en préparer soi-même. Il suffit de hacher finement 60 g (2 oz) de poitrine de dinde, 1 ml (¼ c. à thé) de graines de fenouil et 2 ml (½ c. à thé) d'assaisonnement à l'italienne dans le robot de cuisine.*

10 ml (2 c. à thé) d'huile d'olive

60 g (2 oz) de saucisse de dinde italienne, émiettée (environ 50 ml/¼ tasse)

125 ml (½ tasse) de bouquets de chou-fleur, hachés

90 g (3 oz) de parmesan ou de montasio, râpé (environ 250 ml/1 tasse)

**1.** Chauffer l'huile dans un poêlon à revêtement antiadhésif. Cuire la saucisse et le chou-fleur sur feu vif de 7 à 10 minutes, jusqu'à ce que la saucisse soit brune et que le chou-fleur soit tendre.

**2.** Chauffer un poêlon à revêtement antiadhésif de 20 cm (8 po) sur feu moyen-doux. Couvrir le fond du poêlon avec la moitié du fromage. Verser à l'aide d'une cuillère la préparation à la saucisse et au chou-fleur sur le fromage, puis couvrir avec le fromage restant. Cuire de 4 à 6 minutes, jusqu'à ce que le fromage soit fondu et que des bulles apparaissent sur les côtés. À l'aide d'une spatule de caoutchouc, faire glisser le frico sur une assiette. Remettre le frico dans le poêlon pour le faire cuire de l'autre côté de 4 à 6 minutes de plus, jusqu'à ce que des bulles apparaissent sur les côtés. Faire glisser le frico sur une assiette et le couper en pointes.

PAR PORTION : 74 Calories, 6 g Gras total, 3 g Gras saturé, 18 mg Cholestérol, 80 mg Sodium, 1 g Glucide total, 0 g Fibres alimentaires, 5 g Protéines, 134 mg Calcium.

POINTS PAR PORTION : 2.

# CHAPITRE 2

# Soupes

# Ribollita

8 PORTIONS

*Ribollita signifie «bouillie de nouveau» et cette soupe est encore meilleure le lendemain de sa préparation. La ribollita traditionnelle contient du cavalo nero, une variété de chou kale noir au goût très prononcé qu'on trouve en Toscane. En Amérique, on peut le remplacer par le chou kale qu'on trouve dans la plupart des marchés.*

10 ml (2 c. à thé) d'huile d'olive

2 oignons, hachés

1 tranche de bacon canadien, en julienne

2 gousses d'ail, émincées

1 boîte de 796 ml (28 oz) de tomates prunes à l'italienne (sans sel ajouté), hachées

4 branches de céleri, hachées

1 carotte, en tranches

2 boîtes de 540 ml (19 oz) de haricots cannellinis, rincés et égouttés

1 chou kale, nettoyé et haché

2 litres (8 tasses) d'eau

30 ml (2 c. à soupe) de sauge fraîche, émincée, ou 10 ml (2 c. à thé) de sauge séchée

1 ml (¼ c. à thé) de sel

Poivre fraîchement moulu, au goût

30 ml (2 c. à soupe) d'huile d'olive extravierge

**1.** Chauffer l'huile dans une casserole à revêtement antiadhésif, puis ajouter les oignons, le bacon et l'ail. Cuire sur feu vif jusqu'à ce que les oignons soient tendres. Incorporer les tomates, le céleri et les carottes. Réduire la chaleur et laisser mijoter jusqu'à ce que le céleri et les carottes soient tendres. Incorporer les haricots, le chou, l'eau, la sauge, le sel et le poivre. Amener à ébullition. Réduire la chaleur et laisser mijoter, en remuant souvent, jusqu'à ce que le chou soit très tendre et que la soupe épaississe. Laisser refroidir à la température ambiante, couvrir et laisser dans le réfrigérateur plusieurs heures ou toute la nuit.

**2.** Environ 30 minutes avant de servir, réchauffer la soupe sur feu doux. Servir chaque portion avec 3 ml (¾ c. à thé) d'huile d'olive extravierge.

PAR PORTION : 263 Calories, 6 g Gras total, 1 g Gras saturé, 2 mg Cholestérol, 191 mg Sodium, 41 g Glucide total, 11 g Fibres alimentaires, 15 g Protéines, 202 mg Calcium.

POINTS PAR PORTION : 4.

# Soupe aux haricots et au basilic

4 PORTIONS

*Le Frioul est reconnu pour ses soupes extraordinaires. Là-bas, les haricots et le basilic frais sont intégrés dans plusieurs recettes de soupes. Nous utilisons ici des haricots en conserve pour éviter le temps de trempage. On peut remplacer les haricots Great Northern par n'importe quel petit haricot blanc.*

10 ml (2 c. à thé) d'huile d'olive

1 oignon, finement haché

3 gousses d'ail, émincées

1 grosse carotte, hachée

1 boîte de 440 ml (15 ½ oz) de haricots Great Northern, rincés et égouttés

750 ml (3 tasses) de bouillon de poulet

75 ml (⅓ tasse) de basilic frais, finement haché

2 ml (½ c. à thé) de poivre blanc moulu

**1.** Chauffer l'huile dans une casserole à revêtement antiadhésif, puis ajouter les oignons. Cuire sur feu vif jusqu'à ce qu'ils soient tendres. Ajouter l'ail, les carottes et les haricots, puis incorporer le bouillon et amener à ébullition. Réduire la chaleur, couvrir et laisser mijoter environ 15 minutes, jusqu'à ce que les légumes soient suffisamment tendres pour être réduits en purée.

**2.** Transvider la soupe dans le robot de cuisine et réduire en purée. Remettre la soupe dans la casserole, incorporer le basilic et le poivre et réchauffer.

PAR PORTION : 203 Calories, 6 g Gras total, 1 g Gras saturé, 4 mg Cholestérol, 762 mg Sodium, 29 g Glucide total, 7 g Fibres alimentaires, 10 g Protéines, 81 mg Calcium.

POINTS PAR PORTION : 3.

*Di Giorno Cette soupe peut aussi être préparée avec de l'orge. Incorporez alors 75 ml (⅓ tasse) d'orge à cuisson rapide avec le bouillon et ne réduisez pas la soupe en purée.*

# Minestrone

## 8 PORTIONS

*Il y a autant de recettes de minestrone qu'il y a de cuisiniers! Oignons, carottes, pommes de terre, céleri et tomates sont les ingrédients de base auxquels on ajoute trois ou quatre autres légumes et des petites pâtes. Les haricots secs sont préférables aux haricots en conserve dans cette recette puisqu'ils conservent mieux leur forme après une longue cuisson.*

250 ml (1 tasse) de haricots cannellinis secs, remués à la fourchette, rincés et égouttés

2 litres (8 tasses) de bouillon de bœuf hyposodique

1 ml (¼ c. à thé) de sel

Poivre fraîchement moulu, au goût

10 ml (2 c. à thé) d'huile d'olive

2 oignons, hachés

1 carotte, en tranches

2 branches de céleri, en tranches

1 gousse d'ail, émincée

1 boîte de 796 oz (28 oz) de tomates prunes italiennes (sans sel ajouté), hachées

125 ml (½ tasse) de persil frais, émincé

750 ml (3 tasses) de chou vert, grossièrement haché

2 petites courgettes, en dés

125 ml (½ tasse) de ditalinis ou autres petites pâtes alimentaires

20 ml (4 c. à thé) de parmesan, râpé

**1.** Couvrir les haricots avec environ 7 cm (3 po) d'eau froide et laisser tremper toute la nuit.

**2.** Égoutter et rincer les haricots, puis les mettre dans une grande casserole. Ajouter le bouillon, le sel, le poivre et laisser mijoter. Couvrir et cuire environ 1 heure, jusqu'à ce qu'ils soient tendres.

**3.** Pendant ce temps, chauffer l'huile dans un poêlon antiadhésif, puis ajouter les oignons, les carottes, le céleri et l'ail. Cuire les oignons sur feu vif jusqu'à ce qu'ils soient tendres. Mélanger les légumes aux haricots, puis ajouter les tomates et le persil. Laisser mijoter 30 minutes, puis ajouter le chou, les courgettes et les pâtes. Laisser mijoter environ 20 minutes, jusqu'à ce que le chou soit tendre. Retirer du feu et laisser reposer 10 minutes. Servir avec du parmesan râpé.

PAR PORTION : 197 Calories, 2 g Gras total, 0 g Gras saturé, 1 mg Cholestérol, 197 mg Sodium, 32 g Glucide total, 5 g Fibres alimentaires, 14 g Protéines, 113 mg Calcium.

POINTS PAR PORTION : 3.

*Voir Di Giorno p. 339.*

# Pâtes et haricots

4 PORTIONS

*Ce plat paysan de Vénétie est servi de nos jours dans la plupart des grands restaurants de l'Italie.*
*Préparez-le la veille pour qu'il devienne plus épais et que les saveurs aient le temps de bien se mêler.*

20 ml (4 c. à thé) d'huile d'olive

1 oignon, haché

2 branches de céleri, hachées

½ carotte, en tranches

1 tranche de bacon canadien, en dés

1 boîte de 540 ml (19 oz) de haricots cannellinis, rincés et égouttés

750 ml (3 tasses) de bouillon de bœuf hyposodique

1 boîte de 796 ml (28 oz) de tomates prunes à l'italienne (sans sel ajouté), hachées

250 ml (1 tasse) de tubettis ou de macaronis coupés

1 ml (¼ c. à thé) de sel

Poivre fraîchement moulu, au goût

30 ml (2 c. à soupe) de parmesan, râpé

30 ml (2 c. à soupe) de sauge fraîche, émincée, ou 5 ml (1 c. à thé) de sauge séchée

**1.** Chauffer une casserole à revêtement antiadhésif. Verser l'huile, puis ajouter les oignons. Cuire sur feu vif jusqu'à ce qu'ils soient dorés, puis ajouter le céleri, les carottes et le bacon. Cuire sur feu vif jusqu'à ce que les légumes soient tendres. Ajouter les haricots, le bouillon et les tomates. Amener à ébullition. Réduire la chaleur et laisser mijoter, en remuant souvent, jusqu'à léger épaississement.

**2.** Transvider 250 ml (1 tasse) des haricots et un peu de liquide de cuisson dans le robot de cuisine ou le mélangeur. Réduire en purée et remettre dans la casserole. Amener à faible ébullition. Incorporer les pâtes, le sel et le poivre. Cuire environ 5 minutes, en remuant souvent, jusqu'à ce que les pâtes soient tendres mais encore fermes. Laisser refroidir à la température ambiante. Couvrir et laisser dans le réfrigérateur plusieurs heures ou toute la nuit.

**3.** Environ 30 minutes avant de servir, réchauffer la soupe sur feu doux en lui ajoutant 125 ml (½ tasse) d'eau à la fois jusqu'à consistance désirée. Servir avec du parmesan râpé et de la sauge.

PAR PORTION : 467 Calories, 9 g Gras total, 2 g Gras saturé, 8 mg Cholestérol, 724 mg Sodium, 70 g Glucide total, 13 g Fibres alimentaires, 27 g Protéines, 198 mg Calcium.

POINTS PAR PORTION : 7.

# Soupe aux haricots blancs et aux légumes

4 PORTIONS

*Le gingembre frais n'est pas seulement apprécié dans la cuisine asiatique. On l'utilise en Italie depuis les grands voyages de Marco Polo en Asie.*

175 ml (¾ tasse) de haricots Great Northern, défaits à la fourchette, rincés et égouttés

10 ml (2 c. à thé) d'huile d'olive

2 bulbes de fenouil, parés et hachés

2 oignons, hachés

2 branches de céleri, hachées

2 gousses d'ail, émincées

30 ml (2 c. à soupe) de gingembre frais, pelé et râpé

1 feuille de laurier

2 ml (½ c. à thé) de piment de Cayenne broyé

1,25 litre (5 tasses) d'eau

2 pommes de terre moyennes de consommation courante, cuites et coupées en dés

2 tomates, hachées

50 ml (¼ tasse) de persil plat frais, haché

5 ml (1 c. à thé) de sel

1 ml (¼ c. à thé) de poivre blanc moulu

30 ml (2 c. à soupe) de jus de citron fraîchement pressé

**1.** Couvrir les haricots avec environ 7 cm (3 po) d'eau froide et laisser tremper toute la nuit. Égoutter et jeter le liquide.

**2.** Chauffer l'huile dans une casserole à revêtement antiadhésif, puis ajouter le fenouil, les oignons et le céleri. Cuire les légumes sur feu vif jusqu'à ce qu'ils soient tendres. Ajouter l'ail et le gingembre et cuire sur feu vif jusqu'à ce que les arômes de l'ail se dégagent. Ajouter la feuille de laurier, le piment de Cayenne, les haricots et l'eau. Amener à ébullition. Réduire la chaleur et laisser mijoter environ 1 heure, en remuant de temps à autre, jusqu'à ce que les haricots soient tendres. Retirer du feu et laisser refroidir un peu. Jeter la feuille de laurier.

**3.** Transvider de petites quantités de soupe à la fois dans le robot de cuisine et réduire en purée. Remettre la purée au fur et à mesure dans la casserole, puis ajouter les pommes de terre, les tomates, le persil, le sel et le poivre. Réchauffer et rehausser avec un peu de jus de citron juste avant de servir.

PAR PORTION : 262 Calories, 3 g Gras total, 0 g Gras saturé, 0 mg Cholestérol, 635 mg Sodium, 49 g Glucide total, 20 g Fibres alimentaires, 12 g Protéines, 138 mg Calcium.

POINTS PAR PORTION : 1.

*Voir Di Giorno p. 339.*

# Soupe aux lentilles

## 8 PORTIONS

*Cette soupe est délicieuse et elle peut être congelée facilement. Faible en matières grasses et riche en fibres, on peut la servir de nombreuses façons. Vous pouvez ajouter quelques cubes de pommes de terre au moment de mettre les carottes ou une poignée d'épinards ou de scarole 10 ou 15 minutes avant de servir.*

10 ml (2 c. à thé) d'huile d'olive

2 oignons, finement hachés

1 gousse d'ail, émincée

1 sac de 480 g (1 lb) de lentilles, défaites à la fourchette, rincées et égouttées

2 litres (8 tasses) d'eau

2 carottes, en tranches

4 branches de céleri, en tranches

3 poireaux, nettoyés et coupés en tranches

1 boîte de 427 ml (14 ½ oz) de tomates prunes à l'italienne (sans sel ajouté), finement hachées

30 ml (2 c. à soupe) de vinaigre de vin rouge

15 ml (1 c. à soupe) de sauge fraîche, émincée

1 feuille de laurier

1 ml (¼ c. à thé) de sel

Poivre fraîchement moulu, au goût

**1.** Chauffer une casserole à revêtement antiadhésif. Verser l'huile, puis ajouter les oignons et l'ail. Cuire sur feu vif jusqu'à ce que les oignons soient dorés. Ajouter les lentilles et l'eau. Amener à ébullition. Incorporer les carottes, le céleri et les poireaux. Couvrir, réduire la chaleur et laisser mijoter environ 45 minutes, en remuant de temps à autre, jusqu'à ce que les lentilles et les légumes soient tendres.

**2.** Incorporer les tomates, le vinaigre, la sauge, la feuille de laurier, le sel et le poivre. Si la soupe est trop consistante, ajouter 250 à 500 ml (1 à 2 tasses) d'eau. Couvrir et laisser mijoter 30 minutes de plus en remuant souvent. Jeter la feuille de laurier.

PAR PORTION : 253 Calories, 2 g Gras total, 0 g Gras saturé, 0 mg Cholestérol, 109 mg Sodium, 44 g Glucide total, 9 g Fibres alimentaires, 17 g Protéines, 80 mg Calcium.

POINTS PAR PORTION : 3.

*Voir Di Giorno p. 339.*

# Soupe de verdure

## 8 PORTIONS

*Nous utilisons deux variétés de pommes de terre dans cette recette : les dorées du Yukon se défont facilement et servent à épaissir la soupe. Quant aux pommes de terre rouges, elles conservent leur forme pendant la cuisson et rôtissent sans difficulté. Pour rehausser la saveur de cette soupe à la façon vénitienne, remplacez le persil par une même quantité de basilic frais haché.*

250 ml (1 tasse) de carottes miniatures, coupées diagonalement en
deux

6 gousses d'ail, épluchées

1 poivron vert, épépiné et coupé en
morceaux

2 courgettes moyennes, coupées en
morceaux

2 branches de céleri, coupées en
morceaux

1 poireau, nettoyé et coupé en morceaux

120 g (4 oz) de haricots verts, coupés en morceaux

2 pommes de terre rouges moyennes, pelées et coupées en morceaux

1,4 litre (5 ¼ tasses) de bouillon de
légumes

2 pommes de terre dorées du
Yukon, pelées et râpées

1 grosse tomate, pelée, épépinée et
coupée en morceaux

50 ml (¼ tasse) de persil plat frais,
haché

1 ml (¼ c. à thé) de sel

1 ml (¼ c. à thé) de poivre fraîchement moulu

**1.** Préchauffer le four à 200 °C (400 °F). Dans un plat de cuisson, mélanger les carottes, l'ail, les poivrons, les cour-gettes, le céleri, les poireaux, les haricots verts, les pommes de terre rouges et 250 ml (1 tasse) de bouillon. Rôtir au four environ 30 minutes, jusqu'à ce que les légumes soient tendres sous la fourchette.

**2.** Transvider les légumes et le liquide de cuisson dans une casserole. Ajouter les autres pommes de terre, les tomates et le bouillon restant (1,12 litre/4 ½ tasses). Amener à ébullition. Réduire la chaleur, couvrir et laisser mijoter environ 15 minutes, jusqu'à léger épaississement. Incorpo-rer le persil, le sel et le poivre.

PAR PORTION : 100 Calories, 1 g Gras total, 0 g Gras saturé, 0 mg Cholestérol, 791 mg Sodium, 22 g Glucide total, 4 g Fibres alimentaires, 4 g Protéines, 44 mg Calcium.

POINTS PAR PORTION : 1.

Soupe de verdure

# Soupe à la courge rôtie

6 PORTIONS

*Cette soupe est consistante sans qu'on ait besoin de l'épaissir avec du pain ou des pommes de terre. Comme on le fait dans la région piémontaise, on lui ajoute plutôt de la courge. On peut utiliser la courge acorn pour une saveur relevée ou la courge butternut pour un goût un peu plus sucré.*

1 grosse courge acorn, coupée en deux et égrenée

1 gros oignon, pelé et coupé en quartiers

375 ml (1 ½ tasse) de bouillon de légumes

125 ml (½ tasse) de lait écrémé

2 ml (½ c. à thé) de piment de la Jamaïque

2 ml (½ c. à thé) de sel

1 ml (¼ c. à thé) de poivre blanc moulu

Muscade fraîchement râpée

**1.** Préchauffer le four à 200 °C (400 °F). Dans un plat de cuisson, mélanger la courge, les oignons et 125 ml (½ tasse) de bouillon. Couvrir de papier d'aluminium et griller environ 45 minutes, jusqu'à ce qu'ils soient très tendres.

**2.** À l'aide d'une cuillère, mettre la pulpe de courge dans le robot de cuisine (jeter la pelure). Ajouter les oignons, le jus de cuisson et le bouillon restant. Réduire en purée, puis transvider dans la casserole. Incorporer le lait, le piment de la Jamaïque, le sel et le poivre et réchauffer. Servir avec de la muscade fraîchement râpée.

PAR PORTION : 52 Calories, 0 g Gras total, 0 g Gras saturé, 0 mg Cholestérol, 457 mg Sodium, 12 g Glucide total, 2 g Fibres alimentaires, 2 g Protéines, 56 mg Calcium.

POINTS PAR PORTION : 1.

*Di Giorno Les épices moulues sont certes utiles, mais il est rare qu'on épuise un flacon avant qu'elles ne perdent leur pleine saveur (généralement entre six mois et un an). En revanche, les épices entières durent pendant des années. Vous aurez besoin d'une râpe spéciale pour la muscade, mais toutes les autres épices peuvent êtres moulues dans un moulin à café propre. Pour nettoyer le moulin à café, faites tourner une tranche de pain blanc après chaque mouture d'épices. Le pain absorbera les huiles aromatiques et les morceaux restants.*

# Minestra à l'oignon

## 8 PORTIONS

*Cette soupe a la touche française caractéristique de la cuisine du nord de l'Italie.*
*Tandis que les Français font caraméliser les oignons d'abord, les Italiens se contentent de*
*les attendrir un peu sur feu vif. L'orge est une céréale populaire dans tout le nord de l'Italie,*
*du Frioul à l'est au Piémont à l'ouest.*

7 ml (½ c. à soupe) d'huile d'olive

2 gros oignons, finement tranchés

1,5 litre (6 tasses) de bouillon de bœuf

4 feuilles de laurier

1 pincée (⅛ c. à thé) de piment de Cayenne broyé

125 ml (½ tasse) d'orge à cuisson rapide

40 ml (8 c. à thé) de pecorino romano, râpé

Chauffer l'huile dans une casserole à revêtement antiadhésif, puis ajouter les oignons. Cuire sur feu vif environ 10 minutes, jusqu'à ce qu'ils soient tendres et transparents. Ajouter le bouillon, les feuilles de laurier et le piment de Cayenne. Amener à faible ébullition. Incorporer l'orge, réduire la chaleur, couvrir et laisser mijoter de 15 à 20 minutes, jusqu'à ce que l'orge soit cuit. Jeter les feuilles de laurier. Servir avec du fromage râpé.

PAR PORTION : 77 Calories, 1 g Gras total, 0 g Gras saturé, 0 mg Cholestérol, 752 mg Sodium, 11 g Glucide total, 3 g Fibres alimentaires, 5 g Protéines, 15 mg Calcium.

POINTS PAR PORTION : 1.

# Soupe au fenouil et à l'oignon

6 PORTIONS

*Cette soupe contient des morceaux de légumes. Pour une consistance plus crémeuse, réduisez-la en purée après la cuisson. Originaire de Toscane, le fenouil est parfois appelé fenouil de Florence en Italie. Dans certains marchés nord-américains, on lui donne parfois le nom d'anis.*

10 ml (2 c. à thé) d'huile d'olive

1 oignon, coupé en deux sur le long, puis finement coupé en diagonale

1 gros bulbe de fenouil, coupé en deux sur la longueur, puis finement coupé en diagonale (réserver les feuilles)

1 pomme de terre dorée du Yukon moyenne, pelée et râpée

1 litre (4 tasses) de bouillon de poulet

5 ml (1 c. à thé) de sel

1 ml (¼ c. à thé) de poivre fraîchement moulu

Chauffer l'huile dans une casserole à revêtement antiadhésif, puis ajouter les oignons. Cuire sur feu vif jusqu'à ce qu'ils soient transparents, puis ajouter le fenouil, les pommes de terre, le bouillon, le sel et le poivre. Laisser mijoter, couvrir et cuire environ 45 minutes, jusqu'à ce que la soupe soit très consistante et que les légumes soient tendres. Garnir avec les feuilles de fenouil réservées.

PAR PORTION : 75 Calories, 4 g Gras total, 1 g Gras saturé, 3 mg Cholestérol, 1 076 mg Sodium, 8 g Glucide total, 2 g Fibres alimentaires, 2 g Protéines, 25 mg Calcium.

POINTS PAR PORTION : 1.

# Soupe au riz et aux épinards

### 4 PORTIONS

*Si vous êtes habitué à la texture crémeuse que le riz arborio donne au risotto, vous devinerez à quel point cette simple soupe sera consistante.*

2 paquets de 300 g (10 oz) d'épinards bien lavés, nettoyés (ne pas les éponger)

10 ml (2 c. à thé) d'huile d'olive

1 petit oignon, haché

1 litre (4 tasses) de bouillon de poulet hyposodique

125 ml (½ tasse) de riz arborio

20 ml (4 c. à thé) de parmesan, râpé

**1.** Mettre les épinards dans une casserole à revêtement antiadhésif, couvrir et cuire sur feu doux de 2 à 3 minutes pour les attendrir. Égoutter au-dessus d'un bol et réserver le liquide.

**2.** Chauffer l'huile dans une casserole, puis ajouter les oignons. Cuire sur feu vif environ 3 minutes pour les attendrir. Ajouter les épinards et cuire environ 2 minutes, sans cesser de remuer, jusqu'à ce qu'ils soient ramollis. Verser le bouillon et le liquide de cuisson et amener à ébullition. Incorporer le riz, réduire la chaleur et laisser mijoter environ 30 minutes, en remuant de temps à autre, jusqu'à ce que le riz soit tendre. Servir avec du parmesan râpé.

PAR PORTION : 179 Calories, 6 g Gras total, 2 g Gras saturé, 1 mg Cholestérol, 287 mg Sodium, 27 g Glucide total, 4 g Fibres alimentaires, 10 g Protéines, 183 mg Calcium.

POINTS PAR PORTION : 3.

# Tortellinis dans le bouillon

## 8 PORTIONS

*Bologne et Modène prétendent toutes deux qu'elles ont inventé les tortellinis. Ce mot signifie « petits gâteaux », mais on dit que leur forme rappelle le nombril de la déesse Vénus... On trouve ces pâtes partout en Italie de nos jours. En Émilie-Romagne, on les appelle cappellettis, « petits chapeaux ». Variez cette recette en utilisant vos farces et vos bouillons préférés.*

2 litres (8 tasses) de bouillon de légumes hyposodique

48 tortellinis à la viande (p. 62) ou 1 paquet de 360 g (12 oz) de tortellinis congelés

20 ml (4 c. à thé) de parmesan, râpé

Amener le bouillon à ébullition et ajouter les tortellinis. Quand le bouillon revient à ébullition, réduire la chaleur et laisser mijoter jusqu'à ce que les tortellinis soient tendres mais encore fermes sur les côtés. Servir avec du parmesan râpé.

PAR PORTION : 214 Calories, 6 g Gras total, 2 g Gras saturé, 91 mg Cholestérol, 296 mg Sodium, 28 g Glucide total, 1 g Fibres alimentaires, 11 g Protéines, 87 mg Calcium.

POINTS PAR PORTION : 5.

*Di Giorno En faisant cuire les tortellinis dans le bouillon, vous avez une casserole de moins à récurer, à moins que vous trouviez le bouillon trop amidonné. Essayez alors de cuire les pâtes séparément et de les plonger dans le bouillon à la dernière minute.*

# Orzo dans le bouillon

4 PORTIONS

*Les brodos, ou bouilons clairs, sont souvent enrichis de pâtes en fin de cuisson (dans la minestra, les pâtes sont cuites dans le bouillon, ce qui la rend plus épaisse). En Italie, le mot orzo signifie orge. Pour obtenir 250 ml (1 tasse) d'orge cuit, faites cuire 75 ml (⅓ tasse) d'orge cru dans l'eau salée environ 8 minutes, jusqu'à ce qu'il soit al dente.*

12 gousses d'ail, rôties (p. 15) et épluchées

1 ml (¼ c. à thé) de sel

750 ml (3 tasses) de bouillon de poulet

250 ml (1 tasse) d'orzo, cuit

375 ml (1 ½ tasse) de roquette, hachée (environ 45 g/1 ½ oz)

Poivre fraîchement moulu, au goût

Dans le robot de cuisine, réduire en purée l'ail, le sel et 50 ml (¼ tasse) de bouillon. Verser le bouillon restant dans une casserole. Ajouter la purée au bouillon et laisser mijoter. Incorporer l'orzo, la roquette et le poivre et réchauffer.

PAR PORTION : 124 Calories, 3 g Gras total, 1 g Gras saturé, 4 mg Cholestérol, 900 mg Sodium, 19 g Glucide total, 1 g Fibres alimentaires, 4 g Protéines, 32 mg Calcium.

POINTS PAR PORTION : 3.

*Di Giorno Les Italiens utilisent des feuilles de roquette plus larges et plus mûres dans les soupes. Celles-ci ont un goût plus prononcé que les jeunes feuilles qui servent à préparer les salades.*

# Soupe de tripe à la toscane

## 8 PORTIONS

*Les tripes sont composées de l'estomac et de l'intestin des animaux de boucherie. Les Italiens les apprécient beaucoup. Utilisez la tripe alvéolée, celle qu'on trouve le plus facilement dans les épiceries nord-américaines. Elle est tendre et son goût est délicat. Cuite, elle a une consistance à la fois douce et croquante. Choisissez une tripe blanc pâle et ne la gardez pas plus d'une journée dans le réfrigérateur. La plupart des supermarchés vendent de la tripe fraîche nettoyée et partiellement cuite. Elle est supérieure en tout point à la tripe congelée.*

240 g (8 oz) de tripe fraîche

2 litres (8 tasses) d'eau

5 ml (1 c. à thé) d'huile d'olive

1 oignon, en tranches

1 carotte, en tranches

1 branche de céleri, en tranches

3 gousses d'ail, émincées

1 pincée (⅛ c. à thé) de piment de Cayenne broyé

1 pomme de terre rouge moyenne, pelée et hachée

1 litre (4 tasses) de bouillon de bœuf

Sel, au goût

Poivre fraîchement moulu, au goût

5 ml (1 c. à thé) d'assaisonnement à l'italienne

125 ml (½ tasse) de cubes de pain grillé

**1.** Mettre la tripe dans l'eau dans une casserole à revêtement antiadhésif. Laisser mijoter à découvert environ 5 minutes, jusqu'à ce qu'elle soit ferme et devienne d'un blanc immaculé. Égoutter, rincer et couper en lamelles.

**2.** Rincer et essuyer la casserole. Mettre sur le feu, verser l'huile, puis ajouter les oignons, les carottes, le céleri, l'ail et le piment de Cayenne. Cuire sur feu vif jusqu'à ce que les oignons deviennent transparents. Remettre les morceaux de tripe dans la casserole. Ajouter les pommes de terre, le bouillon, le sel, le poivre et l'assaisonnement à l'italienne. Laisser mijoter à couvert environ 2 heures, jusqu'à ce que la tripe soit tendre sous la fourchette. Incorporer les cubes de pain juste avant de servir.

PAR PORTION : 74 Calories, 2 g Gras total, 1 g Gras saturé, 27 mg Cholestérol, 822 mg Sodium, 7 g Glucide total, 1 g Fibres alimentaires, 7 g Protéines, 16 mg Calcium.

POINTS PAR PORTION : 1.

*Voir Di Giorno p. 340.*

# Les joies de la découverte

Au fur et à mesure que vous découvrirez la cuisine italienne, il est possible que vous croisiez parfois certains ingrédients que vous n'aimez pas. Il peut s'agir d'aliments au goût prononcé tels que les anchois, les câpres, le rapini, etc., ou de certains autres dont vous n'appréciez ni l'apparence ni la texture tels que les poulpes, les calmars, les buccins, etc. Certaines personnes ne peuvent supporter le foie, les tripes ou l'estomac parfois recommandés dans certaines recettes. Mais c'est souvent en essayant une chose une première fois que l'on peut guérir de l'aversion que l'on a envers celle-ci.

- Si vous n'avez pas aimé un aliment par le passé, ne tenez pas pour acquis que vous ne l'aimerez plus jamais. Les goûts changent avec le temps. Jadis vous aimiez la purée pour bébé, aujourd'hui vous trouveriez sans doute cela insipide et trop mou.

- Peut-être vous a-t-on servi un aliment mal apprêté ou mal cuit. Bien cuits, les calmars sont tendres et délicieux; mal cuits, ils deviennent caoutchouteux. Il existe de nombreuses façons de cuire les aliments. Peut-être n'aimez-vous pas les anchois sur une pizza mais que vous apprécierez un peu de sauce à l'anchois sur l'espadon (voir recette p. 191). Goûtez un nouveau plat à votre restaurant préféré et demandez au chef de l'apprêter d'une manière qui saura vous plaire.

- Peut-être avez-vous vécu une mauvaise expérience la première fois que vous avez goûté un aliment. Votre mère vous disait-elle que vous seriez privé de dessert si vous ne mangiez pas tout le foie de veau qu'elle avait préparé pour vous? Ces associations peuvent être désamorcées. Pour vous réconcilier avec ces aliments, préparez-les de la manière la plus attrayante qui soit et selon vos préférences.

- Essayez ces aliments quand vous êtes vraiment en appétit. Des études démontrent que notre goût pour certains aliments peut augmenter selon notre appétit.

- Mariez un aliment que vous aimez beaucoup avec un autre que vous aimez peu. Par exemple, des calmars servis sur vos pâtes préférées nappées d'une onctueuse sauce tomate (voir p. 97), des câpres dans une bonne recette de veau (voir p. 227) ou du rapini mélangé à de délicieuses pommes de terre (voir p. 258). Pour commencer, vous pouvez même en utiliser moins que la quantité suggérée dans la recette afin de vous familiariser progressivement avec cet aliment redouté.

- Ayez confiance! Des études démontrent que l'on doit présenter un aliment une dizaine de fois à un enfant avant que celui-ci finisse par l'accepter. Peut-être en sera-t-il ainsi pour vous!

# Soupe de prosciutto

## 6 PORTIONS

*Le prosciutto est un jambon cru italien. Essayez de vous procurer l'authentique prosciutto di Parma; son goût unique rehaussera cette soupe plutôt simple.*

1 pomme de terre rouge moyenne, pelée et hachée

1 litre (4 tasses) de bouillon de poulet

2 gousses d'ail, épluchées

125 ml (½ tasse) de pain italien, en cubes

2 tranches (environ 30 g/1 oz) de prosciutto, haché

1 pincée (⅛ c. à thé) de piment de Cayenne broyé

Mélanger les pommes de terre et le bouillon dans une casserole. Presser l'ail dans le bouillon. Cuire environ 15 minutes, jusqu'à ce que les pommes de terre soient tendres. Incorporer les cubes de pain, le prosciutto et le piment de Cayenne. Cuire environ 10 minutes de plus, jusqu'à ce que les pommes de terre et le pain se défassent en morceaux sous le fouet.

PAR PORTION : 59 Calories, 4 g Gras total, 1 g Gras saturé, 6 mg Cholestérol, 740 mg Sodium, 4 g Glucide total, 0 g Fibres alimentaires, 2 g Protéines, 5 mg Calcium.

POINTS PAR PORTION : 2.

*Di Giorno Les Italiens utilisent le mot* zuppa *pour les soupes auxquelles on ajoute du pain ou des pommes de terre. Cette recette utilise les deux. Une merveilleuse façon de ne pas perdre le pain de la veille. En Italie, la* zuppa *est préparée avec du pain vieux d'un jour.*

# Soupe aux fruits de mer

## 4 PORTIONS

*Dans les Pouilles, la soupe de poisson était faite de piments chile et de courge d'été. Les pétoncles de mer font partie de la recette traditionnelle, mais vous pouvez opter pour des pétoncles plus petits et plus délicats. Servez cette soupe avec du bon pain croûté et le tour est joué !*

10 ml (2 c. à thé) d'huile d'olive

1 courgette moyenne, hachée

1 ml (¼ c. à thé) de piment de Cayenne broyé

2 gousses d'ail, épluchées

1 bouteille de 227 ml (8 oz) de jus de palourdes

250 ml (1 tasse) d'eau

1 boîte de 427 ml (14 ½ oz) de tomates en dés

15 ml (1 c. à soupe) de chapelure nature

30 ml (2 c. à soupe) de persil plat frais, émincé

30 ml (2 c. à soupe) de basilic frais, émincé

Sel, au goût

Poivre fraîchement moulu, au goût

240 g (8 oz) de calmars, nettoyés, corps coupés en rondelles

240 g (8 oz) de pétoncles de mer, coupés en quartiers

Chauffer une casserole à revêtement antiadhésif. Verser l'huile, puis ajouter les courgettes et le piment de Cayenne. Cuire sur feu vif jusqu'à ce que les courgettes soient brunes. Presser l'ail dans la casserole et cuire sur feu vif jusqu'à ce que de bonnes odeurs se dégagent. Incorporer le jus de palourdes, l'eau et les tomates. Réduire la chaleur et laisser mijoter à couvert 15 minutes. Incorporer la chapelure, le persil, le basilic, le sel, le poivre, les calmars et les pétoncles. Cuire environ 5 minutes de plus, jusqu'à ce que les fruits de mer soient opaques.

PAR PORTION : 185 Calories, 4 g Gras total, 1 g Gras saturé, 151 mg Cholestérol, 673 mg Sodium, 16 g Glucide total, 2 g Fibres alimentaires, 21 g Protéines, 62 mg Calcium.

POINTS PAR PORTION : 4.

# $\mathcal{M}$inestra de palourdes et de poireaux

4 PORTIONS

*Les minestre sont des soupes contenant des pâtes ou du riz. Contrairement au brodo, dans lequel des pâtes cuites sont ajoutées à la dernière minute, ce qui garde le bouillon clair, la minestra est cuite avec le riz ou les pâtes, ce qui la rend plus consistante. Le riz arborio confère une texture crémeuse à cette soupe. Si vous préférez, vous pouvez utiliser 3 douzaines de palourdes entières, comme sur la photo, pour remplacer les palourdes en conserve.*

7 ml (½ c. à soupe) d'huile d'olive

1 piment chile rouge long, épépiné et haché

2 poireaux moyens, nettoyés et coupés en tranches

3 boîtes de 180 ml (6 oz) de palourdes hachées, égouttées (réserver le jus)

625 ml (2 ½ tasses) de bouillon de poulet

125 ml (½ tasse) de riz arborio

30 ml (2 c. à soupe) de persil plat frais, haché

Chauffer une casserole à revêtement antiadhésif. Verser l'huile, puis ajouter le piment. Cuire sur feu vif jusqu'à ce qu'il commence à grésiller. Ajouter les poireaux et cuire sur feu vif de 2 à 3 minutes, jusqu'à ce qu'ils soient dorés. Ajouter le jus de palourdes, le bouillon et le riz. Amener à faible ébullition. Réduire la chaleur, couvrir et laisser mijoter environ 20 minutes, jusqu'à ce que le riz soit cuit. Ne pas laisser bouillir. Ajouter les palourdes, puis le persil.

PAR PORTION : 173 Calories, 3,5 g Gras total, 0,5 g Gras saturé, 44 mg Cholestérol, 389 mg Sodium, 16 g Glucide total, 0,5 g Fibres alimentaires, 18 g Protéines, 73 mg Calcium.

POINTS PAR PORTION : 3,5.

*Di Giorno On dit que l'empereur Néron jouait du violon pendant que Rome brûlait, mais il se prenait probablement aussi pour un chanteur. Selon la légende, il mangeait souvent des poireaux parce qu'il croyait que cette plante potagère pouvait améliorer sa voix…*

*Minestra de palourdes et de poireaux*

# CHAPITRE 3

# Pâtes

# $\mathcal{P}$âte fraîche

4 PORTIONS (environ 480 g/1 lb de pâte fraîche ou
de 180 à 240 g (6 à 8 oz) de pâtes sèches, assez pour farcir 48 pâtes)

*Légère et tendre, cette pâte peut être utilisée dans presque toutes les recettes.
Si vous la faites pour une recette de pâtes farcies, la quantité obtenue pourra varier selon
l'épaisseur et l'élasticité que vous lui donnerez. Une fois roulée et coupée,
cette pâte peut être utilisée fraîche, sèche ou congelée.*

425 ml (1 ¾ tasse) de farine tout usage

3 œufs, à la température ambiante

1 ml (¼ c. à thé) de sel

## À la main

**1.** Verser environ 375 ml (1 ½ tasse) de farine sur le dessus d'un comptoir propre et sec. Faire un puits au centre. Casser les œufs dans le puits et ajouter le sel. Avec une fourchette ou un petit fouet, battre légèrement les œufs en incorporant graduellement la farine. Quand la pâte devient très épaisse et difficile à travailler, façonner une boule avec les mains. La pâte doit être humide et collante. Réserver.

**2.** Racler la farine et les morceaux de pâtes collés sur le comptoir. Les mettre dans un tamis et secouer le tamis au-dessus du comptoir. Jeter tous les morceaux de pâte sèche restés dans le tamis. Pétrir lentement la farine tamisée et la farine restante (50 ml (¼ tasse) dans la boule de pâte. Procéder ainsi de 5 à 7 minutes, jusqu'à ce que la pâte soit légère, satinée et non collante.

**3.** Mettre la pâte dans une machine à faire les pâtes et procéder selon les indications du fabricant.

## Avec le robot de cuisine

**1.** Préparer le robot en mettant un couteau de plastique. Mettre 300 ml (1 ¼ tasse) de farine dans le bol. Dans un autre bol, battre légèrement les œufs et le sel et verser sur la farine. Actionner le moteur 4 ou 5 fois, jusqu'à ce que la pâte soit mélangée et ressemble à des miettes sans toutefois former une boule.

2. Mettre la pâte sur le dessus d'un comptoir propre et sec. Pétrir en incorporant graduellement la farine restante (125 ml/½ tasse). Procéder ainsi de 5 à 7 minutes, jusqu'à ce que la pâte soit légère, satinée et non collante.

3. Mettre la pâte dans une machine à faire les pâtes et procéder selon les indications du fabricant.

### Pour faire sécher la pâte

Fariner légèrement la pâte coupée et l'étendre à plat sur des serviettes de coton ou l'étendre sur un séchoir ou même sur le dos d'une chaise. Quand elle est sèche, la déposer délicatement dans un grand bol ou sur un plateau. Conserver, sans couvrir, dans un endroit frais et sec de 2 à 3 jours, ou dans le réfrigérateur de 2 à 3 semaines, ou encore dans le congélateur jusqu'à 1 mois (dans des sacs à congélation).

### Pour faire cuire les pâtes

Amener 1 litre (4 tasses) d'eau à ébullition. Ajouter les pâtes et remuer. Quand l'eau recommence à bouillir, remuer de nouveau et commencer à compter le temps. Les pâtes fraîches ne prennent que de 10 à 15 secondes de cuisson une fois que l'eau recommence à bouillir. Si les pâtes sont sèches ou congelées, compter quelques minutes de plus. Vérifier souvent la cuisson pour qu'elles soient juste à point. Égoutter; ne pas rincer à l'eau froide.

PAR PORTION : 248 Calories, 4 g Gras total, 1 g Gras saturé, 159 mg Cholestérol, 183 mg Sodium, 41 g Glucide total, 1 g Fibres alimentaires, 10 g Protéines, 27 mg Calcium.

POINTS PAR PORTION : 5.

*Di Giorno Les œufs peuvent contenir une bactérie dangereuse et on ne devrait jamais les garder à la température ambiante plus de 30 minutes. Pour les réchauffer de manière sûre et rapide, les mettre dans un bol d'eau chaude (pas bouillante) pas plus de 10 minutes.*

# Tortellinis à la viande

## 4 PORTIONS

*Vous pouvez utiliser cette farce pour les tortellinis, les cappellettis et les raviolis. Préparez-les avec différents bouillons ou sauces pour varier leur goût et leur apparence. Mais ne manquez pas de les essayer au moins une fois avec la fameuse Sauce tomate aux fines herbes (p. 74) et un soupçon de parmesan râpé. Doublez la recette ou coupez-la de moitié, et congelez les restes.*

5 ml (1 c. à thé) d'huile d'olive

30 g (1 oz) de poitrine de dinde sans peau, hachée

30 g (1 oz) de poitrine de poulet sans peau, hachée

1 ml (¼ c. à thé) de poivre blanc moulu

1 tranche de saucisson de Bologne de qualité, hachée

50 ml (¼ tasse) de ricotta partiellement écrémée

30 ml (2 c. à soupe) de parmesan, râpé

1 blanc d'œuf

1 ml (¼ c. à thé) de muscade moulue

480 g (1 lb) de Pâte fraîche (p. 60)

**1.** Chauffer l'huile dans un poêlon à revêtement antiadhésif, puis ajouter la dinde, le poulet et le poivre. Faire brunir en défaisant la viande avec une cuillère. Avec une écumoire, mettre la volaille sur une planche à découper. Ajouter le saucisson à la volaille et émincer le tout très finement. Mélanger ensuite avec la ricotta, le parmesan, le blanc d'œuf et la muscade. Couvrir et laisser dans le réfrigérateur de 1 à 12 heures, mais pas davantage.

**2.** Fariner légèrement le dessus d'un comptoir. Tapisser une plaque avec du papier ciré et vaporiser légèrement avec de l'enduit anticollant. Prélever un morceau de pâte de la grosseur d'un citron ; couvrir la pâte restante pour l'empêcher de sécher. Avec une machine à faire les pâtes, rouler la pâte le plus mince possible en formant un rectangle d'environ 15 x 45 cm (6 x 18 po). Mettre le rectangle de pâte sur le comptoir fariné.

**3.** Avec un emporte-pièces de 6,25 à 7,5 cm (2 ½ à 3 po) ou le bord mince d'un verre, couper la pâte en 12 rondelles. Pour faire un tortellini à la fois, mettre 2 ml (½ c. à thé) de la préparation à la viande au centre de chaque rondelle. Plier en deux pour faire un demi-cercle, puis presser fermement les bords pour sceller. En tenant le tortellini délicatement entre le pouce et l'index, côté courbé vers le haut, l'envelopper autour de votre index jusqu'à ce que les deux bouts se touchent, puis replier la partie courbée du dessus vers le bas. Pincer fermement les bouts pour bien sceller. Placer chaque tortellini ainsi formé sur le papier ciré en prenant soin qu'ils ne se touchent pas. Répéter les mêmes opérations avec la pâte et la farce restantes pour faire 48 tortellinis. (Utiliser les bouts de pâte tombés en les incorporant de nouveau à la pâte afin de ne rien perdre.) Garder dans le réfrigérateur, sans couvrir, jusqu'à utilisation (pas plus de 2 jours), en les retournant de temps à autre pour qu'ils sèchent uniformément. On peut aussi les congeler pendant 1 mois, d'abord sur la plaque tapissée de papier ciré, sans les couvrir, puis, une fois qu'ils sont durcis, dans un sac de plastique à congélation. Les tortellinis peuvent être manipulés plus facilement quand ils sont congelés. Ne pas les décongeler avant la cuisson.

4. Pour faire cuire les tortellinis, en jeter quelques-uns à la fois dans une grande marmite d'eau bouillante ; s'ils sont frais, veiller à ce qu'ils ne collent pas ensemble. Cuire de 7 à 8 minutes, jusqu'à ce qu'ils soient tendres. Avec une écumoire, les mettre dans un bol de service chaud. Napper avec la sauce de votre choix et remuer pour bien les enrober.

PAR PORTION : 351 Calories, 11 g Gras total, 4 g Gras saturé, 181 mg Cholestérol, 410 mg Sodium, 43 g Glucide total, 1 g Fibres alimentaires, 19 g Protéines, 146 mg Calcium.

POINTS PAR PORTION : 8.

*Cappellettis à la citrouille*

# Cappellettis à la citrouille

### 4 PORTIONS

*Cette farce est facile à faire grâce à la purée de citrouille. Doublez ou triplez la recette et congelez les pâtes farcies pour une occasion spéciale dans les trois mois qui suivent. Pour préparer la sauce simple que vous voyez sur la photo, chauffez un peu de beurre avec de la sauge fraîche ou séchée émiettée. La légère amertume de cette herbe se marie bien au goût sucré de la farce.*

125 ml (½ tasse) de purée de citrouille en conserve

15 ml (1 c. à soupe) de ricotta partiellement écrémée

30 ml (2 c. à soupe) de parmesan râpé

½ biscuit amaretti (2,5 cm/ 1 po de diamètre), finement émietté

2 ml (½ c. à thé) de sel

1 ml (¼ c. à thé) de poivre blanc moulu

1 pincée (⅛ c. à thé) de muscade moulue

480 g (1 lb) de Pâte fraîche (p. 60)

1. Mélanger la purée de citrouille, la ricotta, le parmesan, les miettes de biscuit, le sel, le poivre et la muscade.

2. Fariner légèrement le dessus d'un comptoir. Tapisser une plaque avec du papier ciré et vaporiser légèrement avec de l'enduit anticollant. Prélever un morceau de pâte de la grosseur d'un citron ; couvrir la pâte restante pour l'empêcher de sécher. Avec une machine à faire les pâtes, rouler la pâte le plus mince possible, puis la mettre sur le comptoir fariné. Couper la pâte pour former un rectangle de 15 x 45 cm (6 x 18 po).

3. Avec un couteau bien affûté ou un emporte-pièces, couper la pâte en carrés de 7,5 cm (3 po). Pour faire un cappelletti à la fois, mettre 2 ml (½ c. à thé) de farce au centre de chaque carré. Plier la pâte en deux pour former un triangle. Sceller les côtés et replier le bout pointu. En tenant le cappelletti délicatement entre le pouce et l'index, côté pointu vers le haut, l'envelopper autour de votre index et pincer fermement les bouts pour bien sceller. Placer chaque cappelletti ainsi formé sur le papier ciré en prenant soin qu'ils ne se touchent pas. Répéter les mêmes opérations avec la pâte et la farce restantes pour faire 48 cappellettis. (Utiliser les bouts de pâte tombés en

les incorporant de nouveau à la pâte afin de ne rien perdre.) Garder dans le réfrigérateur, sans couvrir, jusqu'à utilisation (pas plus de 8 heures). On peut aussi les congeler pendant 1 mois, d'abord sur la plaque tapissée de papier ciré, sans les couvrir, puis, une fois qu'ils sont durcis, dans un sac de plastique à congélation. Les cappellettis peuvent être manipulés plus facilement quand ils sont congelés. Ne pas les décongeler avant la cuisson.

4. Pour faire cuire les cappellettis, en jeter quelques-uns à la fois dans une grande marmite d'eau bouillante; s'ils sont frais, veiller à ce qu'ils ne collent pas ensemble. Cuire de 7 à 8 minutes, jusqu'à ce qu'ils soient tendres. Avec une écumoire, les mettre dans un bol de service chaud. Napper avec la sauce de votre choix et remuer pour bien les enrober.

PAR PORTION: 290 Calories, 6 g Gras total, 2 g Gras saturé, 165 mg Cholestérol, 423 mg Sodium, 44 g Glucide total, 1 g Fibres alimentaires, 13 g Protéines, 117 mg Calcium.

POINTS PAR PORTION: 6.

# Capellinis au pesto

4 PORTIONS

*Nous aimons cette sauce sur des pâtes longues et plates, mais nous vous la conseillons
également avec de la viande ou du poulet grillé, des tranches de tomates fraîches,
du pain de campagne ou des œufs brouillés.*

500 ml (2 tasses) de feuilles de
basilic frais, bien tassées

125 ml (½ tasse) de persil frais,
bien tassé

30 ml (2 c. à soupe) de parmesan, râpé

15 ml (1 c. à soupe) de bouillon
de poulet hyposodique, chaud

1 gousse d'ail, en quartiers

Poivre fraîchement moulu, au
goût

20 ml (4 c. à thé) d'huile
d'olive

240 g (8 oz) de capellinis

1. Dans le robot de cuisine ou le mélangeur, mettre
le basilic, le persil, le fromage, le bouillon, l'ail et le
poivre. Actionner le moteur environ 5 fois jusqu'à
ce que les ingrédients soient hachés finement. Pendant que le moteur est toujours en marche, verser
l'huile lentement et former une pâte grossière en
raclant les parois du bol au besoin.

2. Cuire les pâtes selon les indications inscrites sur
l'emballage. Égoutter et verser dans un bol de service. Napper avec le pesto et remuer pour bien
enrober les pâtes.

PAR PORTION : 317 Calories, 7 g Gras total, 1 g Gras
saturé, 2 mg Cholestérol, 76 mg Sodium, 49 g Glucide total, 2 g Fibres alimentaires, 16 g Protéines,
465 mg Calcium.

POINTS PAR PORTION : 7.

*Di Giorno On peut conserver le pesto dans le réfrigérateur
pendant deux semaines si on le garde dans un bocal de
verre. On peut aussi le congeler, ce qui donne envie d'en
préparer de grandes quantités pendant l'été alors que le
basilic pousse en abondance. Versez-le alors dans des contenants à glaçons que vous mettrez ensuite dans des sacs de
plastique à fermeture hermétique. Du soleil pour la saison
froide !*

# Raviolis à la verdure

*Les cardes de bette et les épinards, rehaussés par les oignons et la ricotta, font une farce délicieuse. On peut garder les restes jusqu'à deux jours dans le réfrigérateur, ou les congeler si l'on préfère. Rien de plus satisfaisant qu'une simple sauce tomate pour mettre cette recette en valeur.*

250 ml (1 tasse) de cardes de bette, nettoyées

250 ml (1 tasse) de feuilles d'épinards, nettoyées

5 ml (1 c. à thé) d'huile d'olive

1 tranche de prosciutto, finement hachée

30 ml (2 c. à soupe) d'oignons, émincés

50 ml (¼ tasse) de ricotta écrémée

30 ml (2 c. à soupe) de parmesan, râpé

1 blanc d'œuf, légèrement battu

1 ml (¼ c. à thé) de muscade moulue

1 ml (¼ c. à thé) de poivre blanc moulu

480 g (1 lb) de Pâte fraîche (p. 60)

1. Mettre les cardes à bette et les épinards dans une étuveuse (marguerite) que l'on placera dans une casserole contenant 2,5 cm (1 po) d'eau bouillante. Couvrir hermétiquement et cuire de 2 à 3 minutes, jusqu'à ce qu'ils soient tendres. Presser pour bien égoutter et hacher finement.

2. Chauffer l'huile dans un poêlon à revêtement antiadhésif, puis ajouter le prosciutto et les oignons. Cuire sur feu vif jusqu'à ce que les oignons soient tendres. Ajouter les cardes à bette et les épinards, réduire la chaleur et bien remuer pour enrober d'huile. Incorporer la ricotta, le parmesan, le blanc d'œuf, la muscade et le poivre.

3. Fariner légèrement le dessus d'un comptoir. Tapisser une plaque avec du papier ciré et vaporiser légèrement avec de l'enduit anticollant. Prélever un morceau de pâte de la grosseur d'un citron; couvrir la pâte restante pour l'empêcher de sécher. Avec une machine à faire les pâtes, rouler la pâte le plus mince possible, puis la mettre sur le comptoir fariné. Couper la pâte pour former un rectangle de 15 x 42,5 cm (6 x 17 po).

4. En laissant 2,5 cm (1 po) tout autour du rectangle, mettre 2 ml (1/2 c. à thé) de farce sur la pâte à tous les 5 cm (2 po) d'intervalle. Prélever un autre morceau de pâte de la grosseur d'un citron, en

incorporant les morceaux tombés de la première feuille de pâte pour ne rien perdre. Rouler une autre feuille avec la machine à faire les pâtes et la couper pour former un autre rectangle de 15 x 42,5 cm (6 x 17 po) que l'on placera délicatement sur la farce. Pour sceller les côtés, avec un doigt humecté, tracer des lignes entre les petits dômes de farce, d'abord sur la longueur, puis sur la largeur. Avec un emporte-pièces, couper sur les lignes pour faire 24 carrés de 5 cm (2 po). Soulever les raviolis délicatement pour les mettre sur le papier ciré en veillant à ce qu'ils ne se touchent pas. Répéter les mêmes opérations avec la pâte et la farce restantes pour faire 48 raviolis. (Utiliser les bouts de pâte tombés en les incorporant de nouveau à la pâte afin de ne rien perdre.) Garder dans le réfrigérateur, sans couvrir, jusqu'à utilisation (pas plus de 2 jours). On peut aussi les congeler pendant 1 mois, d'abord sur la plaque tapissée de papier ciré, sans les couvrir, puis, une fois qu'ils sont durcis, dans un sac de plastique à congélation. Les raviolis peuvent être manipulés plus facilement quand ils sont congelés. Ne pas les décongeler avant la cuisson.

**5.** Pour faire cuire les raviolis, en jeter quelques-uns à la fois dans une grande marmite d'eau bouillante ; s'ils sont frais, veiller à ce qu'ils ne collent pas ensemble. Cuire de 7 à 8 minutes, jusqu'à ce qu'ils soient tendres. Avec une écumoire, les mettre dans un bol de service chaud. Napper avec la sauce de votre choix et remuer pour bien les enrober.

PAR PORTION : 328 Calories, 9 g Gras total, 3 g Gras saturé, 171 mg Cholestérol, 425 mg Sodium, 44 g Glucide total, 2 g Fibres alimentaires, 17 g Protéines, 163 mg Calcium.

POINTS PAR PORTION : 7.

*Di Giorno Comme le stilton anglais et le camembert français, le parmigiano reggiano est l'un des plus grands fromages au monde. Ce fromage vieilli, de couleur paille, a une consistance granuleuse et une saveur de noisette qui ressemble à celle du beurre. Râpé sur des pâtes ou incorporé à un risotto ou à une soupe, il fait des miracles à coup sûr. On peut aussi le servir tout simplement comme fromage de table. Pour terminer un repas d'une façon remarquable, brisez quelques morceaux de parmesan et servez-les avec des fruits frais. Et pourquoi ne tremperiez-vous pas d'abord les morceaux dans un peu de vinaigre balsamique de première qualité…*

# Raviolis au fromage

4 PORTIONS

*Cette farce ne se conserve pas bien dans le réfrigérateur. Utilisez-la le jour même de sa préparation ou congelez-la. Faites-la décongeler dans le réfrigérateur et empressez-vous de l'utiliser dans les deux heures qui suivent.*

125 ml (½ tasse) de ricotta partiellement écrémée

30 ml (2 c. à soupe) de parmesan, râpé

30 ml (2 c. à soupe) de persil plat frais, émincé

½ blanc d'œuf

1 ml (¼ c. à thé) de poivre blanc moulu

1 pincée (⅛ c. à thé) de muscade moulue

480 g (1 lb) de Pâte fraîche (p. 60)

**1.** Mélanger les fromages, le persil, le blanc d'œuf, le poivre et la muscade.

**2.** Fariner légèrement le dessus d'un comptoir. Tapisser une plaque avec du papier ciré et vaporiser légèrement avec de l'enduit anticollant. Prélever un morceau de pâte de la grosseur d'un citron; couvrir la pâte restante pour l'empêcher de sécher. Avec une machine à faire les pâtes, rouler la pâte le plus mince possible, puis la mettre sur le comptoir fariné. Couper la pâte pour former un rectangle de 15 x 42,5 cm (6 x 17 po).

**3.** En laissant 2,5 cm (1 po) tout autour du rectangle, mettre 2 ml (½ c. à thé) de farce sur la pâte à tous les 5 cm (2 po) d'intervalle. Prélever un autre morceau de pâte de la grosseur d'un citron, en incorporant les morceaux tombés de la première feuille de pâte pour ne rien perdre. Rouler une autre feuille avec la machine à faire les pâtes et la couper pour former un autre rectangle de 15 x 42,5 cm (6 x 17 po) que l'on placera délicatement sur la farce. Pour sceller les côtés, avec un doigt humecté, tracer des lignes entre les petits dômes de farce, d'abord sur la longueur, puis sur la largeur. Avec un emporte-pièces, couper sur les lignes pour faire 24 carrés de 5 cm (2 po). Soulever les raviolis délicatement pour les mettre sur le papier ciré en veillant à ce qu'ils ne se touchent pas. Répéter les mêmes opérations avec la pâte et la farce restantes pour faire 48 raviolis. (Utiliser les bouts de pâte tombés en les incorporant de nouveau à la pâte afin de ne rien perdre.) Garder dans le réfrigérateur, sans couvrir, jusqu'à utilisation (pas plus de 2 heures). On peut aussi les congeler pendant 1 mois, d'abord sur la plaque tapissée de papier ciré, sans les couvrir, puis, une fois qu'ils sont durcis, dans un sac de plastique à congélation. Les raviolis peuvent être manipulés plus facilement quand ils sont congelés. Ne pas les décongeler avant la cuisson.

4. Pour faire cuire les raviolis, en jeter quelques-uns à la fois dans une grande marmite d'eau bouillante ; s'ils sont frais, veiller à ce qu'ils ne collent pas ensemble. Cuire de 7 à 8 minutes, jusqu'à ce qu'ils soient tendres. Avec une écumoire, les mettre dans un bol de service chaud. Napper avec la sauce de votre choix et remuer pour bien les enrober.

PAR PORTION : 320 Calories, 8 g Gras total, 4 g Gras saturé, 173 mg Cholestérol, 328 mg Sodium, 43 g Glucide total, 2 g Fibres alimentaires, 16 g Protéines, 187 mg Calcium.

POINTS PAR PORTION : 7.

**Q.** *Quel est le meilleur type de tomate pour faire la sauce tomate?*

**R.** Les Italiens préfèrent les tomates prunes parce qu'elles ont plus de pulpe que les autres, ce qui donne une sauce plus épaisse. La *roma* est la tomate prune la plus utilisée en Amérique du Nord, mais la meilleure est sans contredit la *san marzano* que l'on cultive dans la ville du même nom en Italie. La *san marzano* a plus de chair, est moins sucrée et est plus savoureuse que les autres tomates prunes. Vous pouvez en trouver en conserve dans les épiceries italiennes réputées.

**Q.** *Doit-on épépiner les tomates prunes et les tomates cerises avant de les utiliser dans une recette?*

**R.** C'est une question de préférence tout simplement. Plusieurs cuisiniers ne se soucient pas de les épépiner tandis que d'autres prétendent qu'il faut absolument le faire pour éviter d'obtenir une sauce trop amère, surtout si on la laisse mijoter pendant plus de 30 minutes. Les tomates cerises, que l'on mange crues la plupart du temps, sont suffisamment douces pour que l'on n'ait pas à les épépiner nécessairement.

**Q.** *Peut-on faire des tomates séchées à la maison?*

**R.** Oui, il suffit d'acheter quelques kilos de tomates prunes quand elles sont de saison et pas trop chères. Vous aurez besoin de 5 lb de tomates fraîches pour obtenir 1 lb de tomates séchées. Coupez-les en deux sur la longueur et mettez-les sur des plaques à pâtisserie, face coupée vers le haut. Grillez-les au four à 77 °C (170 °F) jusqu'à ce qu'elles soient sèches mais encore souples. Vérifiez la cuisson après 5 ou 6 heures. Ne les laissez pas devenir cassantes ni trop foncées. Vous pourrez les garder indéfiniment dans un contenant hermétique.

**Q.** *Doit-on blanchir les tomates avant de les peler?*

**R.** Blanchir les tomates, c'est-à-dire les jeter rapidement dans l'eau bouillante pour briser la pelure puis les refroidir dans l'eau glacée, n'est pas la seule façon de les peler convenablement. Si vous avez un four à gaz, piquez les tomates sur une longue fourchette et tenez-les au-dessus de la flamme jusqu'à ce que la pelure se brise. Laissez-les refroidir avant de les peler.

**Q.** *Pendant l'hiver, les tomates vendues au supermarché sont souvent sans saveur. Quelles tomates en conserve sont-elles recommandées pour les remplacer?*

**R.** Pour un goût de fraîcheur, recherchez des tomates entières ou coupées en dés conservées dans leur jus. N'achetez pas de tomates en purée ni de tomates broyées auxquelles on a ajouté de la purée de tomate. Les tomates importées ne sont pas nécessairement de meilleure qualité. Essayez plusieurs marques avant de trouver celle qui vous plaît davantage.

# Sauce tomate

4 PORTIONS

*D'une extrême simplicité, cette sauce est pourtant au cœur de plusieurs plats de pâtes inoublia-*
*bles. Doublez, triplez ou quadruplez cette recette et congelez la sauce tomate en portions*
*de 125 ml (½ tasse) pour en avoir toujours à portée de la main.*

20 ml (4 c. à thé) d'huile
d'olive

12 tomates prunes, hachées
(environ 750 ml/3 tasses), ou
1 boîte de 995 ml (35 oz) de
tomates prunes à l'italienne de
qualité, égouttées et hachées

1 gousse d'ail, émincée

1 ml (¼ c. à thé) de sel

Poivre fraîchement moulu, au
goût

Chauffer l'huile dans une casserole à revêtement
antiadhésif, puis ajouter les tomates, l'ail, le sel et le
poivre. Cuire environ 15 minutes, en remuant souvent, jusqu'à ce que la sauce soit réduite à 500 ml
(2 tasses).

PAR PORTION : 69 Calories, 5 g Gras total, 1 g Gras
saturé, 0 mg Cholestérol, 147 mg Sodium, 7 g Glucide total, 2 g Fibres alimentaires, 1 g Protéines,
9 mg Calcium.

POINTS PAR PORTION : 1.

*Di Giorno Ne soyez pas snob ! Même les plus grands chefs*
*utilisent parfois des tomates en conserve pendant l'hiver. De*
*la meilleure qualité possible il va de soi… La pommarola*
*est la sauce de tomates fraîches préparée pendant l'été tan-*
*dis que la sugo scappato est la sauce qui mijote sur les fours*
*d'Italie pendant l'hiver.*

# Sauce tomates aux fines herbes

### 4 PORTIONS

*Cette sauce est ensoleillée! Essayez-la avec des pâtes, de la viande, de la volaille du poisson ou des légumes. On peut la préparer en un clin d'œil.*

20 ml (4 c. à thé) d'huile d'olive

12 tomates prunes, hachées (environ 750 ml/3 tasses), ou 1 boîte de 995 ml (35 oz) de tomates prunes à l'italienne de qualité, égouttées et hachées

30 ml (2 c. à soupe) de persil plat frais, émincé

30 ml (2 c. à soupe) de basilic frais, émincé, ou 5 ml (1 c. à thé) de basilic séché

15 ml (1 c. à soupe) d'origan frais, émincé, ou 5 ml (1 c. à thé) d'origan séché

30 ml (2 c. à soupe) de thym frais, émincé, ou 2 ml (½ c. à thé) de thym séché

1 gousse d'ail, émincée

1 ml (¼ c. à thé) de sel

Poivre fraîchement moulu, au goût

Chauffer l'huile dans une casserole à revêtement antiadhésif, puis ajouter les tomates, le persil, le basilic, l'origan, le thym, l'ail, le sel et le poivre. Cuire environ 15 minutes, en remuant souvent, jusqu'à ce que la sauce soit réduite à 500 ml (2 tasses).

PAR PORTION : 72 Calories, 5 g Gras total, 1 g Gras saturé, 0 mg Cholestérol, 148 mg Sodium, 7 g Glucide total, 2 g Fibres alimentaires, 1 g Protéines, 29 mg Calcium.

POINTS PAR PORTION : 1.

*Di Giorno* *Certains prétendent qu'il n'y a rien de plus simple que de peler des tomates fraîches. Si ce n'est pas votre cas, voici un conseil : congelez les tomates. Pour les utiliser dans une sauce ou une soupe, rincez-les à l'eau froide en frottant la pelure. Attention : la décongélation peut endommager la pulpe. Ce truc peut toutefois servir pour les soupes, les ragoûts et les sauces, mais on ne le conseille pas pour les salades.*

# Sauce à la viande

## 4 PORTIONS

*Cette sauce est encore meilleure servie sur des pâtes tubulaires (rigatonis, zitis)
ou des pâtes longues et plates (tagliatelles, fettucines).*

1 boîte de 427 ml (14 ½ oz) de tomates prunes à l'italienne (sans sel ajouté), avec leur jus

10 ml (2 c. à thé) d'huile d'olive

1 petit oignon, haché

1 branche de céleri, émincée

50 ml (¼ c. à thé) de carotte, émincée

1 gousse d'ail, émincée

120 g (4 oz) de bœuf haché maigre (10 % ou moins de gras)

1 ml (¼ c. à thé) de sel

1 ml (¼ c. à thé) de poivre blanc moulu

50 ml (¼ tasse) de vin blanc sec

2 demi-tomates séchées (non conservées dans l'huile), émincées

50 ml (¼ tasse) de persil plat frais, émincé

1 feuille de laurier

**1.** Hacher grossièrement les tomates et leur jus dans le robot de cuisine.

**2.** Chauffer l'huile dans une casserole à revêtement antiadhésif, puis ajouter les oignons. Cuire sur feu vif jusqu'à ce qu'ils soient tendres. Ajouter le céleri, les carottes et l'ail. Cuire sur feu vif jusqu'à ce que les légumes soient un peu ramollis.

**3.** Ajouter le bœuf et faire brunir en défaisant la viande avec une cuillère ; saler et poivrer. Verser le vin, réduire la chaleur et cuire environ 4 minutes, jusqu'à ce que le liquide soit presque complètement évaporé. Incorporer les tomates en conserve, les tomates séchées, le persil et la feuille de laurier. Cuire en remuant jusqu'à ce que la sauce commence à bouillonner. Réduire la chaleur et laisser mijoter 30 minutes, en remuant de temps à autre, jusqu'à épaississement. Jeter la feuille de laurier avant de servir.

PAR PORTION : 115 Calories, 5 g Gras total, 1 g Gras saturé, 18 mg Cholestérol, 182 mg Sodium, 8 g Glucide total, 2 g Fibres alimentaires, 7 g Protéines, 45 mg Calcium.

POINTS PAR PORTION : 2.

# Pennes au pesto de poivron rouge

4 PORTIONS

*Certains puristes croient que le pesto ne peut être fait qu'avec du basilic, mais en fait le mot pesto signifie « pilé » en italien. Il décrit donc tout aliment réduit en purée dans un mortier. Le robot de cuisine donne toutefois de meilleurs résultats et exige tellement moins d'efforts…*

2 gros poivrons rouges

500 ml (2 tasses) de pennes rigate

50 ml (¼ tasse) de parmesan, râpé

30 ml (2 c. à soupe) d'amandes tranchées

10 ml (2 c. à thé) de pâte de tomate

1 gousse d'ail, écrasée

1 ml (¼ c. à thé) de sel

10 ml (2 c. à thé) d'huile d'olive

*Di Giorno Vous voudrez peut-être doubler la recette… c'est tellement bon! Ce pesto est aussi délicieux sur des rondelles de pain croûté. On peut conserver le pesto jusqu'à une semaine dans un bocal de verre.*

1. Préchauffer le gril. Tapisser une plaque avec du papier d'aluminium et dresser les poivrons par-dessus. Faire griller les poivrons à 12 cm (5 po) de la source de chaleur, en les retournant souvent avec une pince, jusqu'à ce que la pelure soit noircie sur toutes les faces. Replier le papier d'aluminium pour couvrir les poivrons et laisser reposer 10 minutes. Mettre une passoire au-dessus d'un bol. Peler, épépiner et déveiner les poivrons au-dessus de la passoire. Jeter les pelures et les graines.

2. Cuire les pâtes selon les indications inscrites sur l'emballage. Égoutter en réservant 50 ml (¼ tasse) d'eau de cuisson et verser dans un bol de service.

3. Pendant ce temps, dans le robot de cuisine, mettre les poivrons, le fromage, les amandes, la pâte de tomate, l'ail et le sel. Réduire en purée jusqu'à consistance épaisse et crémeuse (pas trop onctueuse). Pendant que l'appareil est toujours en marche, verser l'huile lentement et actionner le moteur environ 1 minute, jusqu'à ce qu'elle soit complètement absorbée. Si la préparation est trop consistante, ajouter un peu de l'eau de cuisson réservée. Verser sur les pâtes et remuer pour bien les enrober de pesto.

PAR PORTION : 333 Calories, 8 g Gras total, 2 g Gras saturé, 7 mg Cholestérol, 334 mg Sodium, 45 g Glucide total, 3 g Fibres alimentaires, 17 g Protéines, 169 mg Calcium.

POINTS PAR PORTION : 7.

# Pennes au brocoli

4 PORTIONS

*Les pâtes et le brocoli, mis en valeur par les anchois et les pignons, sont très populaires dans toute l'Italie. Les pignons contiennent beaucoup de matières grasses, ce qui les fait rancir rapidement. Gardez-les jusqu'à trois mois au réfrigérateur ou jusqu'à neuf mois au congélateur.*

500 ml (2 tasses) de pennes

1 litre (4 tasses) de bouquets de brocoli (480 g/1 lb)

250 ml (1 tasse) de bouillon de poulet ou de légumes hyposodique

20 ml (4 c. à thé) d'huile d'olive

1 oignon, haché

2 gousses d'ail, émincées

20 ml (4 c. à thé) de pignons

2 filets d'anchois, rincés, ou 5 ml (1 c. à thé) de pâte d'anchois

1 ml (¼ c. à thé) de piment de Cayenne broyé

20 ml (4 c. à thé) de parmesan, râpé

**1.** Cuire les pâtes selon les indications inscrites sur l'emballage. Égoutter et verser dans un bol de service.

**2.** Pendant ce temps, mettre le brocoli dans une étuveuse (marguerite) et placer celle-ci dans une casserole contenant 2,5 cm (1 po) d'eau bouillante. Couvrir hermétiquement et étuver environ 5 minutes, jusqu'à ce qu'ils soient presque tendres.

**3.** Dans un poêlon à revêtement antiadhésif, faire mijoter 125 ml (½ tasse) de bouillon et l'huile, puis ajouter les oignons et l'ail. Cuire, en remuant souvent, jusqu'à ce que les oignons soient tendres. Ajouter les pignons, les anchois et le piment de Cayenne. Cuire, sans cesser de remuer, jusqu'à ce que les anchois soient réduits en purée. Incorporer le brocoli et le bouillon restant (125 ml/½ tasse). Cuire environ 5 minutes, en remuant souvent, jusqu'à ce que le liquide soit réduit de moitié. Verser sur les pâtes et remuer pour bien les enrober. Servir avec du parmesan râpé.

PAR PORTION : 283 Calories, 8 g Gras total, 2 g Gras saturé, 3 mg Cholestérol, 175 mg Sodium, 42 g Glucide total, 6 g Fibres alimentaires, 13 g Protéines, 108 mg Calcium.

POINTS PAR PORTION : 5.

# Perciatellis au prosciutto et aux champignons

4 PORTIONS

*Les champignons sauvages et les tomates donnent à cette sauce une riche saveur du terroir.*
*Les perciatellis, aussi appelés bucatis ou bucatinis, ressemblent à de gros macaronis.*
*Vous pouvez les remplacer par des spaghettis.*

30 g (1 oz) de champignons porcinis séchés (environ 175 ml/¾ tasse)

20 ml (4 c. à thé) d'huile d'olive

60 g (2 oz) de prosciutto (enlever le gras) ou de jambon bouilli maigre, haché

2 gousses d'ail, émincées

4 à 6 tomates prunes, hachées

500 ml (2 tasses) de champignons blancs, en tranches fines

500 ml (2 tasses) de champignons shiitake, en tranches fines

50 ml (¼ tasse) de persil plat frais, émincé

1 ml (¼ c. à thé) de sel

Poivre fraîchement moulu, au goût

180 g (6 oz) de perciatellis

1. Couvrir les porcinis d'eau chaude et laisser tremper environ 30 minutes pour les attendrir. Égoutter à travers un filtre à café ou une mousseline et réserver le liquide.

2. Chauffer un poêlon à revêtement antiadhésif. Verser l'huile, puis ajouter le prosciutto et l'ail. Cuire sur feu vif 1 minute, puis incorporer les porcinis et le liquide réservé. Cuire de 3 à 5 minutes, en remuant souvent, jusqu'à ce que le liquide soit évaporé. Ajouter les tomates, les champignons, le persil, le sel et le poivre. Cuire 15 minutes, en remuant de temps à autre, jusqu'à épaississement.

3. Pendant ce temps, cuire les pâtes selon les indications inscrites sur l'emballage. Égoutter et verser dans un bol de service. Napper avec la sauce et remuer pour bien enrober les pâtes.

PAR PORTION : 275 Calories, 8 g Gras total, 1 g Gras saturé, 12 mg Cholestérol, 411 mg Sodium, 42 g Glucide total, 4 g Fibres alimentaires, 12 g Protéines, 26 mg Calcium.

POINTS PAR PORTION : 5.

*Di Giorno Les champignons séchés renferment beaucoup de sable. Prenez bien soin de filtrer le liquide de trempage avant de l'utiliser.*

# Tagliatelles aux tomates et aux cœurs d'artichaut

4 PORTIONS

*Assez raffiné pour vos invités, assez copieux pour un repas en famille,*
*simple à préparer, ce plat fera bientôt partie de votre répertoire…*

1 paquet de 270 g (9 oz) de cœurs d'artichaut congelés

180 g (6 oz) de tagliatelles

20 ml (4 c. à thé) d'huile d'olive

1 oignon, finement haché

1 gousse d'ail, émincée

8 tomates prunes, hachées

1 ml (¼ c. à thé) de sel

Poivre fraîchement moulu, au goût

50 ml (¼ tasse) de persil plat frais, émincé

20 ml (4 c. à thé) de parmesan, râpé

**1.** Cuire les cœurs d'artichaut selon les indications inscrites sur l'emballage. Couper les cœurs en bouchées et mettre dans un bol de service.

**2.** Pendant ce temps, cuire les pâtes selon les indications inscrites sur l'emballage. Égoutter et verser sur les artichauts.

**3.** Chauffer l'huile dans un poêlon à revêtement antiadhésif, puis ajouter les oignons et l'ail. Cuire sur feu vif jusqu'à ce que les oignons soient tendres. Ajouter les tomates, le sel et le poivre et cuire environ 10 minutes, en remuant de temps à autre, jusqu'à épaississement. Verser sur les pâtes et remuer pour bien les enrober. Servir avec du persil et du parmesan râpé.

PAR PORTION : 255 Calories, 6 g Gras total, 1 g Gras saturé, 2 mg Cholestérol, 216 mg Sodium, 42 g Glucide total, 5 g Fibres alimentaires, 9 g Protéines, 63 mg Calcium.

POINTS PAR PORTION : 5.

*Di Giorno Les tagliatelles et les fettucines sont facilement interchangeables. Selon la légende, la forme des tagliatelles a été inspirée par les longues tresses de Lucrèce Borgia, une duchesse italienne du XV$^e$ siècle.*

# Farfalles au citron et aux fines herbes

4 PORTIONS

*Cette sauce légère, rafraîchissante et sans cuisson convient aux repas estivaux. Commencez le repas avec les Crostinis aux tomates fraîches (p. 20) et servez le Granité au café (p. 317) et les Biscottis au chocolat et aux amandes (p. 335) comme dessert.*

50 ml (¼ tasse) de persil plat frais, émincé

50 ml (¼ tasse) de basilic frais, émincé

50 ml (¼ tasse) de menthe fraîche, émincée

Zeste d'un citron, finement râpé

30 ml (2 c. à soupe) de jus de citron fraîchement pressé

15 ml (1 c. à soupe) d'huile d'olive

1 ml (¼ c. à thé) de sel

1 ml (¼ c. à thé) de poivre blanc moulu

750 ml (3 tasses) de farfalles

50 ml (¼ tasse) de bouillon de poulet hyposodique, chaud

20 ml (4 c. à thé) de parmesan, râpé

Brins de fines herbes fraîches

**1.** Mélanger le persil, le basilic, la menthe, le zeste et le jus de citron, l'huile, le sel et le poivre dans un bol de service.

**2.** Pendant ce temps, cuire les pâtes selon les indications inscrites sur l'emballage. Égoutter et ajouter aux fines herbes. Ajouter le bouillon et le fromage et remuer doucement pour bien enrober. Servir avec des brins de fines herbes fraîches.

PAR PORTION : 208 Calories, 5 g Gras total, 1 g Gras saturé, 2 mg Cholestérol, 199 mg Sodium, 34 g Glucide total, 1 g Fibres alimentaires, 7 g Protéines, 70 mg Calcium.

POINTS PAR PORTION : 4.

*Di Giorno Coupez le zeste du citron avant de presser le jus. Quand le zeste est enlevé, faites rouler le citron sur le comptoir avec votre main afin de briser la pulpe, ce qui donnera plus de jus. Ne jetez pas les demi-citrons après les avoir pressés. Mettez-les dans l'eau de vaisselle, ce qui vous aidera à mieux laver les plats graisseux.*

# $\mathscr{P}$ennes arrabiata

## 4 PORTIONS

*Ce plat est très populaire au cœur même de l'Italie, dans les régions des Abruzzes, du Latium et de Molise. Son nom vient du piment fort qui lui donne du piquant (arrabiata signifie « enragé »). Ajustez la quantité de piment de Cayenne broyé à votre goût.*

500 ml (2 tasses) de pennes

20 ml (4 c. à thé) d'huile d'olive

1 oignon, finement haché

8 à 10 tomates prunes, hachées

2 gousses d'ail, émincées

2 ml (½ c. à thé) de piment de Cayenne broyé, ou au goût

1 ml (¼ c. à thé) de sel

Brins de persil frais

**1.** Cuire les pâtes selon les indications inscrites sur l'emballage. Égoutter et verser dans un bol de service.

**2.** Pendant ce temps, chauffer l'huile dans un poêlon à revêtement antiadhésif, puis ajouter les oignons. Cuire sur feu vif pour attendrir, puis ajouter les tomates, l'ail, le piment de Cayenne et le sel. Cuire environ 10 minutes, en remuant de temps à autre, jusqu'à épaississement. Verser sur les pâtes et remuer pour bien les enrober. Servir avec du persil frais.

PAR PORTION : 225 Calories, 5 g Gras total, 1 g Gras saturé, 0 mg Cholestérol, 146 mg Sodium, 38 g Glucide total, 2 g Fibres alimentaires, 6 g Protéines, 20 mg Calcium.

POINTS PAR PORTION : 5.

# Spaghettinis à l'ail et à l'huile

### 4 PORTIONS

*Populaires à Rome où on les sert comme collation en fin de soirée, ces spaghettinis permettent de faire la fête même quand le garde-manger est vide. Pour faire un repas satisfaisant, accompagnez-les de giardiniera, des petits légumes conservés dans le vinaigre.*

160 g (6 oz) de spaghettinis

80 ml (¼ tasse + 2 c. à soupe) de bouillon de poulet hyposodique

20 ml (4 c. à thé) d'huile d'olive

2 gousses d'ail, émincées

1 pincée (⅛ c. à thé) de piment de Cayenne broyé

30 ml (2 c. à soupe) de persil plat frais, émincé

**1.** Cuire les pâtes selon les directives inscrites sur l'emballage. Égoutter et verser dans un bol de service.

**2.** Dans un poêlon à revêtement antiadhésif, mélanger le bouillon, l'huile, l'ail et le piment de Cayenne. Cuire, sans cesser de remuer, jusqu'à ce que les arômes de l'ail se dégagent et qu'il commence à grésiller. Verser sur les pâtes et garnir de persil. Remuer pour bien les enrober.

PAR PORTION : 203 Calories, 5 g Gras total, 1 g Gras saturé, 0 mg Cholestérol, 15 mg Sodium, 33 g Glucide total, 1 g Fibres alimentaires, 6 g Protéines, 14 mg Calcium.

POINTS PAR PORTION : 4.

*Di Giorno Une seule règle pour réussir ce plat : ne laissez pas brunir l'ail, ce qui le rendrait amer et âcre tout en ruinant l'huile d'olive.*

# Orecchiettes au rapini et aux cannellinis

4 PORTIONS

*Les orecchiettes, ou «petites oreilles», sont des petites pâtes rondes des Pouilles où on les sert habituellement avec des feuilles de navet ou du rapini. En Italie, les cannellinis ne sont générale-ment pas utilisés pour cette recette, mais nous croyons que leur consistance crémeuse se marie bien au rapini et à la sauce forte.*

1 rapini, nettoyé et grossière-ment haché

20 ml (4 c. à thé) d'huile d'olive

1 oignon, grossièrement haché

125 ml (½ tasse) de bouillon de légumes hyposodique

4 gousses d'ail, émincées

1 ml (¼ c. à thé) de sel

1 ml (¼ c. à thé) de piment de Cayenne broyé

1 boîte de 455 ml (16 oz) de haricots cannellinis, rincés et égouttés

5 ml (1 c. à thé) de jus de citron fraîchement pressé

375 ml (1 ½ tasse) d'orecchiet-tes

20 ml (4 c. à thé) de parmesan, râpé

**1.** Mettre le rapini dans une étuveuse (marguerite) que l'on placera dans une casserole contenant 2,5 cm (1 po) d'eau bouillante. Couvrir hermétiquement et étuver de 5 à 7 minutes, jusqu'à ce qu'il soit tendre.

**2.** Chauffer un poêlon à revêtement antiadhésif. Verser l'huile, puis ajouter les oignons. Cuire sur feu vif jusqu'à ce qu'ils soient dorés. Ajouter le rapini, le bouillon, l'ail, le sel et le piment de Cayenne. Cuire, en remuant de temps à autre, jusqu'à ce que le liquide soit presque complètement évaporé. Incor-porer les haricots et le jus de citron. Réchauffer.

**3.** Pendant ce temps, cuire les pâtes selon les indica-tions inscrites sur l'emballage. Égoutter et verser dans un bol de service. Servir avec du parmesan râpé.

PAR PORTION : 368 Calories, 7 g Gras total, 1 g Gras saturé, 2 mg Cholestérol, 443 mg Sodium, 59 g Glucide total, 10 g Fibres alimentaires, 18 g Protéines, 119 mg Calcium.

POINTS PAR PORTION : 6.

# Fettucines aux légumes et à la salsa

4 PORTIONS

*Des tomates fraîches en abondance! Ne faites cette recette que si vous avez
la chance de trouver des tomates parfaitement fraîches mûries sous le soleil.
Servez la salsa chaude ou à la température ambiante.*

240 g (8 oz) de fettucines

2 petites courgettes, coupées dans la longueur finement comme du papier

2 carottes, coupées dans la longueur finement comme du papier

2 tomates, pelées, épépinées et hachées

10 petites olives noires, dénoyautées et coupées en quartiers

15 ml (1 c. à soupe) d'huile d'olive extravierge

10 ml (2 c. à thé) de parmesan, râpé

5 ml (1 c. à thé) de piment rouge fort mariné, émincé

1 gousse d'ail, émincée

Poivre fraîchement moulu, au goût

**1.** Cuire les pâtes selon les indications inscrites sur l'emballage. Après environ 8 minutes, ajouter les courgettes et les carottes dans l'eau de cuisson. Cuire de 2 à 4 minutes de plus, jusqu'à ce que les pâtes soient *al dente* et que les légumes soient tendres.

**2.** Pendant ce temps, dans un bol de service, mélanger les tomates, les olives, l'huile, le fromage, le piment, l'ail et le poivre. Égoutter les pâtes et les légumes, les verser dans la sauce et remuer pour bien enrober tous les ingrédients.

PAR PORTION : 255 Calories, 7 g Gras total, 1 g Gras saturé, 41 mg Cholestérol, 124 mg Sodium, 42 g Glucide total, 4 g Fibres alimentaires, 9 g Protéines, 62 mg Calcium.

POINTS PAR PORTION : 5.

*Di Giorno Pour couper les courgettes et les carottes minces comme du papier, utilisez l'éplucheur à légumes.*

*Fettucines aux légumes et à la salsa*

# Fettucines Alfredo

## 4 PORTIONS

*Du parmesan, des champignons et un soupçon de crème rehaussent cette sauce au goût aussi généreux que la sauce originale. Servez ce plat pour des occasions spéciales seulement puisqu'il contient beaucoup de matières grasses.*

180 g (6 oz) de fettucines

20 ml (4 c. à thé) de margarine

Poivre fraîchement moulu, au goût

50 ml (¼ tasse) de crème à 35 p. 100

30 ml (2 c. à soupe) de parmesan, râpé

1 gros champignon blanc, coupé finement comme du papier

1. Vaporiser un grand poêlon à revêtement anti-adhésif avec de l'enduit anticollant.

2. Cuire les pâtes selon les indications inscrites sur l'emballage. Égoutter et verser dans le poêlon qu'on mettra sur feu moyen. Ajouter la margarine et le poivre et remuer doucement. Verser la crème et remuer doucement jusqu'à ce qu'elle soit presque complètement absorbée. Ajouter le fromage et les champignons. Remuer doucement de 2 à 3 minutes, jusqu'à ce que les pâtes soient bien enrobées de fromage fondu.

PAR PORTION : 265 Calories, 13 g Gras total, 5 g Gras saturé, 65 mg Cholestérol, 142 mg Sodium, 31 g Glucide total, 1 g Fibres alimentaires, 9 g Protéines, 97 mg Calcium.

POINTS PAR PORTION : 6.

# Farfalles aux asperges

4 PORTIONS

*L'arrivée des papillons souligne le début du printemps. Célébrez cette saison avec ce plat savoureux puisque le mot farfalle signifie papillon en italien. Servez ces pâtes avec une entrée comme le Saumon à la sauce verte (p. 193) et vous entreprendrez le printemps sous le signe de la santé.*

1 litre (4 tasses) de farfalles

20 ml (4 c. à thé) d'huile d'olive

3 échalotes, émincées

50 ml (¼ tasse) de bouillon de poulet hyposodique

50 ml (¼ tasse) de crème légère

1 ml (¼ c. à thé) de sel

Poivre fraîchement moulu, au goût

24 pointes d'asperges, parées, coupées diagonalement en morceaux de 2,5 cm/1 po, cuites à la vapeur

20 ml (4 c. à thé) de parmesan, râpé

**1.** Cuire les pâtes selon les indications inscrites sur l'emballage. Égoutter et verser dans un plat de service.

**2.** Pendant ce temps, chauffer l'huile dans un poêlon à revêtement antiadhésif, puis ajouter les échalotes. Cuire sur feu vif pour les attendrir. Réduire la chaleur, verser le bouillon et la crème et cuire environ 10 minutes, sans cesser de remuer, jusqu'à ce que la sauce soit réduite de moitié. Verser sur les pâtes, saler, poivrer et remuer. Couvrir avec les asperges et le fromage. Servir immédiatement.

PAR PORTION : 271 Calories, 10 g Gras total, 3 g Gras saturé, 12 mg Cholestérol, 249 mg Sodium, 37 g Glucide total, 2 g Fibres alimentaires, 10 g Protéines, 74 mg Calcium.

POINTS PAR PORTION : 6.

# Coquilles farcies aux épinards

### 4 PORTIONS

*Même si l'on trouve surtout des coquilles de petite ou de moyenne grosseur en Italie,
ici nous préférons les coquilles géantes beaucoup plus faciles à farcir.*

180 g (6 oz) de coquilles géantes

1 paquet de 300 g (10 oz) d'épinards, décongelés et bien épongés

325 ml (1 ⅓ tasse) de ricotta écrémée

120 g (4 oz) de jambon extra-maigre, en dés

1 ml (¼ c. à thé) de sel

1 pincée (⅛ c. à thé) de muscade moulue

Poivre fraîchement moulu, au goût

375 ml (1 ½ tasse) de sauce tomate (sans sel ajouté)

30 ml (2 c. à soupe) de parmesan, râpé

**1.** Préchauffer le four à 200 °C (400 °F). Vaporiser un plat de cuisson de 22,5 x 32,5 cm (9 x 13 po) avec de l'enduit anticollant.

**2.** Cuire les pâtes selon les indications inscrites sur l'emballage. Égoutter et rincer à l'eau froide.

**3.** Pendant ce temps, mélanger les épinards, la ricotta et le jambon. Incorporer le sel, la muscade et le poivre. À l'aide d'une cuillère, farcir les coquilles avec cette préparation et les dresser ensuite dans le plat de cuisson. Couvrir avec la sauce tomate et le parmesan. Cuire environ 25 minutes, jusqu'à ce que la sauce bouillonne et que la farce commence à brunir. Laisser reposer quelques minutes avant de servir.

PAR PORTION : 354 Calories, 5 g Gras total, 2 g Gras saturé, 22 mg Cholestérol, 840 mg Sodium, 46 g Glucide total, 5 g Fibres alimentaires, 30 g Protéines, 593 mg Calcium.

POINTS PAR PORTION : 6.

*Di Giorno Vous pouvez aussi utiliser des épinards frais. Après les avoir lavés, mettez-les dans une grande passoire. Quand l'eau de cuisson des pâtes arrive à ébullition, mais avant d'y mettre les coquilles, mettez la passoire dans l'eau bouillante pour faire ramollir les feuilles. Rincez-les ensuite à l'eau froide, pressez-les pour extraire le surplus d'eau et hachez-les.*

*Coquilles farcies aux épinards*

# Zitis au chou et à l'oignon

### 4 PORTIONS

*On trouve souvent du chou sur les tables du nord de l'Italie. Ce plat à la saveur aigre-douce accompagne bien un simple rôti de porc ou des côtelettes grillées.*

20 ml (4 c. à thé) d'huile d'olive

2 oignons rouges, hachés

960 g (2 lb) de chou vert, en lamelles (environ 2 litres/8 tasses)

250 ml (1 tasse) de bouillon de poulet hyposodique

2 gousses d'ail, émincées

15 ml (1 c. à soupe) de vinaigre balsamique

10 ml (2 c. à thé) de graines de fenouil

1 ml (¼ c. à thé) de sel

Poivre fraîchement moulu, au goût

500 ml (2 tasses) de zitis

1. Chauffer une casserole à revêtement antiadhésif. Verser l'huile, puis ajouter les oignons. Cuire sur feu vif jusqu'à ce qu'ils brunissent. Ajouter le chou, le bouillon et l'ail. Cuire sur feu vif environ 5 minutes, jusqu'à ce que le chou ramollisse. Incorporer le vinaigre, les graines de fenouil, le sel et le poivre. Réduire la chaleur, couvrir et laisser mijoter environ 20 minutes, jusqu'à ce que le chou soit tendre. Enlever le couvercle, augmenter la chaleur légèrement et cuire environ 5 minutes de plus, jusqu'à ce que le liquide soit évaporé.

2. Pendant ce temps, cuire les pâtes selon les indications inscrites sur l'emballage. Égoutter et verser dans un bol de service. Couvrir avec le chou et remuer.

PAR PORTION : 260 Calories, 6 g Gras total, 1 g Gras saturé, 0 mg Cholestérol, 198 mg Sodium, 45 g Glucide total, 5 g Fibres alimentaires, 9 g Protéines, 105 mg Calcium.

POINTS PAR PORTION : 5.

# Pennes végétariens à la « bolonaise »

### 4 PORTIONS

*Quand vous voyez le mot* bolognese *sur un menu, vous savez qu'il s'agit d'une sauce tomate qui contient de la viande, des légumes, du vin rouge et de la crème. Dans cette recette, nous avons remplacé le bœuf par des tomates séchées. Si on laisse longuement mijoter cette sauce, elle prend alors tout son caractère.*

16 demi-tomates séchées (non conservées dans l'huile)

10 ml (2 c. à thé) d'huile d'olive

10 ml (2 c. à thé) de margarine

2 petites carottes, en fines tranches

2 branches de céleri, en fines tranches

1 oignon, finement haché

250 ml (1 tasse) de tomates en dés (sans sel ajouté)

125 ml (½ tasse) de vin rouge sec

250 ml (1 tasse) de bouillon de légumes hyposodique

250 ml (1 tasse) de lait évaporé écrémé

1 pincée de muscade moulue

250 ml (1 tasse) de pois, décongelés

50 ml (¼ tasse) d'eau

500 ml (2 tasses) de pennes

20 ml (4 c. à thé) de parmesan, râpé

1. Couvrir les tomates séchées d'eau chaude et laisser tremper environ 15 minutes pour les attendrir. Égoutter et éponger avec du papier absorbant. Hacher finement.

2. Dans une casserole à revêtement antiadhésif, chauffer l'huile et la margarine, puis ajouter les carottes, le céleri et les oignons. Cuire sur feu vif jusqu'à ce que les oignons soient transparents. Ajouter les tomates séchées, les tomates en conserve et le vin. Cuire, en remuant souvent, jusqu'à ce que le liquide soit évaporé. Incorporer le bouillon, le lait et la muscade et amener à ébullition. Réduire la chaleur et laisser mijoter de 15 à 20 minutes, en remuant de temps à autre, jusqu'à ce que les légumes soient tendres. Verser un peu d'eau pendant la cuisson si le liquide s'évapore trop rapidement. Incorporer les pois et l'eau et laisser mijoter pour réchauffer les pois.

3. Pendant ce temps, cuire les pâtes selon les indications inscrites sur l'emballage. Égoutter et verser dans un bol de service. Napper avec la sauce et remuer. Servir avec du parmesan râpé.

PAR PORTION : 384 Calories, 6 g Gras total, 1 g Gras saturé, 4 mg Cholestérol, 251 mg Sodium, 62 g Glucide total, 7 g Fibres alimentaires, 17 g Protéines, 275 mg Calcium.

POINTS PAR PORTION : 7.

*Voir Di Giorno p. 340.*

# Pennes à la sauce à la crème et à la vodka

4 PORTIONS

*Une sauce à la crème, aux tomates et à la vodka, voilà qui ressemble à de la nouvelle cuisine. Mais les Italiens nous assurent qu'ils font cette recette depuis très longtemps. Servez ces pennes avec les Artichauts à la vapeur (p. 267) ou le Brocoli à l'ail et au citron (p. 252).*

500 ml (2 tasses) de pennes

20 ml (4 c. à thé) d'huile d'olive

3 échalotes, émincées

50 ml (¼ tasse) de bouillon de poulet hyposodique

15 ml (1 c. à soupe) de pâte de tomate (sans sel ajouté)

1 ml (¼ c. à thé) de piment de Cayenne broyé

50 ml (¼ tasse) de crème à 35 p. 100

30 ml (2 c. à soupe) de vodka

30 ml (2 c. à soupe) de persil plat frais, émincé

20 ml (4 c. à thé) de parmesan, râpé

**1.** Cuire les pâtes selon les indications inscrites sur l'emballage. Égoutter et verser dans un bol de service.

**2.** Pendant ce temps, chauffer l'huile dans un poêlon à revêtement antiadhésif, puis ajouter les échalotes. Cuire sur feu vif pour les attendrir. Incorporer le bouillon, la pâte de tomate et le piment de Cayenne. Réduire la chaleur au minimum, puis verser la crème et la vodka. Cuire, sans cesser de remuer, pour bien réchauffer ; ne pas laisser bouillir. Verser la sauce sur les pâtes et remuer pour bien les enrober. Servir avec du persil frais et du parmesan râpé.

PAR PORTION : 295 Calories, 12 g Gras total, 5 g Gras saturé, 22 mg Cholestérol, 115 mg Sodium, 35 g Glucide total, 1 g Fibres alimentaires, 7 g Protéines, 54 mg Calcium.

POINTS PAR PORTION : 7.

*Di Giorno Vous pouvez conserver le restant de crème au congélateur pendant six mois. Versez-la dans des contenants à glaçons ou des moules à muffins et placez-la au congélateur. Quand la crème est ferme, mettez-la dans un sac en plastique à fermeture hermétique et remettez-la au congélateur. Faites-la décongeler au réfrigérateur et remuez-la bien avant usage.*

Pennes à la sauce à la crème et à la vodka et
Artichauts à la vapeur (page 267)

# Perciatellis aux poivrons verts

## 4 PORTIONS

*Les perciatellis conviennent parfaitement à la sauce traditionnelle aux poivrons verts appelée peperonata en Italie. Si vous n'en trouvez pas, remplacez-les par des spaghettis, des linguines ou des fettucines.*

2 gros poivrons verts, épépinés et coupés en fines lamelles

1 grosse tomate, pelée, épépinée et coupée en dés

1 petit oignon, en fines tranches

20 ml (4 c. à thé) d'huile d'olive

1 pincée de sel

5 ml (1 c. à thé) de pâte d'olive (olivada)

1 ml (¼ c. à thé) d'origan séché

180 g (6 oz) de perciatellis

30 ml (2 c. à soupe) de pecorino romano, râpé

Poivre fraîchement moulu, au goût

**1.** Faire alterner des couches de poivrons, de tomates et d'oignons dans une casserole à revêtement antiadhésif. Arroser avec l'huile et assaisonner avec le sel. Couvrir et cuire environ 20 minutes sur feu doux, en remuant de temps à autre, jusqu'à ce que les légumes soient tendres. Si la préparation semble trop sèche, ajouter environ 1 c. à soupe d'eau chaude. Incorporer la pâte d'olive et l'origan. Retirer du feu et laisser reposer quelques minutes.

**2.** Pendant ce temps, cuire les pâtes selon les indications inscrites sur l'emballage. Égoutter et verser dans la casserole. Ajouter le fromage et le poivre et remuer pour bien enrober les pâtes.

PAR PORTION : 265 Calories, 7 g Gras total, 2 g Gras saturé, 5 mg Cholestérol, 155 mg Sodium, 42 g Glucide total, 4 g Fibres alimentaires, 8 g Protéines, 68 mg Calcium.

POINTS PAR PORTION : 5.

*Voir Di Giorno p. 340.*

# Capellinis aux fruits de mer

## 4 PORTIONS

*Quel port d'Italie n'a pas sa version personnelle de pâtes aux fruits de mer? Cette recette,*
*qui met l'accent sur les herbes fraîches et la légèreté, vient probablement du nord du pays.*

12 palourdes moyennes,
brossées

12 moules moyennes, brossées
et ébarbées

50 ml (¼ tasse) de vin blanc sec

2 gousses d'ail, émincées

10 ml (2 c. à thé) d'huile
d'olive

240 g (8 oz) de pétoncles de
baie, rincés, égouttés et bien
épongés

150 g (5 oz) de crevettes
moyennes, décortiquées et
déveinées

30 ml (2 c. à soupe) de persil
frais, émincé

15 ml (1 c. à soupe) de feuilles
de thym frais

15 ml (1 c. à soupe) d'origan
frais, émincé

180 g (6 oz) de capellinis

Poivre fraîchement moulu,
au goût

**1.** Dans une grande casserole, mélanger les palourdes, les moules, le vin et l'ail. Couvrir et cuire sur feu moyen de 4 à 5 minutes, jusqu'à ce que les coquillages s'ouvrent. Jeter toutes les palourdes et les moules qui sont restées fermées. Réserver le liquide de cuisson.

**2.** Chauffer l'huile dans un poêlon à revêtement antiadhésif, puis ajouter les pétoncles, les crevettes, le persil, le thym et l'origan. Cuire sur feu vif jusqu'à ce que les crevettes soient roses et que les pétoncles soient opaques. Retirer du feu et ajouter les coquillages.

**3.** Pendant ce temps, cuire les pâtes selon les indications inscrites sur l'emballage. Égoutter et verser dans un bol de service. Ajouter les fruits de mer et poivrer. Remuer pour bien enrober les pâtes.

PAR PORTION : 318 Calories, 5 g Gras total, 1 g Gras saturé, 80 mg Cholestérol, 236 mg Sodium, 36 g Glucide total, 1 g Fibres alimentaires, 28 g Protéines, 73 mg Calcium.

POINTS PAR PORTION : 7.

# Coquilles aux palourdes et au brocoli

## 4 PORTIONS

*Des oignons, de l'ail, du citron… qui aurait pu deviner que des ingrédients aussi communs pouvaient être à l'origine d'un plat aussi succulent? Si vous ne trouvez pas de petites coquilles, remplacez-les par n'importe quelle autre petite pâte.*

300 ml (1 ¼ tasse) de très petites pâtes en forme de coquilles

480 g (1 lb) de bouquets de brocoli (environ 1 litre/ 4 tasses)

24 palourdes moyennes, brossées

2 oignons, hachés

125 ml (½ tasse) de vin blanc sec

20 ml (4 c. à thé) d'huile d'olive

2 gousses d'ail, émincées

2 ml (½ c. à thé) de piment de Cayenne broyé

15 ml (1 c. à soupe) de jus de citron fraîchement pressé

*Di Giorno* **Il est préférable de ne pas trop cuire le brocoli puisque sa cuisson continuera même après qu'on l'a retiré du feu.**

**1.** Cuire les pâtes selon les indications inscrites sur l'emballage. Égoutter et réserver dans un bol de service.

**2.** Mettre le brocoli dans une étuveuse (marguerite) que l'on placera dans une casserole contenant 2,5 cm (1 po) d'eau bouillante. Couvrir hermétiquement et étuver de 5 à 7 minutes, jusqu'à ce qu'il soit presque tendre. Ajouter le brocoli aux pâtes.

**3.** Pendant ce temps, mélanger les palourdes, les oignons, le vin, l'huile, l'ail et le piment de Cayenne dans une grande casserole. Couvrir et cuire sur feu moyen de 4 à 5 minutes, jusqu'à ce que les palourdes soient ouvertes. Jeter toutes les palourdes qui sont restées fermées. Quand elles sont suffisamment refroidies pour être manipulées, retirer les palourdes de leur coquillage et les hacher grossièrement. Ajouter les palourdes, leur liquide de cuisson et le jus de citron aux pâtes. Bien remuer.

PAR PORTION : 319 Calories, 6 g Gras total, 1 g Gras saturé, 19 mg Cholestérol, 69 mg Sodium, 45 g Glucide total, 6 g Fibres alimentaires, 18 g Protéines, 104 mg Calcium.

POINTS PAR PORTION : 6.

# Linguines aux calmars à la sauce tomate

*Si vous n'avez essayé les calmars que comme entrée, frits dans une pâte lourde,*
*vous serez agréablement surpris par cette sauce. Veuillez à ne pas cuire les calmars*
*sur un feu trop fort, ce qui les rendrait durs et caoutchouteux.*

15 ml (1 c. à soupe) d'huile d'olive

1 oignon, finement haché

3 gousses d'ail, émincées

30 ml (2 c. à soupe) de pâte de tomate (sans sel ajouté)

2 boîtes de 796 ml (28 oz) de tomates italiennes pelées, en purée

2 boîtes de 227 ml (8 oz) de sauce tomate (sans sel ajouté)

15 ml (1 c. à soupe) de basilic frais, émincé, ou 5 ml (1 c. à thé) de basilic séché

Poivre fraîchement moulu, au goût

1,2 kg (2 ½ lb) de calmars nettoyés, corps coupés en rondelles

720 g (1 ½ lb) de linguines

1. Chauffer l'huile dans une grande casserole à revêtement antiadhésif, puis ajouter les oignons et l'ail. Cuire sur feu vif environ 5 minutes pour les attendrir. Ajouter la pâte de tomate et cuire de 3 à 4 minutes, sans cesser de remuer. Incorporer les tomates en purée, la sauce tomate, le basilic et le poivre. Amener à ébullition. Cuire 10 minutes en remuant de temps à autre. Couvrir à moitié, réduire la chaleur et laisser mijoter 45 minutes en remuant de temps à autre.

2. Ajouter les calmars et continuer de laisser mijoter pendant 1 ½ à 2 heures, jusqu'à ce que les calmars soient tendres et que la sauce soit très épaisse. Ne pas laisser bouillir sinon les calmars durciront.

3. Cuire les pâtes selon les indications inscrites sur l'emballage. Napper avec la sauce et remuer pour bien enrober les pâtes.

PAR PORTION : 266 Calories, 3 g Gras total, 0 g Gras saturé, 165 mg Cholestérol, 56 mg Sodium, 42 g Glucide total, 2 g Fibres alimentaires, 18 g Protéines, 62 mg Calcium.

POINTS PAR PORTION : 5.

# Gnocchis aux crevettes et au rapini

### 4 PORTIONS

*Le rapini a un goût amer qui convient bien à l'ail et au peperoncino. Jetez les feuilles,
qui peuvent être très amères, et toute tige trop grosse. Si désiré, pelez les tiges plus minces avant
de les hacher. Vous trouverez les pâtes gnocchis à côté des pâtes sèches. Leur forme se marie
bien avec de nombreuses sauces et préparations.*

1 litre (4 tasses) de rapini, nettoyé et haché

500 ml (2 tasses) de pâtes gnocchis

240 g (8 oz) de crevettes moyennes, décortiquées et déveinées

1 tomate, épépinée et coupée en cubes

20 ml (4 c. à thé) d'huile d'olive

1 gousse d'ail, coupée en deux

½ peperoncino (petit piment italien mariné)

1 ml (¼ c. à thé) de sel

Poivre fraîchement moulu, au goût

**1.** Préchauffer le four à 250 °C (475 °F).

**2.** Cuire le rapini de 2 à 3 minutes dans une grande marmite d'eau bouillante pour l'attendrir un peu. Avec une écumoire, mettre le rapini dans une passoire et égoutter. Rincer à l'eau froide et égoutter de nouveau.

**3.** Cuire les pâtes selon les indications inscrites sur l'emballage. Égoutter et verser dans un plat de cuisson de 22,5 x 32,5 cm (9 x 13 po). Ajouter le rapini, les crevettes, les tomates, l'huile, l'ail, le peperoncino, le sel et le poivre et bien remuer. Couvrir de papier d'aluminium et cuire au four environ 10 minutes, jusqu'à ce que les crevettes soient bien cuites. Jeter l'ail et le peperoncino avant de servir.

PAR PORTION : 285 Calories, 6 g Gras total, 1 g Gras saturé, 86 mg Cholestérol, 270 mg Sodium, 38 g Glucide total, 3 g Fibres alimentaires, 10 g Protéines, 90 mg Calcium.

POINTS PAR PORTION : 6.

*Di Giorno Évitez de servir du fromage râpé avec tout plat de pâtes contenant du poisson. En Italie, ce serait un lèse-majesté ! Et en plus le goût ne serait pas fameux.*

# Linguines à la sauce aux palourdes et aux tomates

4 PORTIONS

*Voici la recette traditionnelle de linguine alle vongole,
cette sauce napolitaine à base de palourdes et de tomates.*

12 palourdes moyennes, brossées

50 ml (¼ tasse) de vin blanc sec

15 ml (1 c. à soupe) de feuilles de thym frais

15 ml (1 c. à soupe) d'origan frais, émincé

2 grosses gousses d'ail, émincées

1 ml (¼ c. à thé) de piment de Cayenne broyé

180 g (6 oz) de linguines

20 ml (4 c. à thé) d'huile d'olive

8 tomates prunes, hachées

1 piment italien à frire (voir Di Giorno 3 p. 341), épépiné et haché

50 ml (¼ tasse) de persil plat frais, émincé

1 ml (¼ c. à thé) de sel

Poivre fraîchement moulu, au goût

**1.** Mélanger les palourdes, le vin, le thym, l'origan, l'ail et le piment de Cayenne dans une grande casserole. Couvrir et cuire sur feu moyen de 4 à 5 minutes, jusqu'à ce que les palourdes soient ouvertes. Jeter toutes les palourdes qui sont restées fermées. Quand elles sont suffisamment refroidies pour être manipulées, les retirer de leur coquillage et les hacher grossièrement. Réserver les coquillages pour la garniture si désiré. Réserver le liquide de cuisson dans un autre bol.

**2.** Cuire les pâtes selon les indications inscrites sur l'emballage. Égoutter et verser dans un bol de service.

**3.** Pendant ce temps, chauffer l'huile dans un poêlon à revêtement antiadhésif, puis ajouter les tomates, le piment, le persil, le sel et le poivre. Cuire sur feu vif jusqu'à ce que les légumes soient tendres, puis ajouter le liquide réservé. Réduire la chaleur et laisser mijoter de 5 à 10 minutes, jusqu'à épaississement. Ajouter les palourdes à la sauce et réchauffer. Verser sur les pâtes et remuer pour bien les enrober. Garnir avec les coquillages si désiré.

PAR PORTION : 264 Calories, 6 g Gras total, 1 g Gras saturé, 10 mg Cholestérol, 167 mg Sodium, 40 g Glucide total, 3 g Fibres alimentaires, 11 g Protéines, 49 mg Calcium.

POINTS PAR PORTION : 5.

*Voir Di Giorno p. 340.*

# Linguines à la sauce blanche aux palourdes

## 4 PORTIONS

*Si vous n'avez ni le temps ni le goût d'utiliser des palourdes fraîches, sautez l'étape 1 et remplacez-les par une boîte de 300 g (10 oz) de petites palourdes entières.*

18 palourdes moyennes, brossées

125 ml (½ tasse) de vin blanc sec

180 g (6 oz) de linguines

20 ml (4 c. à thé) d'huile d'olive

4 gousses d'ail, émincées

50 ml (¼ tasse) de persil plat frais, émincé

2 ml (½ c. à thé) de piment de Cayenne broyé

**1.** Mélanger les palourdes et le vin dans une grande casserole. Couvrir et cuire sur feu moyen de 4 à 5 minutes, jusqu'à ce que les palourdes soient ouvertes. Jeter toutes les palourdes restées fermées. Quand elles sont assez refroidies pour être manipulées, les débarrasser de leur coquillage et les hacher grossièrement. Réserver les coquillages pour la garniture si désiré. Réserver le liquide de cuisson dans un autre bol.

**2.** Cuire les pâtes selon les indications inscrites sur l'emballage. Égoutter et verser dans un bol de service.

**3.** Pendant ce temps, chauffer l'huile dans un poêlon à revêtement antiadhésif, puis ajouter l'ail, le persil, le piment de Cayenne et le liquide réservé. Cuire environ 7 minutes, en remuant souvent, jusqu'à ce que le liquide soit réduit de moitié. Ajouter les palourdes et réchauffer. Verser sur les pâtes et remuer pour bien les enrober. Garnir avec les coquillages si désiré.

PAR PORTION : 257 Calories, 6 g Gras total, 1 g Gras saturé, 14 mg Cholestérol, 32 mg Sodium, 35 g Glucide total, 1 g Fibres alimentaires, 11 g Protéines, 45 mg Calcium.

POINTS PAR PORTION : 5.

# Spaghettinis aux moules à la marinara

### 4 PORTIONS

*Marinara signifie « à la façon du marin ». La légende raconte que les épouses des marins préparaient une sauce minute avec des tomates, des fines herbes, de l'huile d'olive et de l'ail. Quand leurs maris revenaient avec leurs prises, elles ajoutaient simplement le poisson du jour à la sauce qu'elles aimaient servir sur des pâtes longues et fines.*

180 g (6 oz) de spaghettinis

20 ml (4 c. à thé) d'huile d'olive

1 boîte de 427 ml (14 ½ oz) de tomates italiennes (sans sel ajouté), égouttées et hachées

3 gousses d'ail, émincées

2 ml (½ c. à thé) de piment de Cayenne broyé

24 moules moyennes, brossées et ébarbées

75 ml (⅓ tasse) de persil plat frais, émincé

**1.** Cuire les pâtes selon les indications inscrites sur l'emballage. Égoutter et verser dans un bol de service.

**2.** Pendant ce temps, chauffer l'huile dans une casserole, puis ajouter les tomates, l'ail et le piment de Cayenne. Cuire sur feu vif environ 2 minutes, puis ajouter les moules. Couvrir et cuire de 4 à 5 minutes, jusqu'à ce qu'elles soient ouvertes. Jeter toutes les moules qui sont restées fermées. Avec une écumoire, mettre les moules dans un bol.

**3.** Ajouter le persil à la sauce tomate et cuire environ 5 minutes de plus, jusqu'à ce que le liquide soit réduit de moitié. Remettre les moules dans la sauce et réchauffer. Verser la sauce sur les pâtes et remuer pour bien les enrober.

PAR PORTION : 252 Calories, 6 g Gras total, 1 g Gras saturé, 12 mg Cholestérol, 135 mg Sodium, 37 g Glucide total, 2 g Fibres alimentaires, 11 g Protéines, 45 mg Calcium.

POINTS PAR PORTION : 5.

*Di Giorno Brossez les moules sous l'eau froide, puis ébarbez-les avec vos doigts. Ne faites pas cette étape à l'avance puisque les moules doivent être cuites aussitôt qu'elles ont été ébarbées.*

# Spaghettinis aux moules, à l'ail et au vin blanc

4 PORTIONS

*Facile à préparer, peu coûteux, élégant, délicieux, satisfaisant…*
*on peut dire que ce plat possède vraiment toutes ces qualités!*

180 g (6 oz) de spaghettinis

125 ml (½ tasse) de vin blanc sec

10 ml (2 c. à thé) d'huile d'olive

50 ml (¼ tasse) de persil plat frais, émincé

15 ml (1 c. à soupe) de feuilles de thym frais, ou 5 ml (1 c. à thé) de thym séché, émietté

4 gousses d'ail, émincées

1 ml (¼ c. à thé) de piment de Cayenne broyé

24 moules moyennes, brossées et ébarbées

**1.** Cuire les pâtes selon les indications inscrites sur l'emballage. Égoutter et verser dans un bol de service.

**2.** Pendant ce temps, mélanger le vin, l'huile, le persil, le thym, l'ail et le piment de Cayenne dans une casserole. Cuire, sans cesser de remuer, jusqu'à ce que les arômes de l'ail se dégagent. Ajouter les moules. Couvrir et cuire de 4 à 5 minutes, jusqu'à ce que les moules soient ouvertes. Jeter toutes les moules qui sont restées fermées. Verser la sauce sur les pâtes et remuer pour bien enrober.

PAR PORTION : 243 Calories, 4 g Gras total, 1 g Gras saturé, 12 mg Cholestérol, 130 mg Sodium, 35 g Glucide total, 1 g Fibres alimentaires, 11 g Protéines, 43 mg Calcium.

POINTS PAR PORTION : **5.**

*Spaghettinis aux moules, à l'ail et au vin blanc*

# Linguines aux tomates séchées et au fromage de chèvre

### 4 PORTIONS

*Une sauce idéale pour l'été puisqu'elle ne requiert aucune cuisson. Servez ces linguines avec une bonne salade de roquette arrosée de vinaigre balsamique de bonne qualité.*

375 ml (1 ½ tasse) de feuilles de basilic frais, bien tassées

20 ml (4 c. à thé) de pignons

15 ml (1 c. à soupe) d'huile d'olive

2 gousses d'ail, émincées

1 ml (¼ c. à thé) de sel

Poivre fraîchement moulu, au goût

16 demi-tomates séchées (non conservées dans l'huile)

180 g (6 oz) de linguines

60 g (2 oz) de fromage de chèvre nature ou aux fines herbes, émietté

**1.** Dans le robot de cuisine ou le mélangeur, réduire en purée le basilic, les pignons, l'huile, l'ail, le sel et le poivre.

**2.** Couvrir les tomates séchées d'eau chaude et les laisser tremper environ 15 minutes pour les attendrir. Égoutter, jeter le liquide et hacher les tomates.

**3.** Pendant ce temps, cuire les pâtes selon les indications inscrites sur l'emballage. Égoutter et verser dans un bol de service. Ajouter le pesto, les tomates et le fromage de chèvre. Bien remuer.

PAR PORTION : 303 Calories, 10 g Gras total, 4 g Gras saturé, 13 mg Cholestérol, 232 mg Sodium, 42 g Glucide total, 3 g Fibres alimentaires, 12 g Protéines, 148 mg Calcium.

POINTS PAR PORTION : 6.

# Rigatonis aux trois fromages

### 4 PORTIONS

*La mozzarella, le parmesan et la fontina : trois fromages qui donnent une allure un peu plus sophistiqué au macaroni traditionnel. Pour compléter le repas sans complications, servez-le avec le Ciambotta (p. 266) que vous mettrez au four en même temps.*

750 ml (3 tasses) de rigatonis

125 ml (½ tasse) de lait écrémé

75 ml (⅓ tasse) de mozzarella écrémée, en lamelles

45 g (1 ½ oz) de fontina, râpée (environ 50 ml/¼ tasse)

50 ml (¼ tasse) de persil plat frais, émincé

15 ml (1 c. à soupe) de feuilles de thym frais, ou 5 ml (1 c. à thé) de thym séché, émietté

1 ml (¼ c. à thé) de poivre blanc moulu

30 ml (2 c. à soupe) de parmesan, râpé

**1.** Préchauffer le four à 220 °C (425 °F). Vaporiser un plat de cuisson de 1 litre (1 pinte) avec de l'enduit anticollant.

**2.** Cuire les pâtes selon les indications inscrites sur l'emballage. Égoutter et remettre dans la casserole. Incorporer le lait, la mozzarella, la fontina, le persil, le thym et le poivre. Verser à la cuillère dans le plat de cuisson et couvrir de parmesan. Cuire au four de 15 à 18 minutes, jusqu'à ce que le dessus soit doré et bouillonnant. Laisser reposer 5 minutes avant de servir.

PAR PORTION : 253 Calories, 6 g Gras total, 3 g Gras saturé, 18 mg Cholestérol, 283 mg Sodium, 35 g Glucide total, 1 g Fibres alimentaires, 15 g Protéines, 264 mg Calcium.

POINTS PAR PORTION : 5.

# Formaggio : une autre merveille de l'Italie !

| Type | Caractéristiques | Utilisation | Conseils pour l'achat |
|---|---|---|---|
| Asiago | Ce fromage jaune pâle est vendu frais, moyen ou vieux. Frais, il est légèrement piquant et sa pâte est mi-dure. Plus vieux, sa consistance est granuleuse et il prend un goût de noisette semblable à celle de certains cheddars. | L'asiago vieilli peut être râpé dans les soupes, risottos, salades et pâtes. Jeune, il est délicieux en sandwich ou sur un plateau de fromages variés. | La cire qui le recouvre indique son âge : claire ou blanche (frais) ; brune (moyen) ; noire (vieux). L'asiago fabriqué en Amérique du Nord est souvent d'excellente qualité. |
| Gorgonzola | Un fromage de couleur ivoire veiné de bleu. Sa saveur devient plus prononcée avec le temps. | Une petite quantité peut faire merveille. Tranché dans un sandwich aux légumes grillés, émietté dans une trempette ou une vinaigrette. Délicieux avec les poires ou coupé en tranches sur de la polenta chaude. | Le gorgonzola italien est remarquable, mais certains fromages de même type fabriqués en Amérique du Nord sont tout aussi recommandables. |
| Mozzarella | Un fromage doux et frais qui goûte le beurre. Il devient élastique en fondant. On le fait souvent avec du lait de vache, mais en Italie on préfère celui fait avec du lait de bufflonne. | Indispensable dans les recettes classiques : pizzas, aubergine parmigiana, etc., mais aussi en sandwich. En cubes avec des morceaux de tomate, du basilic frais et un peu de vinaigrette. La mozzarella sans matières grasses ne fond pas bien ; utilisez-la seulement comme garniture. | La mozzarella partiellement écrémée est très bonne, mais celle faite avec du lait entier, disponible dans les épiceries italiennes et les bonnes fromageries, est un pur délice. |
| Ricotta | Un fromage doux et frais à consistance légère et granuleuse. Son goût est sucré et laiteux. | Mélangée avec des pâtes chaudes et des fines herbes pour une « sauce » crémeuse minute. En casserole dans des plats tels que la lasagne ou encore pour farcir des pâtes ou des pâtisseries. | Pour un vrai régal, acheter la ricotta italienne dans une épicerie spécialisée. Bien meilleure que celle du supermarché. |
| Romano (pecorino romano) | Un fromage dur à saveur piquante fait avec du lait de brebis (pecorino = mouton en italien). Salé, saveur relevée. | Sert uniquement à gratiner. Utilisé dans les sauces au goût prononcé, les soupes repas ou pour donner du goût au pesto (mélangé avec du parmesan). Ne pas le confondre avec le parmesan, son goût étant très différent. | Le romano fait en Amérique du Nord, fait avec du lait de vache, n'a pas un goût aussi prononcé que celui qui est fabriqué en Italie. Ne pas l'acheter râpé, ce qui lui fait perdre sa saveur. |

# Lasagne aux tomates et au fromage

8 PORTIONS

*Ce classique napolitain fait partie de tous les repas de fête dignes de ce nom. Doublez la recette et congelez un plat (jusqu'à 2 mois) pour votre prochaine occasion spéciale. Accompagnez cette lasagne avec le Giardinetto al forno (p. 248) ou la Scarole au vin rouge (p. 270).*

250 ml (1 tasse) de ricotta partiellement écrémée

50 ml (¼ tasse) de parmesan, râpé

1 blanc d'œuf

Poivre fraîchement moulu, au goût

9 lasagnes

500 ml (2 tasses) de Sauce tomate (p. 73)

175 ml (¾ tasse) de mozzarella écrémée, en lamelles

*Di Giorno Si vous utilisez des lasagnes qui ne nécessitent pas de précuisson, sautez l'étape 2.*

**1.** Mélanger la ricotta, le parmesan, le blanc d'œuf et le poivre.

**2.** Cuire les pâtes selon les indications inscrites sur l'emballage. Égoutter et mettre sur une seule couche sur du papier ciré ou d'aluminium.

**3.** Préchauffer le four à 200 °C (400 °F). Vaporiser un plat de cuisson de 22,5 x 32,5 cm (9 x 13 po) avec de l'enduit anticollant. Étendre 125 ml (½ tasse) de sauce tomate au fond du plat, couvrir avec 3 lasagnes puis le tiers de la préparation au fromage. Napper avec 125 ml (½ tasse) de sauce tomate et couvrir avec 50 ml (¼ tasse) de mozzarella. Couvrir avec 3 autres lasagnes et répéter les couches en terminant avec la mozzarella. Couvrir de papier d'aluminium et cuire au four 25 minutes. Enlever le couvercle et cuire environ 10 minutes de plus, jusqu'à ce que le dessus soit bouillonnant et croustillant. Laisser reposer 5 minutes avant de servir.

PAR PORTION : 237 Calories, 7 g Gras total, 3 g Gras saturé, 15 mg Cholestérol, 299 mg Sodium, 29 g Glucide total, 2 g Fibres alimentaires, 14 g Protéines, 242 mg Calcium.

POINTS PAR PORTION : 5.

# Spaghettis aux boulettes de viande

## 8 PORTIONS

*Ce plat est peut-être le plus populaire en Amérique du Nord et il a le pouvoir de nous remémorer de beaux souvenirs de notre enfance. Doublez la recette et congelez-en la moitié pour les soirs où vous n'aurez pas envie de cuisiner.*

20 ml (4 c. à thé) d'huile d'olive

1 oignon, finement haché

1 boîte de 995 ml (35 oz) de tomates prunes italiennes, égouttées et hachées (réserver le jus)

1 gousse d'ail, émincée

240 g (8 oz) de bœuf haché maigre (10 p. 100 ou moins de matières grasses)

120 g (4 oz) de veau haché maigre

50 ml (¼ tasse) de parmesan, râpé

45 ml (3 c. à soupe) de chapelure nature

3 blancs d'œufs

175 ml (¾ tasse) de persil plat frais, émincé

15 ml (1 c. à soupe) de basilic frais, émincé, ou 5 ml (1 c. à thé) de basilic séché

10 ml (2 c. à thé) d'origan frais, émincé, ou 2 ml (½ c. à thé) d'origan séché

5 ml (1 c. à thé) de thym frais, émincé, ou 1 ml (¼ c. à thé) de thym séché

1 ml (¼ c. à thé) de sel

Poivre fraîchement moulu, au goût

360 g (12 oz) de spaghettis

Parmesan râpé (facultatif)

1. Chauffer l'huile dans une grande casserole, puis ajouter les oignons. Cuire sur feu vif jusqu'à ce qu'ils soient tendres. Ajouter les tomates et l'ail. Réduire la chaleur et laisser mijoter en remuant de temps à autre.

2. Pendant ce temps, bien mélanger le bœuf, le veau, le fromage, la chapelure, les blancs d'œufs, 50 ml (¼ tasse) de persil, le basilic, l'origan, le thym, le sel et le poivre. Avec les mains humectées, façonner 24 boulettes de la grosseur d'une noix. Mettre les boulettes doucement dans la sauce. Réduire la chaleur et laisser mijoter environ 25 minutes, sans remuer, jusqu'à ce que les boulettes soient bien cuites. Incorporer le persil restant. Cuire de 30 à 45 minutes de plus, jusqu'à ce que les boulettes soient tendres et que la sauce soit consistante. Pendant la cuisson, si la sauce épaissit trop rapidement, ajouter 50 ml (¼ tasse) du jus de tomate réservé à la fois.

3. Cuire les pâtes selon les indications inscrites sur l'emballage. Égoutter et verser dans un bol de service. Couvrir avec la sauce et un peu de parmesan râpé si désiré.

PAR PORTION : 317 Calories, 8 g Gras total, 3 g Gras saturé, 35 mg Cholestérol, 264 mg Sodium, 41 g Glucide total, 3 g Fibres alimentaires, 19 g Protéines, 139 mg Calcium.

POINTS PAR PORTION : 6.

# Spaghettis alla carbonara

*Le substitut d'œuf et le bacon remplacent ici les œufs et la pancetta (charcuterie italienne très fine et riche en matières grasses) utilisés traditionnellement, mais la saveur n'en sera pas moins exquise. Accompagnez les spaghettis avec les Poivrons farcis aux cannellinis (p. 260) ou les Oignons à l'aigre-doux (p. 251).*

180 g (6 oz) de spaghettis

2 tranches de bacon canadien, en julienne

3 échalotes, finement hachées

15 ml (1 c. à soupe) d'huile d'olive

2 gousses d'ail, écrasées et épluchées

150 ml (⅔ tasse) de substitut d'œuf sans matières grasses

50 ml (¼ tasse) de parmesan, râpé

15 ml (1 c. à soupe) de persil plat frais, émincé

Poivre fraîchement moulu, au goût

**1.** Cuire les pâtes selon les indications inscrites sur l'emballage.

**2.** Pendant ce temps, dans un poêlon à revêtement antiadhésif, mélanger le bacon, les échalotes, l'huile et l'ail. Cuire sur feu vif jusqu'à ce que le bacon soit brun et que l'ail soit doré sur toutes les faces. Jeter l'ail. Si les pâtes ne sont pas encore cuites, retirer le poêlon du feu.

**3.** Égoutter les pâtes et les verser dans le poêlon. Mettre sur feu doux. Ajouter le substitut d'œuf et le fromage et remuer. Servir avec du persil et du poivre.

PAR PORTION : 290 Calories, 8 g Gras total, 3 g Gras saturé, 15 mg Cholestérol, 484 mg Sodium, 35 g Glucide total, 1 g Fibres alimentaires, 17 g Protéines, 176 mg Calcium.

POINTS PAR PORTION : 6.

*Di Giorno* Carbonara *pourrait signifier « style charbon » puisque les spaghettis étaient faits à l'origine avec de l'encre de seiche. D'autres croient que les morceaux de pancetta pouvaient ressembler à de petits morceaux de charbon. Une autre théorie prétend que ce plat a été nommé pour honorer les carbonari, un groupe politique radical du XIXᵉ siècle, ou encore les mineurs qui travaillaient dans les mines de charbon dans les montagnes voisines de Rome.*

# Pappardelles à la sauce à la viande

4 PORTIONS

*Les Toscans servent ces pâtes en forme de ruban avec une sauce au gibier sauvage. La viande brune de la dinde fera tout aussi bien l'affaire si on la fait mariner assez longtemps. Servez ce plat avec la Salade de cardes de bette et d'épinards (p. 167)… une pure merveille!*

360 g (12 oz) de cuisses de dinde sans peau et sans os, en morceaux

125 ml (½ tasse) de vin rouge sec

1 brin de romarin

20 ml (4 c. à thé) d'huile d'olive

½ oignon, haché

1 branche de céleri, en tranches

1 petite carotte, en tranches

2 demi-tomates séchées (non conservées dans l'huile), émincées

1 gousse d'ail, émincée

1 feuille de laurier

1 ml (¼ tasse) de sel

Poivre fraîchement moulu, au goût

250 ml (1 tasse) d'eau chaude

15 ml (1 c. à soupe) de pâte de tomate (sans sel ajouté)

180 g (6 oz) de pappardelles ou autres nouilles larges en forme de ruban

20 ml (4 c. à thé) de parmesan, râpé

1. Mélanger la dinde, le vin et le romarin dans un grand sac de plastique à fermeture hermétique. Faire sortir l'air du sac et sceller. Remuer pour bien enrober la dinde. Mettre dans le réfrigérateur au moins 2 heures ou toute la nuit en retournant le sac de temps à autre.

2. Égoutter la dinde et réserver le vin, mais jeter le romarin. Chauffer l'huile dans une casserole à revêtement anti-adhésif et ajouter la dinde. Réduire la chaleur et cuire, en remuant souvent, jusqu'à ce qu'elle soit brune. Incorporer les oignons, le céleri, les carottes, les tomates, l'ail, la feuille de laurier, le sel et le poivre. Cuire, sans cesser de remuer, jusqu'à ce que les oignons soient dorés.

3. Incorporer l'eau chaude, le vin réservé et la pâte de tomate. Laisser mijoter environ 30 minutes, en ajoutant de l'eau chaude si la sauce épaissit trop rapidement, jusqu'à ce que la dinde soit tendre. Jeter la feuille de laurier. Transvider la sauce dans le robot de cuisine et actionner le moteur à quelques reprises pour déchiqueter la viande.

4. Pendant ce temps, cuire les pâtes selon les indications inscrites sur l'emballage. Égoutter et verser dans un bol de service. Couvrir avec la sauce et le fromage. Remuer et servir.

PAR PORTION : 337 Calories, 10 g Gras total, 2 g Gras saturé, 95 mg Cholestérol, 253 mg Sodium, 35 g Glucide total, 2 g Fibres alimentaires, 22 g Protéines, 71 mg Calcium.

POINTS PAR PORTION : 7.

*Pappardelles à la sauce à la viande*

# Perciatellis all'amatriciana

4 PORTIONS

*Dans le centre de l'Italie, dans la ville d'Amatrice, on prépare cette sauce avec les guanciale, les joues de porc crues, salées et séchées servies comme pancetta. Le bacon fera très bien l'affaire dans cette recette. Si vous ne trouvez pas de perciatellis, aussi appelés bucatinis, prenez des spaghettis.*

20 ml (4 c. à thé) d'huile d'olive

1 oignon, finement haché

2 tranches de bacon canadien, en dés

1 boîte de 427 ml (14 ½ oz) de tomates prunes italiennes (sans sel ajouté), égouttées et hachées

1 ml (¼ c. à thé) de piment de Cayenne broyé

1 ml (¼ c. à thé) de sel

180 g (6 oz) de perciatellis

20 ml (4 c. à thé) de parmesan, râpé

**1.** Chauffer un poêlon à revêtement antiadhésif. Verser l'huile, puis ajouter les oignons et le bacon. Cuire sur feu vif jusqu'à ce que les oignons soient dorés et que le bacon commence à brunir. Incorporer les tomates, le piment de Cayenne et le sel. Réduire la chaleur et laisser mijoter environ 15 minutes, en remuant souvent, jusqu'à ce que la sauce épaississe.

**2.** Pendant ce temps, cuire les pâtes selon les indications inscrites sur l'emballage. Égoutter et verser dans un bol de service. Couvrir avec la sauce et le fromage. Remuer et servir.

PAR PORTION : 261 Calories, 7 g Gras total, 1 g Gras saturé, 9 mg Cholestérol, 392 mg Sodium, 39 g Glucide total, 2 g Fibres alimentaires, 11 g Protéines, 73 mg Calcium.

POINTS PAR PORTION : 5.

# Zitis à la saucisse et aux piments

4 PORTIONS

*Un plat qui fait plaisir à toute la famille! La saucisse de dinde italienne, qui contient beaucoup moins de gras que la saucisse de porc, est facile à trouver dans la plupart des supermarchés. Selon votre goût, achetez la saucisse douce ou épicée.*

20 ml (4 c. à thé) d'huile d'olive

2 oignons, grossièrement hachés

4 piments italiens à frire (voir Di Giorno 3 p. 341), épépinés et coupés en morceaux de 2,5 cm (1 po)

250 ml (1 tasse) de jus de tomate hyposodique

2 gousses d'ail, émincées

2 saucisses de dinde italiennes (sans leur enveloppe) (environ 120 g/4 oz)

125 ml (½ tasse) de tomates en dés en conserve (sans sel ajouté)

15 ml (1 c. à soupe) d'origan frais, émincé, ou 5 ml (1 c. à thé) d'origan séché

1 ml (¼ c. à thé) de sel

Poivre fraîchement moulu, au goût

500 ml (2 tasses) de zitis

20 ml (4 c. à thé) de parmesan, râpé

1. Chauffer l'huile dans un poêlon à revêtement antiadhésif, puis ajouter les oignons. Cuire sur feu vif pour les attendrir. Ajouter les piments et 125 ml (½ tasse) de jus de tomate. Cuire, en remuant souvent, jusqu'à ce que les piments commencent à ramollir. Ajouter l'ail et les saucisses et faire brunir en défaisant la viande avec une cuillère de bois.

2. Ajouter les tomates, le jus de tomate restant, l'origan, le sel et le poivre. Réduire la chaleur et cuire, en remuant souvent, jusqu'à ce que les légumes soient tendres et que la sauce épaississe.

3. Pendant ce temps, cuire les pâtes selon les indications inscrites sur l'emballage. Égoutter et verser dans un bol de service. Couvrir avec la sauce et le fromage. Remuer et servir.

PAR PORTION : 323 Calories, 9 g Gras total, 1 g Gras saturé, 25 mg Cholestérol, 347 mg Sodium, 48 g Glucide total, 3 g Fibres alimentaires, 14 g Protéines, 82 mg Calcium.

POINTS PAR PORTION : 7.

# Rigatonis à la saucisse et au fenouil

4 PORTIONS

*La saucisse épicée et le fenouil forment un bel équilibre avec les tomates dans ce plat savoureux.*
*Vous pouvez remplacer les rigatonis par n'importe quelle pâte qui leur ressemble.*

20 ml (4 c. à thé) d'huile d'olive

2 oignons, hachés

1 bulbe de fenouil, paré et haché

1 gousse d'ail, émincée

2 saucisses de dinde italiennes (sans leur enveloppe) (environ 120 g/4 oz)

4 à 6 tomates prunes, hachées

2 ml (½ c. à thé) de graines de fenouil

1 ml (¼ c. à thé) de sel

Poivre fraîchement moulu, au goût

750 ml (3 tasses) de rigatonis

10 ml (2 c. à thé) de parmesan, râpé

1. Chauffer l'huile dans un poêlon à revêtement antiadhésif, puis ajouter les oignons, le fenouil et l'ail. Cuire sur feu vif jusqu'à ce que les légumes commencent à attendrir. Ajouter les saucisses et faire brunir en défaisant la viande avec une cuillère de bois. Incorporer les tomates, les graines de fenouil, le sel et le poivre. Cuire, en remuant souvent, jusqu'à ce que les légumes soient tendres et que la sauce épaississe.

2. Pendant ce temps, cuire les pâtes selon les indications inscrites sur l'emballage. Égoutter et verser dans un bol de service. Couvrir avec la sauce et le fromage. Remuer et servir.

PAR PORTION : 291 Calories, 9 g Gras total, 1 g Gras saturé, 24 mg Cholestérol, 394 mg Sodium, 41 g Glucide total, 3 g Fibres alimentaires, 12 g Protéines, 75 mg Calcium.

POINTS PAR PORTION : 6.

# « Lasagne » à la saucisse et aux poivrons

## 6 PORTIONS

*Jusqu'au milieu du siècle dernier, la lasagne était considérée comme un plat de luxe puisque la plupart des Italiens n'avaient pas de four à la maison. Pour une présentation différente, nous roulons les nouilles avec le fromage avant de les napper de sauce tomate.*

2 saucisses de dinde italiennes (sans leur enveloppe) (environ 120 g/ 4 oz)

125 ml (½ tasse) de poivron rouge, épépiné et haché

125 ml (½ tasse) de poivron vert, épépiné et haché

1 petit oignon, haché

5 ml (1 c. à thé) d'origan séché

1 ml (¼ c. à thé) de graines de fenouil, écrasées

1 boîte de 427 ml (14 ½ oz) de tomates broyées

6 lasagnes

250 ml (1 tasse) de ricotta partiellement écrémée

75 ml (⅓ tasse) de mozzarella partiellement écrémée, en lamelles

1 œuf

30 ml (2 c. à soupe) de parmesan, râpé

1 pincée (⅛ c. à thé) de piment de Cayenne broyé

1. Vaporiser une casserole à revêtement antiadhésif avec de l'enduit anticollant et mettre sur feu moyen-élevé. Ajouter les saucisses, les poivrons, les oignons, 2 ml (½ c. à thé) d'origan et les graines de fenouil. Cuire sur feu vif, en défaisant la viande avec une cuillère de bois, jusqu'à ce que les légumes soient tendres et que la saucisse soit brune. Ajouter les tomates et amener à ébullition. Réduire la chaleur et laisser mijoter environ 20 minutes, en remuant de temps à autre, jusqu'à épaississement.

2. Cuire les pâtes selon les indications inscrites sur l'emballage. Égoutter et étendre sur du papier ciré ou d'aluminium. Préchauffer le four à 180 °C (350 °F).

3. Mélanger la ricotta, la mozzarella, l'œuf, le parmesan, le piment de Cayenne et l'origan restant. Étendre environ 45 ml (3 c. à soupe) sur chaque lasagne puis rouler. Étendre 125 ml (½ tasse) de sauce dans un plat de cuisson carré de 20 cm (8 po). Mettre les rouleaux, ouverture vers le fond, dans le plat de cuisson et couvrir avec le restant de sauce. Couvrir de papier d'aluminium et cuire environ 30 minutes, jusqu'à ce que la sauce bouillonne. Laisser reposer 10 minutes avant de servir.

PAR PORTION : 246 Calories, 9 g Gras total, 5 g Gras saturé, 67 mg Cholestérol, 319 mg Sodium, 25 g Glucide total, 2 g Fibres alimentaires, 16 g Protéines, 243 mg Calcium.

POINTS PAR PORTION : 5.

# CHAPITRE 4

# Risottos, gnocchis et polenta

# Risotto à la milanaise

## 4 PORTIONS

*Le safran et le zeste de citron donnent du goût et de la couleur à ce plat classique. Si vous remuez après chaque addition de liquide, vous serez récompensé par un risotto merveilleusement crémeux. Ce mets est servi traditionnellement avec l'Osso-buco (p. 224).*

875 ml (3 ½ tasses) de bouillon de poulet hyposodique

1 ml (¼ c. à thé) de filaments de safran

15 ml (1 c. à soupe) d'huile d'olive

1 oignon, haché

250 ml (1 tasse) de riz arborio

125 ml (1/2 tasse) de vin blanc sec

30 ml (2 c. à soupe) de parmesan, râpé

5 ml (1 c. à thé) de margarine

10 ml (2 c. à thé) de zeste de citron, râpé

Poivre fraîchement moulu, au goût

**1.** Amener le bouillon à ébullition. Réduire la chaleur et laisser mijoter.

**2.** Dans un petit bol, laisser le safran se dissoudre dans 250 ml (1 tasse) de bouillon.

**3.** Chauffer l'huile dans une casserole à revêtement antiadhésif, puis ajouter les oignons. Cuire sur feu vif jusqu'à ce qu'ils soient tendres. Ajouter le riz et cuire environ 1 minute, sans cesser de remuer, jusqu'à ce que la couche externe des grains soit transparente.

**4.** Ajouter le vin et 125 ml (½ tasse) de bouillon et remuer jusqu'à ce qu'ils soient absorbés. Continuer d'ajouter 125 ml (½ tasse) de bouillon à la fois, en alternant avec le bouillon contenant le safran, en remuant jusqu'à ce que le bouillon soit absorbé avant d'en ajouter davantage. Procéder ainsi jusqu'à ce que le riz soit tendre. Le temps de cuisson devrait être de 20 minutes environ depuis le premier ajout de bouillon. Incorporer le fromage, la margarine, le zeste et le poivre. Servir immédiatement.

PAR PORTION : 294 Calories, 9 g Gras total, 2 g Gras saturé, 4 mg Cholestérol, 216 mg Sodium, 43 g Glucide total, 1 g Fibres alimentaires, 9 g Protéines, 97 mg Calcium.

POINTS PAR PORTION : 6.

# Risotto à la carde de bette et à la tomate

## 4 PORTIONS

*Un secret : pour tous les risottos, utilisez du riz superfino, un riz italien à grain court très riche en amidon, si vous avez le bonheur d'en trouver. Le riz arborio est aussi recommandable et plus facile à se procurer. Le carnaroli, ou le semifino comme le vialone nanao, sont aussi très bons.*

875 ml (3 ½ tasses) de bouillon de légumes hyposodique

1 litre (4 tasses) de cardes de bette, nettoyées et grossièrement hachées

20 ml (4 c. à thé) d'huile d'olive

1 oignon, finement haché

4 tomates prunes, hachées

250 ml (1 tasse) de riz arborio

250 ml (1 tasse) de vin blanc sec

20 ml (4 c. à thé) de parmesan, râpé

Poivre fraîchement moulu, au goût

**1.** Amener le bouillon à ébullition. Réduire la chaleur et laisser mijoter.

**2.** Mettre les cardes de bette dans une étuveuse (marguerite) que l'on placera dans une casserole contenant 2,5 cm (1 po) d'eau bouillante. Couvrir hermétiquement et cuire à la vapeur environ 5 minutes.

**3.** Chauffer l'huile dans une casserole à revêtement anti-adhésif, puis ajouter les oignons. Cuire sur feu vif jusqu'à ce qu'ils soient tendres, puis ajouter les tomates et cuire environ 2 minutes, jusqu'à ce qu'elles commencent à se défaire. Ajouter le riz et cuire environ 1 minute, sans cesser de remuer, jusqu'à ce que la couche externe des grains soit transparente.

**4.** Ajouter le vin et 125 ml (½ tasse) de bouillon et remuer jusqu'à ce qu'ils soient absorbés. Incorporer les cardes de bette. Continuer d'ajouter 125 ml (½ tasse) de bouillon à la fois, en remuant jusqu'à ce que le bouillon soit absorbé avant d'en ajouter davantage. Procéder ainsi jusqu'à ce que le riz soit tendre. Le temps de cuisson devrait être de 18 à 20 minutes depuis le premier ajout de bouillon. Incorporer le fromage et le poivre. Servir immédiatement.

PAR PORTION : 322 Calories, 6 g Gras total, 1 g Gras saturé, 2 mg Cholestérol, 186 mg Sodium, 51 g Glucide total, 2 g Fibres alimentaires, 6 g Protéines, 60 mg Calcium.

POINTS PAR PORTION : 7.

# Risotto aux épinards et au gorgonzola

## 4 PORTIONS

*Le goût prononcé du gorgonzola et l'amertume des épinards contrastent à merveille avec la consistance crémeuse de ce risotto. Si vous ne trouvez pas de gorgonzola, n'hésitez pas à le remplacer par du roquefort, du stilton ou un autre fromage bleu.*

1 paquet de 300 g (10 oz) d'épinards hachés, décongelés

125 ml (½ tasse) d'eau

750 ml (3 tasses) de bouillon de poulet hyposodique

20 ml (4 c. à thé) d'huile d'olive

2 oignons, hachés

250 ml (1 tasse) de riz arborio

250 ml (1 tasse) de vin blanc sec

45 g (1 ½ oz) de gorgonzola, émietté (environ 75 ml/ ⅓ tasse)

Poivre fraîchement moulu, au goût

**1.** Cuire les épinards dans l'eau selon les indications inscrites sur l'emballage. Couvrir et réserver.

**2.** Amener le bouillon à ébullition. Réduire la chaleur et laisser mijoter.

**3.** Chauffer l'huile dans une casserole à revêtement antiadhésif, puis ajouter les oignons. Cuire sur feu vif jusqu'à ce qu'ils soient tendres. Ajouter le riz et cuire environ 1 minute, sans cesser de remuer, jusqu'à ce que la couche externe des grains soit transparente.

**4.** Ajouter le vin et 125 ml (½ tasse) de bouillon jusqu'à ce qu'ils soient absorbés. Ajouter les épinards et leur eau de cuisson. Continuer d'ajouter 125 ml (½ tasse) de bouillon à la fois, en remuant jusqu'à ce que le bouillon soit absorbé avant d'en ajouter davantage. Procéder ainsi jusqu'à ce que le riz soit tendre. Le temps de cuisson devrait être de 20 minutes environ depuis le premier ajout de bouillon. Incorporer le fromage et le poivre. Servir immédiatement.

PAR PORTION : 346 Calories, 10 g Gras total, 4 g Gras saturé, 9 mg Cholestérol, 289 mg Sodium, 47 g Glucide total, 3 g Fibres alimentaires, 11 g Protéines, 162 mg Calcium.

POINTS PAR PORTION : 7.

# Risotto alla contadina

## 4 PORTIONS

*Ce risotto à la paysanne est un repas complet en soi. Servez-le avec des Endives sautées (p. 257) ou une Salade de roquette au gorgonzola et un verre de pinot grigio.*

1,25 litre (5 tasses) de bouillon de poulet

7 ml (½ c. à soupe) d'huile d'olive

2 gros oignons verts, en tranches

4 grosses gousses d'ail, émincées

375 ml (1 ½ tasse) de riz arborio

1 paquet de 300 g (10 oz) de pois miniatures, décongelés

210 g (7 oz) de saucisse de dinde fumée, hachée

Poivre fraîchement moulu, au goût

22 ml (1 ½ c. à soupe) de parmesan, râpé

**1.** Amener le bouillon à ébullition. Réduire la chaleur et laisser mijoter.

**2.** Chauffer l'huile dans une casserole à revêtement antiadhésif, puis ajouter les oignons verts et l'ail. Cuire sur feu vif jusqu'à ce que les oignons soient tendres. Ajouter le riz et cuire environ 3 minutes, sans cesser de remuer, jusqu'à ce que le riz soit légèrement grillé.

**3.** Ajouter 250 ml (1 tasse) de bouillon et remuer jusqu'à ce qu'il soit absorbé. Continuer d'ajouter 125 ml (½ tasse) de bouillon à la fois, en remuant jusqu'à ce que le bouillon soit absorbé avant d'en ajouter davantage. Procéder ainsi jusqu'à ce que le riz soit tendre. Ajouter les pois et la saucisse avec la dernière addition de bouillon. Le temps de cuisson devrait être de 30 minutes environ depuis le premier ajout de bouillon. Incorporer le fromage et le poivre. Servir immédiatement.

PAR PORTION : 519 Calories, 9 g Gras total, 3 g Gras saturé, 37 mg Cholestérol, 807 mg Sodium, 83 g Glucide total, 5 g Fibres alimentaires, 22 g Protéines, 121 mg Calcium.

POINTS PAR PORTION : 10.

*Di Giorno En Italie, chaque cuisinier a sa casserole ou sa cocotte préférée pour faire le risotto. Choisissez-en une à fond épais et à bords droits plus large que haute.*

# Risotto verde aux tomates

## 4 PORTIONS

*On peut servir ce risotto comme plat principal pour quatre personnes ou comme accompagnement avec du poulet ou des fruits de mer pour six convives. Ajoutez le basilic à la toute dernière minute afin de ne rien perdre de sa couleur et de son goût sublime. Si vous le mettez trop tôt, l'acide du vin lui donnera une couleur noire et la cuisson transformera alors sa saveur et son arôme.*

1 litre (4 tasses) de bouillon de poulet

10 ml (2 c. à thé) d'huile d'olive

2 oignons verts, en tranches

300 ml (1 ¼ tasse) de riz arborio

1 paquet de 300 g (10 oz) d'épinards hachés, décongelés et bien épongés

50 ml (¼ tasse) de vin blanc sec

30 ml (2 c. à soupe) de basilic frais, haché

1 tomate, épépinée et hachée

2 ml (½ c. à thé) de sel

2 ml (½ c. à thé) de poivre fraîchement moulu

1 ml (¼ c. à thé) de muscade moulue

30 ml (2 c. à soupe) de parmesan, râpé

**1.** Amener le bouillon à ébullition. Réduire la chaleur et laisser mijoter.

**2.** Chauffer l'huile dans une casserole à revêtement antiadhésif, puis ajouter les oignons verts. Cuire sur feu vif pour attendrir. Ajouter le riz et cuire environ 3 minutes, sans cesser de remuer, jusqu'à ce qu'il soit légèrement grillé.

**3.** Ajouter 250 ml (1 tasse) de bouillon et remuer jusqu'à ce qu'il soit absorbé. Continuer d'ajouter 125 ml (½ tasse) de bouillon à la fois, en remuant jusqu'à ce que le bouillon soit absorbé avant d'en ajouter davantage. Procéder ainsi jusqu'à ce que le riz soit tendre. Ajouter les épinards et le vin avec la dernière addition de bouillon. Le temps de cuisson devrait être de 15 à 20 minutes environ depuis le premier ajout de bouillon. Incorporer le basilic, les tomates, le sel, le poivre, la muscade et le fromage. Servir immédiatement.

PAR PORTION : 335 Calories, 8 g Gras total, 2 g Gras saturé, 7 mg Cholestérol, 1405 mg Sodium, 55 g Glucide total, 3 g Fibres alimentaires, 9 g Protéines, 131 mg Calcium.

POINTS PAR PORTION : 7.

*Risotto verde aux tomates*

# Risotto à la citrouille

### 4 PORTIONS

*Ce risotto orange pâle et légèrement sucré accompagne bien la volaille, surtout la dinde ou le canard rôti, ou même le porc. Pour épater vos invités, videz de petites citrouilles et servez le risotto à l'intérieur. Garnissez de sauge fraîche.*

875 ml (3 ½ tasses) de bouillon de poulet hyposodique

20 ml (4 c. à thé) d'huile d'olive

2 oignons, hachés

1 gousse d'ail, émincée

250 ml (1 tasse) de riz arborio

250 ml (1 tasse) de vin blanc sec

250 ml (1 tasse) de purée de citrouille en conserve

50 ml (¼ tasse) de parmesan, râpé

1 ml (¼ c. à thé) de sel

Poivre blanc moulu, au goût

1 pincée (⅛ c. à thé) de muscade moulue

**1.** Amener le bouillon à ébullition. Réduire la chaleur et laisser mijoter.

**2.** Chauffer l'huile dans une casserole à revêtement antiadhésif, puis ajouter les oignons et l'ail. Cuire sur feu vif pour attendrir. Ajouter le riz et cuire environ 1 minute, sans cesser de remuer, jusqu'à ce que la couche externe des grains soit transparente.

**3.** Ajouter le vin et 125 ml (½ tasse) de bouillon et remuer jusqu'à ce qu'ils soient absorbés. Continuer d'ajouter 125 ml (½ tasse) de bouillon à la fois, en remuant jusqu'à ce que le bouillon soit absorbé avant d'en ajouter davantage. Procéder ainsi jusqu'à ce que le riz soit tendre. Le temps de cuisson devrait être de 20 minutes environ depuis le premier ajout de bouillon. Incorporer la citrouille, le fromage, le sel et le poivre et réchauffer. Servir immédiatement avec un peu de muscade moulue.

PAR PORTION : 357 Calories, 10 g Gras total, 3 g Gras saturé, 8 mg Cholestérol, 439 mg Sodium, 48 g Glucide total, 1 g Fibres alimentaires, 11 g Protéines, 187 mg Calcium.

POINTS PAR PORTION : 8.

*Voir Di Giorno p. 340.*

# Risotto rubis

## 6 PORTIONS

*Essayez de trouver le fromage pecorino toscano, si doux et si crémeux. Il se marie mieux au goût des betteraves que le parmesan ou le pecorino romano, plus fort. Ce risotto d'un beau rouge resplendissant accompagne bien le Rôti de porc farci (p. 236) ou le Poulet rôti au basilic (p. 202).*

2 betteraves rouges ou jaunes, parées

1,12 litre (4 ½ tasses) de bouillon de poulet

10 ml (2 c. à thé) d'huile d'olive

1 petit oignon, finement haché

375 ml (1 ½ tasse) de riz arborio

125 ml (½ tasse) de vin blanc sec

Poivre fraîchement moulu, au goût

30 ml (2 c. à soupe) de persil plat frais, haché

30 ml (2 c. à soupe) de pecorino toscano, râpé

1. Préchauffer le four à 200 °C (400 °F). Envelopper les betteraves dans du papier d'aluminium et cuire au four environ 45 minutes, jusqu'à ce qu'elles soient tendres sous la fourchette. Laisser reposer environ 10 minutes, peler et hacher.

2. Amener le bouillon à ébullition. Réduire la chaleur et laisser mijoter.

3. Chauffer l'huile dans une casserole à revêtement antiadhésif, puis ajouter les oignons. Cuire sur feu vif pour attendrir. Ajouter le riz et cuire environ 3 minutes, sans cesser de remuer, jusqu'à ce qu'il soit légèrement grillé.

4. Ajouter le vin et 125 ml (½ tasse) de bouillon et remuer jusqu'à ce qu'ils soient absorbés. Ajouter 250 ml (1 tasse) de bouillon et remuer jusqu'à ce qu'il soit absorbé. Continuer d'ajouter 125 ml (½ tasse) de bouillon à la fois, en remuant jusqu'à ce que le bouillon soit absorbé avant d'en ajouter davantage. Procéder ainsi jusqu'à ce que le riz soit tendre. Ajouter les betteraves avec la dernière addition de bouillon. Le temps de cuisson devrait être de 20 minutes environ depuis le premier ajout de bouillon. Incorporer le poivre, le persil et le fromage. Servir immédiatement.

PAR PORTION : 264 Calories, 5 g Gras total, 1 g Gras saturé, 5 mg Cholestérol, 812 mg Sodium, 44 g Glucide total, 3 g Fibres alimentaires, 6 g Protéines, 42 mg Calcium.

POINTS PAR PORTION : 5.

*Di Giorno Pour peler facilement les betteraves, rincez-les à l'eau froide en frottant la pelure.*

# Risotto au radicchio

#### 4 PORTIONS

*Le radicchio, cette chicorée vénitienne d'une belle couleur marron, est encore meilleur quand il est cuit. Dans ce plat, il se fond dans le riz et prend une magnifique couleur magenta. De plus, son goût devient moins amer. Une transformation magistrale!*

875 ml (3 ½ tasses) de bouillon de bœuf hyposodique

20 ml (4 c. à thé) d'huile d'olive

1 oignon, haché

250 ml (1 tasse) de riz arborio

1 tête de radicchio, parée et coupée en fines lamelles

250 ml (1 tasse) de vin rouge sec

30 ml (2 c. à soupe) de parmesan, râpé

Poivre fraîchement moulu, au goût

*Di Giorno Ne vous laissez pas décourager par le prix parfois élevé du radicchio. Une tête de grosseur moyenne est si légère que vous dépenserez sûrement moins que vous ne le croyiez. Choisissez un radicchio dont la base est ferme et bien colorée et dont les feuilles sont bien serrées. Évitez les têtes ayant des feuilles brunes. Vous pouvez le garder une semaine dans le réfrigérateur dans un sac de plastique perforé.*

1. Amener le bouillon à ébullition. Réduire la chaleur et laisser mijoter.

2. Chauffer l'huile dans une casserole à revêtement antiadhésif, puis ajouter les oignons. Cuire sur feu vif jusqu'à ce qu'ils soient dorés. Ajouter le riz et cuire environ 3 minutes, sans cesser de remuer, jusqu'à ce que la couche externe des grains soit transparente.

3. Ajouter le radicchio, le vin et 125 ml (½ tasse) de bouillon et remuer jusqu'à ce qu'ils soient absorbés. Continuer d'ajouter 125 ml (½ tasse) de bouillon à la fois, en remuant jusqu'à ce que le bouillon soit absorbé avant d'en ajouter davantage. Procéder ainsi jusqu'à ce que le riz soit tendre. Le temps de cuisson devrait être de 20 minutes environ depuis le premier ajout de bouillon. Incorporer le poivre et le fromage. Servir immédiatement.

PAR PORTION: 321 Calories, 6 g Gras total, 2 g Gras saturé, 4 mg Cholestérol, 169 mg Sodium, 45 g Glucide total, 2 g Fibres alimentaires, 11 g Protéines, 105 mg Calcium.

POINTS PAR PORTION: 7.

# Risotto aux fines herbes

4 PORTIONS

*Que vous fassiez pousser vos fines herbes dans des pots ou dans un potager, ce risotto vous donnera l'occasion de prouver à vos invités que vous avez le pouce vert. Essayez-le avec différentes fines herbes, mais n'utilisez pas d'herbes séchées. Elles ne goûtent vraiment pas la même chose...*

1,12 litre (4 ½ tasses) de bouillon de légumes ou de poulet hyposodique

20 ml (4 c. à thé) d'huile d'olive

3 échalotes, émincées

2 oignons verts, en fines tranches

250 ml (1 tasse) de riz arborio

125 ml (½ tasse) de persil plat frais, émincé

50 ml (¼ tasse) de menthe fraîche, émincée

50 ml (¼ tasse) de ciboulette fraîche, émincée

50 ml (¼ tasse) de basilic frais, émincé

20 ml (4 c. à thé) de parmesan, râpé

1 ml (¼ c. à thé) de poivre blanc moulu

**1.** Amener le bouillon à ébullition. Réduire la chaleur et laisser mijoter.

**2.** Chauffer l'huile dans une casserole à revêtement antiadhésif, puis ajouter les échalotes et les oignons verts. Cuire sur feu vif pour attendrir. Ajouter le riz et cuire environ 1 minute, sans cesser de remuer, jusqu'à ce que la couche externe des grains soit transparente.

**3.** Ajouter 375 ml (1 ½ tasse) de bouillon et remuer jusqu'à ce qu'il soit absorbé. Continuer d'ajouter 125 ml (½ tasse) de bouillon à la fois, en remuant jusqu'à ce que le bouillon soit absorbé avant d'en ajouter davantage. Procéder ainsi jusqu'à ce que le riz soit tendre. Le temps de cuisson devrait être de 20 minutes environ depuis le premier ajout de bouillon. Incorporer le persil, la menthe, la ciboulette, le basilic, le fromage et le poivre. Servir immédiatement.

PAR PORTION : 298 Calories, 7 g Gras total, 1 g Gras saturé, 2 mg Cholestérol, 184 mg Sodium, 53 g Glucide total, 1 g Fibres alimentaires, 6 g Protéines, 86 mg Calcium.

POINTS PAR PORTION : 6.

*Voir Di Giorno p. 341.*

# Risotto aux courgettes et aux poivrons

## 4 PORTIONS

*Commencez à vérifier la cuisson du risotto environ 18 minutes après le premier ajout de bouillon. La cuisson continuera après que vous l'aurez retiré du feu.*

---

1,12 litre (4 ½ tasses) de bouillon de légumes hyposodique

20 ml (4 c. à thé) d'huile d'olive

2 oignons, hachés

1 gousse d'ail, émincée

250 ml (1 tasse) de riz arborio

4 petites courgettes, en dés

1 poivron rouge, épépiné et en dés

30 ml (2 c. à soupe) de basilic frais, émincé

30 ml (2 c. à soupe) d'origan frais, émincé

20 ml (4 c. à thé) de parmesan, râpé

Poivre fraîchement moulu, au goût

---

*Di Giorno La meilleure façon de manger le risotto est de le servir en dôme sur une assiette et de ne toucher que la partie que vous allez manger, ce qui empêche le reste de refroidir trop rapidement.*

**1.** Amener le bouillon à ébullition. Réduire la chaleur et laisser mijoter.

**2.** Chauffer l'huile dans une casserole à revêtement antiadhésif, puis ajouter les oignons et l'ail. Cuire sur feu vif pour attendrir. Ajouter le riz et cuire environ 1 minute, sans cesser de remuer, jusqu'à ce que la couche externe des grains soit transparente.

**3.** Ajouter 375 ml (1 ½ tasse) de bouillon, les courgettes et les poivrons et remuer jusqu'à ce que le bouillon soit absorbé. Continuer d'ajouter 125 ml (½ tasse) de bouillon à la fois, en remuant jusqu'à ce que le bouillon soit absorbé avant d'en ajouter davantage. Procéder ainsi jusqu'à ce que le riz et les légumes soient tendres. Le temps de cuisson devrait être de 20 minutes environ depuis le premier ajout de bouillon. Incorporer le basilic, l'origan, le fromage et le poivre. Servir immédiatement.

PAR PORTION : 314 Calories, 6 g Gras total, 1 g Gras saturé, 2 mg Cholestérol, 126 mg Sodium, 58 g Glucide total, 2 g Fibres alimentaires, 8 g Protéines, 87 mg Calcium.

POINTS PAR PORTION : 6.

# Risotto aux champignons

## 4 PORTIONS

*Les champignons ajoutent une touche du terroir à ce mets classique du nord de l'Italie.*
*Les champignons sauvages tels que les creminis, les porcinis et les shiitake lui donnent une saveur*
*irrésistible qui accompagne bien les rôtis ou les plats de viande consistants.*

875 ml (3 ½ tasses) de bouillon de bœuf hyposodique

20 ml (4 c. à thé) d'huile d'olive

1 oignon, haché

3 échalotes, émincées

500 ml (2 tasses) de champignons blancs, en fines tranches

500 ml (2 tasses) de champignons sauvages, en fines tranches

250 ml (1 tasse) de riz arborio

250 ml (1 tasse) de vin blanc sec

50 ml (¼ tasse) de persil plat frais, émincé

20 ml (4 c. à thé) de parmesan, râpé

Poivre fraîchement moulu, au goût

1. Amener le bouillon à ébullition. Réduire la chaleur et laisser mijoter.

2. Chauffer l'huile dans une casserole à revêtement antiadhésif, puis ajouter les échalotes et les oignons. Cuire sur feu vif pour attendrir. Ajouter les champignons et cuire sur feu vif jusqu'à ce qu'ils rendent un peu de leur eau. Ajouter le riz et cuire environ 1 minute, sans cesser de remuer, jusqu'à ce que la couche externe des grains soit transparente.

3. Ajouter le vin et 125 ml (½ tasse) de bouillon et remuer jusqu'à ce qu'ils soient absorbés. Continuer d'ajouter 125 ml (½ tasse) de bouillon à la fois, en remuant jusqu'à ce que le bouillon soit absorbé avant d'en ajouter davantage. Procéder ainsi jusqu'à ce que le riz et les champignons soient tendres. Le temps de cuisson devrait être de 20 minutes environ depuis le premier ajout de bouillon. Incorporer le persil, le fromage et le poivre. Servir immédiatement.

PAR PORTION : 326 Calories, 6 g Gras total, 1 g Gras saturé, 2 mg Cholestérol, 110 mg Sodium, 49 g Glucide total, 2 g Fibres alimentaires, 11 g Protéines, 55 mg Calcium.

POINTS PAR PORTION : 7.

*Voir Di Giorno p. 341.*

# Risotto aux poireaux et au fenouil

## 4 PORTIONS

*La saveur délicate de réglisse du fenouil et celle plus prononcée des poireaux se marient bien dans ce risotto superbe. Un plat qui accompagne bien la viande (surtout l'agneau), le poisson ou la volaille, mais qui est aussi délicieux servi tel quel.*

875 ml (3 ½ tasses) de bouillon de légumes hyposodique

20 ml (4 c. à thé) d'huile d'olive

3 poireaux, nettoyés et coupés en fines tranches

2 bulbes de fenouil, parés et hachés

250 ml (1 tasse) de riz arborio

250 ml (1 tasse) de vin blanc sec

30 ml (2 c. à soupe) de parmesan, râpé

Poivre fraîchement moulu, au goût

**1.** Amener le bouillon à ébullition. Réduire la chaleur et laisser mijoter.

**2.** Chauffer 10 ml (2 c. à thé) d'huile dans une casserole à revêtement antiadhésif, puis ajouter les poireaux et le fenouil. Cuire sur feu vif pour attendrir. Ajouter le riz et cuire environ 1 minute, sans cesser de remuer, jusqu'à ce que la couche externe des grains soit transparente.

**3.** Ajouter le vin et 125 ml (½ tasse) de bouillon et remuer jusqu'à ce qu'ils soient absorbés. Continuer d'ajouter 125 ml (½ tasse) de bouillon à la fois, en remuant jusqu'à ce que le bouillon soit absorbé avant d'en ajouter davantage. Procéder ainsi jusqu'à ce que le riz et les légumes soient tendres. Le temps de cuisson devrait être de 20 minutes environ depuis le premier ajout de bouillon. Incorporer l'huile restante, le fromage et le poivre. Servir immédiatement.

PAR PORTION : 367 Calories, 8 g Gras total, 2 g Gras saturé, 4 mg Cholestérol, 334 mg Sodium, 56 g Glucide total, 2 g Fibres alimentaires, 8 g Protéines, 161 mg Calcium.

POINTS PAR PORTION : 8.

# Risotto aux crevettes et aux pétoncles

4 PORTIONS

*Un risotto très raffiné qu'on pourra servir avec le Gratin d'asperges (p. 264).*

875 ml (3 ½ tasses) de bouillon de poulet hyposodique

20 ml (4 c. à thé) d'huile d'olive

1 oignon, haché

250 ml (1 tasse) de riz arborio

250 ml (1 tasse) de vin blanc sec

360 g (12 oz) de crevettes moyennes, décortiquées et déveinées

240 g (8 oz) de pétoncles de baie, rincés et égouttés

20 ml (4 c. à thé) de parmesan, râpé

15 ml (1 c. à soupe) de thym frais, ou 5 ml (1 c. à thé) de thym séché, émietté

Poivre fraîchement moulu, au goût

*Di Giorno Les pétoncles de baie sont petits et ont une douce saveur extraordinaire. Leur prix peut être élevé. Si vous achetez des pétoncles plus gros, moins tendres que les précédents, coupez-les en deux ou en quatre avant de les ajouter à la recette. Évitez les petits pétoncles calico qui ont tendance à devenir caoutchouteux.*

**1.** Amener le bouillon à ébullition. Réduire la chaleur et laisser mijoter.

**2.** Chauffer l'huile dans une casserole à revêtement antiadhésif, puis ajouter les oignons. Cuire sur feu vif pour attendrir. Ajouter le riz et cuire environ 1 minute, sans cesser de remuer, jusqu'à ce que la couche externe des grains soit transparente.

**3.** Ajouter le vin et 125 ml (½ tasse) de bouillon et remuer jusqu'à ce qu'ils soient absorbés. Continuer d'ajouter 125 ml (½ tasse) de bouillon à la fois, en remuant jusqu'à ce que le bouillon soit absorbé avant d'en ajouter davantage. Continuer ainsi jusqu'à ce qu'il reste environ 250 ml (1 tasse) de bouillon. Ajouter le bouillon restant, les crevettes et les pétoncles. Cuire de 6 à 8 minutes, en remuant, jusqu'à ce que le liquide soit absorbé, que les crevettes soient roses et que les pétoncles soient opaques. La consistance doit être crémeuse. Le temps de cuisson devrait être de 20 minutes environ depuis le premier ajout de bouillon. Incorporer le fromage, le thym et le poivre. Servir immédiatement.

PAR PORTION : 420 Calories, 9 g Gras total, 2 g Gras saturé, 112 mg Cholestérol, 341 mg Sodium, 45 g Glucide total, 1 g Fibres alimentaires, 31 g Protéines, 107 mg Calcium.

POINTS PAR PORTION : 9.

# Boulettes de risotto

8 PORTIONS

*Si vous n'aimez pas perdre de la nourriture, essayez ce plat auquel vous pouvez ajouter vos restants de risotto. Servez-le comme plat d'accompagnement, hors-d'œuvre ou collation. Préparez ces boulettes avec du risotto simple plutôt qu'avec du risotto contenant beaucoup d'autres ingrédients. Pour notre analyse nutritionnelle, nous nous sommes basés sur le Risotto à la milanaise, mais vous pouvez aussi opter pour le Risotto aux champignons (p. 133) ou le Risotto aux fines herbes (p. 131).*

60 g (2 oz) de mozzarella fraîche, hachée (environ 125 ml/ ½ tasse)

2 tranches de prosciutto, haché (environ 30 g/1 oz)

500 ml (2 tasses) de Risotto à la milanaise (p. 122), froid

50 ml (¼ tasse) de chapelure nature

**1.** Mettre une plaque au four et préchauffer à 250 °C (475 °F).

**2.** Mélanger le fromage et le prosciutto dans un petit bol. Avec les mains humectées, façonner 30 ml (2 c. à soupe) de risotto en forme de galette. Mettre 15 ml (1 c. à soupe) de préparation au fromage sur le dessus et couvrir avec 30 ml (2 c. à soupe) de risotto. Former une boulette et la rouler dans la chapelure. Répéter les mêmes étapes pour former 7 autres boulettes de risotto.

**3.** Vaporiser la plaque avec de l'enduit anticollant. Mettre les boulettes sur la plaque et les vaporiser à leur tour. Cuire au four environ 10 minutes, en les retournant après 5 minutes de cuisson, jusqu'à ce qu'elles soient bien dorées et croustillantes.

PAR PORTION : 127 Calories, 5 g Gras total, 2 g Gras saturé, 9 mg Cholestérol, 357 mg Sodium, 15 g Glucide total, 0 g Fibres alimentaires, 4 g Protéines, 64 mg Calcium.

POINTS PAR PORTION : 3.

*Di Giorno Humectez bien vos mains pour faire les boulettes sinon le risotto collera.*

*Boulettes de risotto*

# Gnocchis

*Les gnocchis sont aussi légers qu'une plume et ils sont savoureux avec n'importe quelle sauce légère ne contenant pas trop d'ingrédients en morceaux. Nappez-les de Sauce tomate (p. 73), de Sauce tomate aux fines herbes (p. 74), de pesto au basilic (voir Capellinis au pesto, p. 67) ou même de sauce à la citrouille (p. 145).*

480 g (1 lb) de pommes de terre pour cuisson au four, brossées

125 ml (½ tasse) de farine tout usage

1 ml (¼ c. à thé) de sel

**1.** Préchauffer le four à 200 °C (400 °F). Faire quelques trous dans les pommes de terre avec une fourchette. Cuire au four environ 1 heure, jusqu'à ce qu'elles soient tendres. Laisser refroidir un peu, puis éplucher. Presser la pulpe à travers un presse-riz ou un moulin, ce qui donnera environ 375 ml (1 ½ tasse). Pendant que la pulpe est encore chaude, incorporer la farine et le sel.

**2.** Fariner légèrement une surface de travail. Mettre une feuille de papier ciré sur une plaque. Renverser la pâte sur la plaque et pétrir la pâte jusqu'à ce qu'elle soit onctueuse mais encore collante. Prendre un morceau de pâte de la grosseur d'un citron. Couvrir le reste de la pâte pour l'empêcher de sécher. Rouler le morceau pour en faire un cordon de 2,5 cm (1 po) d'épaisseur. Couper ensuite le cordon en morceaux de 2,5 cm (1 po), puis rouler chaque morceau contre les dents d'une fourchette pour faire des marques décoratives. Réserver sur du papier ciré en prenant soin que les gnocchis ne se touchent pas. Répéter les mêmes étapes avec le reste de la pâte. Couvrir légèrement et mettre dans le réfrigérateur jusqu'à 2 jours ou congeler jusqu'à 1 mois (congeler d'abord les gnocchis sur une plaque tapissée de papier ciré, puis quand ils ne risquent plus de coller ensemble, les mettre dans des sacs de plastique à fermeture hermétique).

**3.** Cuire les gnocchis de 30 à 45 secondes dans une grande marmite d'eau bouillante, jusqu'à ce qu'ils flottent à la surface. Ne pas en mettre trop à la fois pour les empêcher de coller ensemble. Avec une écumoire, mettre les gnocchis dans un bol de service. Répéter les mêmes étapes jusqu'à ce qu'ils soient tous cuits. Mélanger doucement avec la sauce de votre choix.

PAR PORTION : 150 Calories, 0 g Gras total, 0 g Gras saturé, 0 mg Cholestérol, 140 mg Sodium, 33 g Glucide total, 2 g Fibres alimentaires, 4 g Protéines, 8 mg Calcium.

POINTS PAR PORTION : 3.

*Di Giorno Deux trucs pour faire les gnocchis plus facilement : faites cuire les pommes de terre au four. Si vous utilisez le four à micro-ondes, elles deviendront trop farineuses. Deuxièmement, réduisez-les en purée avec un presse-riz ou un moulin afin que leur consistance soit parfaite.*

# Gnocchis au basilic

*En Ligurie, on sert les gnocchis avec du pesto au basilic, mais ils sont tout aussi bons avec des fines herbes fraîches.*

480 g (1 lb) de pommes de terre pour cuisson au four, brossées

175 ml (¾ tasse) de farine tout usage

80 ml (¼ tasse + 2 c. à soupe) de basilic frais, émincé

1 ml (¼ c. à thé) de sel

500 ml (2 tasses) de Sauce tomate aux fines herbes (p. 74), chaude

20 ml (4 c. à thé) de parmesan, fraîchement râpé

**1.** Préchauffer le four à 200 °C (400 °F). Faire quelques trous dans les pommes de terre avec une fourchette. Cuire au four environ 1 heure, jusqu'à ce qu'elles soient tendres. Laisser refroidir un peu, puis éplucher. Presser la pulpe à travers un presse-riz ou un moulin, ce qui donnera environ 375 ml (1 ½ tasse). Pendant que la pulpe est encore chaude, incorporer la farine, 50 ml (¼ tasse) de basilic et le sel.

**2.** Fariner légèrement une surface de travail. Mettre une feuille de papier ciré sur une plaque. Renverser la pâte sur la plaque et pétrir la pâte jusqu'à ce qu'elle soit onctueuse mais encore collante. Prendre un morceau de pâte de la grosseur d'un citron. Couvrir le reste de la pâte pour l'empêcher de sécher. Rouler le morceau pour en faire un cordon de 2,5 cm (1 po) d'épaisseur. Couper ensuite le cordon en morceaux de 2,5 cm (1 po), puis rouler chaque morceau contre les dents d'une fourchette pour faire des marques décoratives. Réserver sur du papier ciré en prenant soin que les gnocchis ne se touchent pas. Répéter les mêmes étapes avec le reste de la pâte. Couvrir légèrement et mettre dans le réfrigérateur jusqu'à 2 jours ou congeler jusqu'à 1 mois (congeler d'abord les gnocchis sur une plaque tapissée de papier ciré, puis quand ils ne risquent plus de coller ensemble, les mettre dans des sacs de plastique à fermeture hermétique).

**3.** Verser 50 ml (¼ tasse) de sauce tomate dans un grand bol de service.

**4.** Cuire les gnocchis de 30 à 45 secondes dans une grande marmite d'eau bouillante, jusqu'à ce qu'ils flottent à la surface. Ne pas en mettre trop à la fois pour les empêcher de coller ensemble. Avec une écumoire, mettre les gnocchis dans le bol de service. Faire alterner des couches de gnocchis et des couches de sauce tomate. Servir immédiatement avec le basilic restant et le parmesan.

PAR PORTION: 272 Calories, 6 g Gras total, 1 g Gras saturé, 2 mg Cholestérol, 327 mg Sodium, 49 g Glucide total, 4 g Fibres alimentaires, 7 g Protéines, 102 mg Calcium.

POINTS PAR PORTION: 5.

*Gnocchis de patate douce au gorgonzola*

# Gnocchis de patate douce au gorgonzola

4 PORTIONS

*Les patates douces ajoutent du goût et de la vigueur à ce plat traditionnel. Leur caractère sucré et leur couleur conviennent bien au gorgonzola, plus fort et plus pâle. Pour varier, vous pouvez simplement remplacer la sauce par de l'huile d'olive, du gorgonzola émietté et un peu de persil.*

480 g (1 lb) de patates douces, brossées

175 ml (¾ tasse) de farine tout usage

2 ml (½ c. à thé) de sel

175 ml (¾ tasse) de ricotta sans matières grasses

50 ml (¼ tasse) de gorgonzola

45 ml (3 c. à soupe) de lait écrémé

22 ml (1 ½ c. à soupe) de persil plat frais, haché

**1.** Préchauffer le four à 200 °C (400 °F). Faire quelques trous dans les patates avec une fourchette. Cuire au four environ 1 heure, jusqu'à ce qu'on puisse les percer facilement avec un couteau. Laisser refroidir un peu, puis éplucher. Presser la pulpe à travers un presse-riz ou un moulin, ce qui donnera environ 375 ml (1 ½ tasse). Pendant que la pulpe est encore chaude, avec les mains légèrement farinées, incorporer la farine et le sel.

**2.** Fariner légèrement une surface de travail. Mettre une feuille de papier ciré sur une plaque. Renverser la pâte sur la plaque et pétrir la pâte jusqu'à ce qu'elle soit onctueuse mais encore collante. Prendre un morceau de pâte de la grosseur d'un citron. Couvrir le reste de la pâte pour l'empêcher de sécher. Rouler le morceau pour en faire un cordon de 2,5 cm (1 po) d'épaisseur. Couper ensuite le cordon en morceaux de 2,5 cm (1 po), puis rouler chaque morceau contre les dents d'une fourchette pour faire des marques décoratives. Réserver sur du papier ciré en prenant soin que les gnocchis ne se touchent pas. Répéter les mêmes étapes avec le reste de la pâte.

**3.** Pour faire la sauce, bien mélanger la ricotta, le gorgonzola et le lait dans le mélangeur électrique. Transvider dans un grand bol.

*Suite page suivante*

**4.** Cuire les gnocchis de 1 à 2 minutes dans une grande marmite d'eau bouillante, jusqu'à ce qu'ils flottent à la surface. Ne pas en mettre trop à la fois pour les empêcher de coller ensemble. Avec une écumoire, mettre les gnocchis dans la sauce et remuer. Répéter les mêmes étapes jusqu'à ce qu'ils soient tous cuits. Servir immédiatement.

PAR PORTION : 272 Calories, 3 g Gras total, 1 g Gras saturé, 7 mg Cholestérol, 460 mg Sodium, 48 g Glucide total, 4 g Fibres alimentaires, 14 g Protéines, 140 mg Calcium.

POINTS PAR PORTION : 5.

*Di Giorno Si on utilise un presse-riz plutôt qu'un presse-purée, on aura plus de facilité à mélanger les patates douces avec la farine.*

# Gnocchis à la sauce à la citrouille

## 4 PORTIONS

*Ce plat étonnant est réputé en Lombardie et en Vénétie. Gardez tout surplus de sauce dans le réfrigérateur ou le congélateur pour un autre repas.*

20 ml (4 c. à thé) d'huile d'olive

1 citrouille ou 1 courge butternut de 960 g (2 lb), pelée, coupée en deux, égrenée et coupée en dés

3 échalotes, émincées

1 gousse d'ail, émincée

500 ml (2 tasses) de bouillon de poulet hyposodique

15 ml (1 c. à soupe) de thym frais, ou 5 ml (1 c. à thé) de feuilles de thym séché, émiettées

15 ml (1 c. à soupe) de sauge fraîche, émincée, ou 5 ml (1 c. à thé) de sauge séchée, émiettée

1 ml (¼ c. à thé) de poivre blanc moulu

72 Gnocchis (p. 138)

20 ml (4 c. à thé) de parmesan, râpé

15 ml (1 c. à soupe) de cassonade bien tassée

1 ml (¼ c. à thé) de cannelle moulue

1 ml (¼ c. à thé) de muscade moulue

Feuilles de sauge fraîche

**1.** Chauffer l'huile dans un poêlon à revêtement antiadhésif, puis ajouter la citrouille, les échalotes et l'ail. Cuire sur feu vif jusqu'à ce que les échalotes commencent à dorer. Ajouter le bouillon, le thym, la sauge et le poivre. Cuire de 15 à 20 minutes de plus, en remuant souvent, jusqu'à ce que la citrouille soit tendre et que le liquide soit réduit aux deux tiers.

**2.** Transvider la sauce dans le robot de cuisine ou le mélangeur pour la réduire en purée. Si elle est trop épaisse, ajouter 15 ml (1 c. à soupe) d'eau à la fois jusqu'à consistance désirée.

**3.** Pendant ce temps, cuire les gnocchis de 30 à 45 secondes dans une grande marmite d'eau bouillante, jusqu'à ce qu'ils flottent à la surface. On peut procéder en plusieurs étapes pour éviter qu'ils ne collent ensemble. Avec une écumoire, mettre les gnocchis dans un bol de service. Répéter les étapes jusqu'à ce que tous les gnocchis soient cuits. Verser la sauce sur les gnocchis. Couvrir avec le fromage, la cassonade, la cannelle et la muscade. Servir avec des feuilles de sauge.

PAR PORTION : 276 Calories, 7 g Gras total, 1 g Gras saturé, 1 mg Cholestérol, 233 mg Sodium, 50 g Glucide total, 2 g Fibres alimentaires, 8 g Protéines, 93 mg Calcium.

POINTS PAR PORTION : 6.

*Di Giorno Vous pouvez remplacer la citrouille fraîche par 250 ml (1 tasse) de purée en conserve. Cuisez-la avec les autres ingrédients, mais sautez l'étape 2.*

# Polenta aux champignons

## 6 PORTIONS

*Les champignons creminis remplacent la viande dans ce plat qui ressemble à un ragoût. Vous pouvez utiliser plusieurs variétés de champignons tels que les creminis, les shiitake et les champignons blancs, comme sur la photo. Préparez la polenta pendant que la sauce mijote. Celle-ci est délicieuse sur des tranches de polenta grillée, sur des pennes ou encore dans du risotto cuit.*

7 ml (½ c. à soupe) d'huile d'olive

1 oignon blanc, haché

2 gousses d'ail, hachées

480 g (1 lb) de champignons cremini, nettoyés (retirer les pieds) et hachés

15 ml (1 c. à soupe) d'origan séché

5 ml (1 c. à thé) de basilic séché

125 ml (½ tasse) de vin blanc sec

1 boîte de 796 ml (28 oz) de tomates en dés

2 ml (½ c. à thé) de sel

1 pincée de piment de Cayenne broyé

1 litre (4 tasses) de Polenta (p. 148)

Chauffer l'huile dans un plat à sauter à revêtement antiadhésif, puis ajouter les oignons et l'ail. Cuire sur feu vif environ 1 minute, jusqu'à ce que les oignons soient transparents. Ajouter les champignons, l'origan, le basilic et 50 ml (¼ tasse) de vin. Couvrir et cuire 2 minutes. Incorporer les tomates, le sel, le piment de Cayenne et le vin restant (50 ml/¼ tasse). Amener à faible ébullition. Réduire la chaleur et laisser mijoter 20 minutes à découvert, jusqu'à consistance épaisse. Servir sur la polenta.

PAR PORTION : 223 Calories, 3 g Gras total, 0 g Gras saturé, 0 mg Cholestérol, 541 mg Sodium, 42 g Glucide total, 6 g Fibres alimentaires, 7 g Protéines, 75 mg Calcium.

POINTS PAR PORTION : 4.

*Polenta aux champignons*

# Polenta

4 PORTIONS (ENVIRON 1 LITRE/4 TASSES)

*La semoule de maïs est connue dans le monde entier : en Amérique, dans le sud des États-Unis, en Roumanie, au Mexique, etc. Elle prend différents noms selon les endroits. La polenta est aussi populaire dans le nord de l'Italie que le sont les pâtes dans le sud du pays.*

875 ml (3 ½ tasses) d'eau

1 ml (¼ c. à thé) de sel

250 ml (1 tasse) de semoule de maïs jaune grossièrement moulue

**1.** Amener l'eau à ébullition dans une grande marmite. Saler et réduire la chaleur pour que l'eau mijote à peine. Sans cesser de remuer, verser la semoule très doucement dans un filet mince et continu (prendre une poignée et la « tamiser » à travers le poing). Réduire la chaleur et cuire de 10 à 15 minutes, sans cesser de remuer, jusqu'à ce que la polenta se détache des parois de la marmite.

**2.** Si on la sert immédiatement, verser la polenta sur une grande assiette de service chaude. Pour utilisation ultérieure, la verser sur un plateau en bois ou sur une surface de travail. Laisser refroidir un peu avant de la découper.

PAR PORTION : 126 Calories, 1 g Gras total, 0 g Gras saturé, 0 mg Cholestérol, 136 mg Sodium, 27 g Glucide total, 2 g Fibres alimentaires, 3 g Protéines, 3 mg Calcium.

POINTS PAR PORTION : 2.

*Di Giorno Économique et bourrative, la polenta est un plat du terroir ayant une longue histoire. On peut lui donner du chic en variant les sauces qui l'accompagnent. Les champignons exotiques et les fromages riches lui vont à merveille. Servie immédiatement, la polenta a la consistance d'une céréale chaude. Si on la laisse reposer, elle devient plus épaisse et ressemble un peu à de la pâte à biscuits réfrigérée.*

# « Gnocchis » de polenta à la romaine

## 4 PORTIONS

*On prépare les gnocchis à la romaine en faisant cuire la semoule de maïs dans du lait. Ce plat trouve ses origines dans la Rome antique. Nous utilisons ici de la polenta pour nous faciliter la tâche…*

750 ml (3 tasses) de Polenta (p. 148)

50 ml (¼ tasse) de parmesan, râpé

10 ml (2 c. à thé) d'huile d'olive

**1.** Préchauffer le four à 180 °C (350 °F). Vaporiser une assiette à tarte de 22,5 cm (9 po) avec de l'enduit anticollant.

**2.** Préparer la polenta (première étape seulement de la page 148) et la vider sur une grande surface de travail. Avec une spatule ou un couteau trempé dans l'eau froide, l'abaisser à 6 mm (¼ po) d'épaisseur. Tremper un emporte-pièces rond de 5 cm (2 po) dans l'eau froide. Couper la polenta en 16 rondelles en prenant soin de retremper l'emporte-pièces dans l'eau chaque fois. Réserver les restants pour un autre usage.

**3.** Mettre les rondelles de polenta dans l'assiette à tarte en les faisant se chevaucher au besoin. Couvrir avec le fromage et arroser avec l'huile. Cuire au four de 40 à 50 minutes, jusqu'à ce que la polenta soit croustillante et dorée. Diviser en 4 portions et servir immédiatement.

PAR PORTION : 200 Calories, 7 g Gras total, 3 g Gras saturé, 8 mg Cholestérol, 362 mg Sodium, 27 g Glucide total, 2 g Fibres alimentaires, 7 g Protéines, 149 mg Calcium.

POINTS PAR PORTION : 4.

# CHAPITRE 5

# Frittatas

# Frittata aux restes de spaghettis

## 4 PORTIONS

*Qu'on les transforme en omelette française, en tortilla espagnole ou en frittata italienne,
les œufs brouillés permettent d'utiliser agréablement les restes. Accompagnée d'une salade
ou d'un légume, cette frittata fait un repas complet.*

500 ml (2 tasses) de substitut d'œuf sans matières grasses

750 ml (3 tasses) de spaghettis, cuits

375 ml (1 ½ tasse) de Sauce tomate (p. 73)

30 ml (2 c. à soupe) de parmesan, râpé

Poivre fraîchement moulu, au goût

1. Préchauffer le gril. Vaporiser un poêlon à revêtement antiadhésif ayant un manche à l'épreuve de la chaleur avec de l'enduit végétal antiadhésif. Mettre le poêlon sur feu moyen.

2. Battre le substitut d'œuf jusqu'à consistance mousseuse. Verser dans le poêlon et pencher celui-ci en tous sens pour bien couvrir le fond. Couvrir avec les spaghettis et la sauce tomate. Réduire la chaleur et cuire environ 10 minutes, jusqu'à ce que le dessous soit cuit. Griller la frittata à 12,5 cm (5 po) de la source de chaleur de 1 à 1 ½ minute, jusqu'à ce que le dessus soit bien pris et légèrement croustillant. Faire glisser sur une assiette et couper en pointes. Servir avec du parmesan râpé et du poivre.

PAR PORTION : 284 Calories, 6 g Gras total, 2 g Gras saturé, 4 mg Cholestérol, 411 mg Sodium, 37 g Glucide total, 3 g Fibres alimentaires, 20 g Protéines, 127 mg Calcium.

POINTS PAR PORTION : 6.

# Frittata aux poivrons et aux pommes de terre

4 PORTIONS

*Les œufs et les poivrons ont une affinité naturelle et le fait de leur ajouter des pommes de terre les rend encore meilleurs. Pour un vrai régal, nappez cette frittata avec quelques cuillerées de Sauce tomate aux fines herbes (p. 74).*

20 ml (4 c. à thé) d'huile d'olive

4 piments italiens à frire, épépinés et hachés

2 pommes de terre moyennes de consommation courante, en dés

250 ml (1 tasse) d'eau chaude

500 ml (2 tasses) de substitut d'œuf sans matières grasses

15 ml (1 c. à soupe) d'origan frais, émincé, ou 2 ml (½ c. à thé) d'origan séché

1 ml (¼ c. à thé) de sel

Poivre fraîchement moulu, au goût

10 ml (2 c. à thé) de parmesan, râpé

1. Préchauffer le gril. Chauffer l'huile dans un poêlon à revêtement antiadhésif ayant un manche à l'épreuve du feu. Ajouter les piments, les pommes de terre et l'eau. Couvrir et cuire environ 15 minutes, en remuant souvent et en ajoutant 125 ml (½ tasse) d'eau si l'évaporation est trop rapide. Quand les légumes sont tendres et que l'eau est évaporée, transvider dans un bol.

2. Essuyer le poêlon avec du papier absorbant et le vaporiser avec de l'enduit anticollant. Mettre sur feu moyen. Battre le substitut d'œuf, l'origan, le sel et le poivre jusqu'à consistance mousseuse. Verser dans le poêlon en inclinant celui-ci en tous sens pour bien couvrir le fond. Couvrir avec les légumes. Réduire la chaleur et cuire environ 10 minutes, jusqu'à ce que le dessous soit cuit. Griller la frittata à 12,5 cm (5 po) de la source de chaleur de 1 à 1 ½ minute, jusqu'à ce que le dessus soit bien pris et légèrement croustillant. Faire glisser sur une assiette et couper en pointes. Servir avec du parmesan râpé.

PAR PORTION : 187 Calories, 5 g Gras total, 1 g Gras saturé, 1 mg Cholestérol, 364 mg Sodium, 21 g Glucide total, 2 g Fibres alimentaires, 15 g Protéines, 80 mg Calcium.

POINTS PAR PORTION : 4.

*Voir Di Giorno p. 341.*

# Frittata aux pommes de terre et aux oignons

4 PORTIONS

*Les frittatas sont souvent servies à la température ambiante, ce qui convient parfaitement aux lunchs et aux brunchs. Ne les gardez toutefois pas plus de deux heures en dehors du réfrigérateur. Pour une saveur plus douce, remplacez les oignons par deux poireaux.*

20 ml (4 c. à thé) d'huile d'olive

2 pommes de terre moyennes de consommation courante, en dés

2 oignons, hachés

250 ml (1 tasse) d'eau chaude

500 ml (2 tasses) de substitut d'œuf sans matières grasses

50 ml (¼ tasse) de persil plat frais, émincé

20 ml (4 c. à thé) de parmesan, râpé

1 ml (¼ c. à thé) de sel

Poivre fraîchement moulu, au goût

1. Préchauffer le gril. Chauffer l'huile dans un poêlon à revêtement antiadhésif ayant un manche à l'épreuve de la chaleur. Ajouter les pommes de terre, les oignons et l'eau. Cuire environ 15 minutes, en remuant souvent, jusqu'à ce que les pommes de terre soient dorées, que les oignons soient tendres et que le liquide soit évaporé. Si l'évaporation se fait trop rapidement, ajouter 125 ml (½ tasse) d'eau pendant la cuisson. Transvider dans un bol.

2. Essuyer le poêlon avec du papier absorbant, puis vaporiser avec de l'enduit anticollant. Mettre le poêlon sur feu moyen. Battre le substitut d'œuf, le persil, le fromage, le sel et le poivre jusqu'à consistance mousseuse. Verser dans le poêlon en inclinant celui-ci en tous sens pour bien couvrir le fond. Couvrir avec les légumes. Réduire la chaleur et cuire environ 10 minutes, jusqu'à ce que le dessous soit cuit. Griller la frittata à 12,5 cm (5 po) de la source de chaleur de 1 à 1 ½ minute, jusqu'à ce que le dessus soit bien pris et légèrement croustillant. Faire glisser sur une assiette et couper en pointes.

PAR PORTION : 186 Calories, 6 g Gras total, 1 g Gras saturé, 2 mg Cholestérol, 437 mg Sodium, 18 g Glucide total, 2 g Fibres alimentaires, 15 g Protéines, 91 mg Calcium.

POINTS PAR PORTION : 4.

# Frittata aux cœurs d'artichaut et aux champignons

4 PORTIONS

*Les cœurs d'artichaut et les champignons sont en vedette dans cette frittata qui plaira à l'heure du brunch ou du lunch. Si vous avez des restes d'asperges, coupez-les en bouchées et ajoutez-les aux autres légumes.*

1 paquet de 300 g (10 oz) de cœurs d'artichaut congelés

20 ml (4 c. à thé) d'huile d'olive

3 échalotes, émincées

1 gousse d'ail, émincée

500 ml (2 tasses) de champignons, en tranches

500 ml (2 tasses) de substitut d'œuf sans matières grasses

50 ml (¼ tasse) de persil plat frais, émincé

30 ml (2 c. à soupe) de parmesan, râpé

1 ml (¼ c. à thé) de sel

Poivre fraîchement moulu, au goût

1. Préchauffer le gril. Cuire les cœurs d'artichaut jusqu'à ce qu'ils soient tendres selon les indications inscrites sur l'emballage. Couper les artichauts en bouchées. Transvider dans un bol.

2. Chauffer l'huile dans un poêlon à revêtement antiadhésif ayant un manche à l'épreuve de la chaleur, puis ajouter les échalotes et l'ail. Cuire sur feu vif jusqu'à ce que les échalotes soient tendres. Incorporer les champignons et cuire sur feu vif jusqu'à ce que les champignons soient tendres et les échalotes dorées. Ajouter aux artichauts.

3. Essuyer le poêlon avec du papier absorbant, puis vaporiser avec de l'enduit anticollant. Mettre le poêlon sur feu moyen. Battre le substitut d'œuf jusqu'à consistance mousseuse. Verser dans le poêlon en inclinant celui-ci en tous sens pour bien couvrir le fond. Couvrir avec les légumes. Réduire la chaleur et cuire environ 10 minutes, jusqu'à ce que le dessous soit cuit. Couvrir avec le persil et le fromage, saler et poivrer. Griller la frittata à 12,5 cm (5 po) de la source de chaleur de 1 à 1 ½ minute, jusqu'à ce que le dessus soit bien pris et légèrement croustillant. Faire glisser sur une assiette et couper en pointes.

PAR PORTION : 179 Calories, 7 g Gras total, 2 g Gras saturé, 4 mg Cholestérol, 473 mg Sodium, 13 g Glucide total, 4 g Fibres alimentaires, 17 g Protéines, 143 mg Calcium.

POINTS PAR PORTION : 3.

*Voir Di Giorno p. 339.*

# Les champignons

Que l'on prépare un Veau marsala ou un Risotto aux champignons, le bon goût des *funghi* fait partie intégrante de la cuisine italienne. Même si la plupart des cuisiniers se contentent d'utiliser les champignons blancs les plus communs, il existe des milliers de variétés de champignons pouvant ajouter une touche originale à n'importe quel plat. N'hésitez pas à consulter le tableau suivant.

| Variété | Description | Goût/Utilisation |
|---|---|---|
| Champignon blanc (Agaric) | Chapeau de 1,25 à 7,5 cm (½ à 3 po) de diamètre. Couleur variant du blanc au brun pâle. | Doux, goût de terre. Tout usage : cru en salade ou comme crudité ; cuit dans les soupes et les farces. |
| Cremino | Brun foncé, plus ferme que le champignon blanc. Chapeau de 1,25 à 5 cm (½ à 2 po) de diamètre. | Plus dense, plus savoureux que le champignon blanc. Excellent avec les plats de bœuf, de gibier et de légumes. |
| Chanterelle | En forme de trompette. Couleur variant du jaune brillant au orangé. | Délicat, goût de noisette. Cuit comme plat d'accompagnement ou marié à d'autres aliments ; souvent dans des mets à base de crème. |
| Morille | Spongieux, profondes alvéoles, chapeau conique de 5 à 10 cm (2 à 4 po) de hauteur ; brun foncé à noirâtre. | Goût fumé, de terre et de noisette. Se marie bien aux sauces légères et aux viandes telles que le poulet, le poulet des Cornouailles, le veau et le lapin. Excellent sauté dans le beurre. |
| Pleurote | En forme d'éventail, lamelles descendent bas sur le pied, couleur gris pâle à brun-gris foncé. | Cru : saveur poivrée et robuste. Cuit : saveur douce et délicate. Texture fondante. Peut remplacer le champignon blanc ou bien se marier avec lui. Saveur délicate qui convient aux mets simples. Nécessite peu de gras ou d'huile pour la cuisson. |
| Porcino | Brun pâle ; chair blanche crémeuse à l'intérieur ; poids variant de quelques onces à 1 lb ; chapeau de 2,5 à 25 cm (1 à 10 po) de diamètre. | Texture soyeuse ou de viande. Saveur prononcée, boisée. Meilleur dans les mets simples ; cuit légèrement dans l'huile d'olive, dans les soupes, les farces et les ragoûts. |
| Portobello | A la forme d'un cremini arrivé à pleine maturité ; chapeau large, plat et brun foncé. | Texture dense semblable à celle de la viande. Excellent lorsque grillé ; coupé en tranches minces pour les salades ou les entrées. |

# Frittata aux courgettes, poivrons et oignons

*Ne mettez jamais un poêlon ayant un manche de plastique dans le four, ce qui le ferait fondre.*

20 ml (4 c. à thé) d'huile d'olive

2 oignons, hachés

500 ml (2 tasses) d'eau chaude

2 petites courgettes, en dés

1 poivron rouge ou vert, épépiné et coupé en dés

500 ml (2 tasses) de substitut d'œuf sans matières grasses

50 ml (¼ tasse) de basilic frais, émincé, ou 10 ml (2 c. à thé) de basilic séché

1 ml (¼ c. à thé) de sel

Poivre fraîchement moulu, au goût

30 ml (2 c. à soupe) de parmesan, râpé

1. Préchauffer le gril. Chauffer l'huile dans un poêlon à revêtement antiadhésif ayant un manche à l'épreuve de la chaleur, puis ajouter les oignons. Cuire sur feu vif pour attendrir. Ajouter l'eau, les courgettes et les poivrons. Réduire la chaleur, couvrir et laisser mijoter environ 8 minutes, en remuant souvent, jusqu'à ce que les légumes soient tendres. Enlever le couvercle et cuire jusqu'à évaporation du liquide. Transvider les légumes dans un bol.

2. Essuyer le poêlon avec du papier absorbant, puis vaporiser avec de l'enduit anticollant. Mettre le poêlon sur feu moyen. Battre le substitut d'œuf, le basilic, le sel et le poivre jusqu'à consistance mousseuse. Verser dans le poêlon en inclinant celui-ci en tous sens pour bien couvrir le fond. Couvrir avec les légumes. Réduire la chaleur et cuire environ 10 minutes, jusqu'à ce que le dessous soit cuit. Griller la frittata à 12,5 cm (5 po) de la source de chaleur de 1 à 1 ½ minute, jusqu'à ce que le dessus soit bien pris et légèrement croustillant. Faire glisser sur une assiette et couper en pointes. Servir avec du parmesan râpé.

PAR PORTION : 160 Calories, 6 g Gras total, 2 g Gras saturé, 4 mg Cholestérol, 439 mg Sodium, 10 g Glucide total, 1 g Fibres alimentaires, 16 g Protéines, 153 mg Calcium.

POINTS PAR PORTION : 4.

# Frittata à la mozzarella et à la sauce tomate

4 PORTIONS

*Cette frittata ressemble à une pizza, mais son goût est peut-être meilleur. Vous ferez un repas minute en la servant avec le Sauté de brocofleur et d'oignons (p. 253) ou les Piments sautés (p. 256).*

500 ml (2 tasses) de substitut d'œuf sans matières grasses

175 ml (¾ tasse) de Sauce tomate aux fines herbes (p. 74)

90 g (3 oz) de mozzarella écrémée, en lamelles (environ 175 ml/¾ tasse)

Poivre fraîchement moulu, au goût

1. Préchauffer le gril. Vaporiser un poêlon à revêtement antiadhésif ayant un manche à l'épreuve de la chaleur avec de l'enduit anticollant. Mettre le poêlon sur feu moyen.

2. Battre le substitut d'œuf jusqu'à consistance mousseuse. Verser dans le poêlon et incliner celui-ci en tous sens pour bien couvrir le fond. Napper le dessus avec la sauce tomate ; étendre la sauce doucement sans remuer. Réduire la chaleur et cuire environ 10 minutes, jusqu'à ce que le dessous soit cuit. Couvrir avec le fromage et poivrer. Griller la frittata de 1 à 1 ½ minute, jusqu'à ce que le dessus soit bien pris et que le fromage soit fondu. Faire glisser sur une assiette et couper en pointes.

PAR PORTION : 119 Calories, 2 g Gras total, 0 g Gras saturé, 2 mg Cholestérol, 413 mg Sodium, 5 g Glucide total, 11 g Fibres alimentaires, 19 g Protéines, 201 mg Calcium.

POINTS PAR PORTION : 2.

# CHAPITRE 6

# Salades

# Salade de fenouil à l'orange

4 PORTIONS

*Le fenouil et l'endive sont des légumes d'hiver. Cette salade est idéale quand les laitues et les légumes verts sont difficiles à trouver dans les marchés.*

2 bulbes de fenouil, parés et coupés en fines tranches

3 endives, nettoyées et séparées en feuilles

2 petites oranges navels, pelées et coupées en quartiers

10 petites olives noires, dénoyautées et coupées en deux

1 ml (¼ c. à thé) de sel

1 ml (¼ c. à thé) de poivre fraîchement moulu

20 ml (4 c. à thé) d'huile d'olive extravierge

Mélanger le fenouil, les endives, les oranges et les olives dans un saladier. Saler, poivrer et arroser avec l'huile d'olive. Bien remuer. Laisser reposer quelques minutes pour laisser les saveurs se mêler.

PAR PORTION : 104 Calories, 6 g Gras total, 1 g Gras saturé, 0 mg Cholestérol, 303 mg Sodium, 13 g Glucide total, 4 g Fibres alimentaires, 2 g Protéines, 85 mg Calcium.

POINTS PAR PORTION : 2.

# Salade de brocoli, raisins secs et pignons

4 PORTIONS

*Malgré sa simplicité, la Sicile possède une riche tradition culinaire très diversifiée. Pendant plus de 200 ans, cette île méditerranéenne a été occupée par des conquérants qui ont apporté avec eux leurs propres habitudes de table. Sur la côte ouest de la Sicile, située non loin de la Tunisie, on trouve plusieurs plats à l'aigre-doux de même que des ingrédients tels que les pignons et les raisins secs.*

30 ml (2 c. à soupe) de mayonnaise hypocalorique

30 ml (2 c. à soupe) de crème sure sans matières grasses

15 ml (1 c. à soupe) de cassonade bien tassée

15 ml (1 c. à soupe) de vinaigre de vin blanc

45 ml (3 c. à soupe) de pignons, grillés

480 g (1 lb) de petits bouquets de brocoli (environ 1 litre/ 4 tasses)

30 ml (2 c. à soupe) de raisins secs

2 oignons verts, en fines tranches

3 tranches de bacon, cuit croustillant et émietté

500 ml (2 tasses) de chou rouge, en lamelles

**1.** Dans un petit bol, bien mélanger la mayonnaise, la crème sure, la cassonade et le vinaigre jusqu'à consistance onctueuse.

**2.** Dans un saladier, mêler délicatement les pignons, le brocoli, les raisins secs, les oignons verts et le bacon. Arroser avec la vinaigrette et remuer pour bien enrober. Couvrir et laisser dans le réfrigérateur jusqu'à une journée pour laisser les saveurs se mélanger.

**3.** Servir la salade sur le chou rouge.

PAR PORTION : 162 Calories, 8 g Gras total, 2 g Gras saturé, 7 mg Cholestérol, 153 mg Sodium, 18 g Glucide total, 5 g Fibres alimentaires, 8 g Protéines, 82 mg Calcium.

POINTS PAR PORTION : 3.

# Salade de chou-fleur, câpres et olives

4 PORTIONS

*Une variante de cette recette est servie à Naples le jour de Noël, souvent avec les restes de l'anguille servie au réveillon. Les Napolitains l'appellent* insalata di rinforzo alla napoletana *ou « salade fortifiante de Naples ».*

720 g (1 ½ lb) de bouquets de chou-fleur (environ 1,5 litre/ 6 tasses)

2 branches de céleri, hachées

10 petites olives vertes, dénoyautées

10 petites olives noires, dénoyautées

125 ml (½ tasse) de piments rouges doux marinés, hachés

15 ml (1 c. à soupe) de câpres, égouttées

20 ml (4 c. à thé) d'huile d'olive extravierge

15 ml (1 c. à soupe) de vinaigre de cidre

30 ml (2 c. à soupe) de bouillon de légumes hyposodique

1 ml (¼ c. à thé) de sel

Poivre fraîchement moulu, au goût

30 ml (2 c. à soupe) de persil frais, émincé

**1.** Mettre le chou-fleur dans une étuveuse (marguerite) et déposer celle-ci dans une casserole contenant 2,5 cm (1 po) d'eau bouillante. Couvrir hermétiquement et cuire à la vapeur de 5 à 7 minutes, jusqu'à ce qu'il soit presque tendre. Rincer à l'eau froide et égoutter.

**2.** Mélanger le céleri, les olives, les piments, les câpres, l'huile, le vinaigre, le bouillon, le sel et le poivre. Couvrir le chou-fleur avec cette préparation. Couvrir et conserver dans le réfrigérateur de 6 à 8 heures ou toute la nuit pour laisser les saveurs se mêler.

**3.** Laisser la salade à la température ambiante. Mêler délicatement et servir avec du persil frais.

PAR PORTION : 102 Calories, 7 g Gras total, 1 g Gras saturé, 0 mg Cholestérol, 496 mg Sodium, 10 g Glucide total, 4 g Fibres alimentaires, 3 g Protéines, 61 mg Calcium.

POINTS PAR PORTION : 2.

*Salade de chou-fleur, câpres et olives*

# Salade tricolore

4 PORTIONS

*Un mélange rafraîchissant de laitues variées et colorées qu'on rehaussera de copeaux de parmesan ou de mozzarella pour composer un repas léger.*

---

1 tête de radicchio, nettoyée

1 endive, nettoyée

1 botte de roquette, nettoyée et déchiquetée

50 ml (¼ tasse) de Vinaigrette huile et vinaigre (p. 177)

---

**1.** Réserver 8 grandes feuilles de radicchio. Déchiqueter le reste en petites bouchées. Réserver 12 grandes feuilles d'endive. Couper le reste en tranches de 2,5 cm (1 po).

**2.** Sur chacune des 4 assiettes à salade, disposer en forme de pétale 2 feuilles de radicchio et 3 feuilles d'endive. Dans un grand bol, mêler le restant de radicchio et d'endive avec la roquette et la vinaigrette. Mettre le quart de la salade au centre de chaque assiette. Servir immédiatement.

PAR PORTION : 69 Calories, 5 g Gras total, 1 g Gras saturé, 0 mg Cholestérol, 159 mg Sodium, 4 g Glucide total, 2 g Fibres alimentaires, 2 g Protéines, 77 mg Calcium.

POINTS PAR PORTION : 1.

# Salade de roquette et de radicchio au parmesan

## 4 PORTIONS

*Cette salade prouve une fois de plus que les choses les plus simples sont souvent les meilleures.*
*Le vinaigre balsamique et le parmesan rehaussent son goût à merveille.*

1 tête de radicchio, nettoyée

1 botte de roquette, nettoyée

30 ml (2 c. à soupe) de vinaigre balsamique

10 ml (2 c. à thé) d'huile d'olive extravierge

45 g (1 ½ oz) de parmesan, émietté

Poivre fraîchement moulu, au goût

Diviser le radicchio entre 4 assiettes à salade. Couvrir avec la roquette. Arroser avec le vinaigre, puis l'huile. Couvrir de parmesan et poivrer.

PAR PORTION : 79 Calories, 6 g Gras total, 2 g Gras saturé, 8 mg Cholestérol, 218 mg Sodium, 2 g Glucide total, 1 g Fibres alimentaires, 6 g Protéines, 217 mg Calcium.

POINTS PAR PORTION : 2.

*Di Giorno Vous aurez besoin d'un bon morceau de parmesan pour être en mesure de l'émietter. Recherchez le parmigiano reggiano authentique reconnaissable à sa croûte brun pâle sur laquelle est imprimée la mention «parmigiano reggiano». Si vous avez un assortiment de couteaux à fromage, utilisez celui réservé au parmesan pour l'émietter. Ce couteau est court, il a une légère forme d'amande et une lame pointue. Sinon, amenez le parmesan à la température ambiante, insérez-y un couteau court et tournez doucement pour l'émietter.*

# Salade de roquette et de pommes de terre

*Cette salade de pommes de terre nouvelle touillée dans une vinaigrette légère est une variante originale de la salade de pommes de terre à la mayonnaise si populaire en Amérique du Nord. On peut remplacer la roquette par du cresson et ajouter de la pancetta cuite ou du jambon en cubes si désiré. Essayez-la avec la Vinaigrette crémeuse à l'italienne (p. 179) et vous crierez au génie!*

720 g (1 ½ lb) de pommes de terre nouvelles

4 oignons verts, en tranches

30 ml (2 c. à soupe) de vin blanc sec

20 ml (4 c. à thé) d'huile d'olive extravierge

15 ml (1 c. à soupe) de vinaigre de vin blanc

1 gousse d'ail, écrasée

1 ml (¼ c. à thé) de sel

Poivre fraîchement moulu, au goût

1 botte de roquette, nettoyée

**1.** Couvrir les pommes de terre d'eau et amener à ébullition. Réduire la chaleur, couvrir et laisser mijoter environ 10 minutes, jusqu'à ce qu'elles soient tendres. Égoutter et laisser refroidir un peu. Couper les pommes de terre en tranches de 0,6 à 1,25 cm (¼ à ½ po) pendant qu'elles sont encore chaudes.

**2.** Dans un grand bol, fouetter ensemble les oignons verts, le vin, l'huile, le vinaigre, l'ail, le sel et le poivre. Ajouter les pommes de terre et remuer pour bien les enrober.

**3.** Juste avant de servir, diviser la roquette entre les 4 assiettes à salade en la disposant tout autour. Retirer l'ail de la salade et servir celle-ci en dôme au centre des assiettes. Servir la salade chaude ou à la température ambiante, mais jamais froide.

PAR PORTION : 168 Calories, 5 g Gras total, 1 g Gras saturé, 0 mg Cholestérol, 165 mg Sodium, 27 g Glucide total, 4 g Fibres alimentaires, 4 g Protéines, 59 mg Calcium.

POINTS PAR PORTION : 3.

*Voir Di Giorno p. 341.*

# Salade de cardes de bette et d'épinards

4 PORTIONS

*Les chefs italiens savent donner du goût aux aliments les plus simples. Touillée avec de l'huile d'olive et du jus de citron, la verdure cuite est particulièrement savoureuse avec des plats à base de viande, de poisson et de fromage. Essayez cette recette avec la verdure de votre choix en prenant soin d'ajuster le temps de cuisson.*

1 petite botte de cardes de bette, nettoyées et grossièrement hachées (séparer les feuilles et les tiges)

1 sac de 300 g (10 oz) d'épinards bien lavés, nettoyés et grossièrement hachés

15 ml (1 c. à soupe) de jus de citron fraîchement pressé

10 ml (2 c. à thé) d'huile d'olive extravierge

1 ml (¼ c. à thé) de sel

Poivre noir fraîchement moulu, au goût

1. Couper les tiges des cardes les plus minces en morceaux de 2,5 cm (1 po). Jeter les tiges trop grosses.

2. Dans une casserole, cuire les cardes et les épinards sur feu moyen-doux environ 5 minutes, en remuant de temps à autre et en ajoutant 15 ml (1 c. à soupe) d'eau à la fois au besoin. Quand les feuilles sont ramollies et que les tiges sont tendres, égoutter et secouer pour enlever le surplus d'eau. Mettre dans un grand bol de service. Assaisonner avec le jus de citron, l'huile, le sel et le poivre pendant que les légumes sont encore chauds.

PAR PORTION : 40 Calories, 3 g Gras total, 0 g Gras saturé, 0 mg Cholestérol, 256 mg Sodium, 4 g Glucide total, 2 g Fibres alimentaires, 2 g Protéines, 75 mg Calcium.

POINTS PAR PORTION : 1.

*Di Giorno N'asséchez pas la verdure après l'avoir lavée. L'humidité qui reste dans les feuilles les aide à ramollir et les empêche de brûler pendant la cuisson.*

# Panzanella

4 PORTIONS

*Les Toscans sont fiers de leur pain croûté et de leur goût pour la frugalité. Cette salade de pain et de tomate leur donne raison. Préparez-la quand le potager regorge de tomates et que vous avez du pain un peu durci en réserve. Pour de meilleurs résultats, n'utilisez que des tomates mûres et du pain de campagne croûté.*

4 tomates, pelées et hachées

4 branches de céleri, en fines tranches

1 oignon rouge, haché

125 ml (½ tasse) de persil plat frais, émincé

30 ml (2 c. à soupe) de vinaigre de vin rouge

20 ml (4 c. à thé) d'huile d'olive extravierge

1 gousse d'ail, émincée

1 ml (¼ c. à thé) de sel

Poivre fraîchement moulu, au goût

1 pain italien de 240 g (8 oz) vieux d'un jour ou deux, grossièrement haché

50 ml (¼ tasse) de basilic frais, émincé

**1.** Mélanger les tomates, le céleri, les oignons, le persil, le vinaigre, l'huile, l'ail, le sel et le poivre. Laisser reposer au moins 30 minutes, jusqu'à ce que les tomates aient perdu un peu de leur jus.

**2.** Couvrir le pain d'eau et le laisser tremper environ 3 minutes, jusqu'à ce qu'il commence à ramollir. Égoutter et bien presser pour extraire l'eau. Remettre le pain dans le bol et le défaire en petits morceaux à l'aide d'une fourchette. Incorporer la préparation aux tomates et garnir de basilic.

PAR PORTION : 257 Calories, 7 g Gras total, 1 g Gras saturé, 0 mg Cholestérol, 514 mg Sodium, 43 g Glucide total, 5 g Fibres alimentaires, 8 g Protéines, 114 mg Calcium.

POINTS PAR PORTION : 5.

*Di Giorno Pour que le pain ait la consistance voulue, n'utilisez que du pain naturel ne contenant pas de produits de conservation. Si vous avez le temps, faites le Pain italien (p. 276).*

# Salade de haricots blancs à la sauge

4 PORTIONS

*Vous ne pouvez aller en Toscane sans qu'on vous serve cette délicieuse salade. On la déguste telle quelle ou avec des oignons rouges hachés, des flocons de thon ou les deux. Servez-la dans des tomates évidées pour une présentation estivale.*

30 ml (2 c. à soupe) de sauge fraîche, émincée, ou 10 ml (2 c. à thé) de sauge séchée

20 ml (4 c. à thé) d'huile d'olive extravierge

15 ml (1 c. à soupe) de vin blanc sec

15 ml (1 c. à soupe) de vinaigre de vin blanc

1 gousse d'ail, émincée

1 ml (¼ c. à thé) de sel

Poivre fraîchement moulu, au goût

1 boîte de 455 ml (16 oz) de haricots cannellinis, rincés et égouttés

Dans un grand bol, fouetter ensemble la sauge, l'huile, le vin, le vinaigre, l'ail, le sel et le poivre. Incorporer les haricots. Couvrir et laisser reposer de 1 à 2 heures pour laisser les saveurs se mêler. Remuer délicatement avant de servir.

PAR PORTION : 190 Calories, 5 g Gras total, 1 g Gras saturé, 0 mg Cholestérol, 138 mg Sodium, 27 g Glucide total, 4 g Fibres alimentaires, 10 g Protéines, 41 mg Calcium.

POINTS PAR PORTION : 3.

*Di Giorno Cette salade est excellente pour un pique-nique puisqu'elle doit être servie à la température ambiante.*

# Salade de lentilles et de radicchio

## 6 PORTIONS

*Le radicchio est une chicorée de couleur pourpre dont on trouve quelques variétés en Amérique du Nord. Choisissez un radicchio assez gros puisque les petits sont souvent fanés. Les haricots dont le goût n'est pas trop prononcé conviennent bien au radicchio amer. Ne faites pas trop cuire les lentilles puisqu'elles doivent garder leur forme.*

625 ml (2 ½ tasses) d'eau

2 cubes de bouillon de poulet

2 feuilles de laurier

1 gousse d'ail, épluchée

250 ml (1 tasse) de lentilles, défaites à la fourchette, rincées et égouttées

30 ml (2 c. à soupe) de mayonnaise hypocalorique

15 ml (1 c. à soupe) de moutarde de Dijon

15 ml (1 c. à soupe) de vinaigre de vin blanc

2 ml (½ c. à thé) de sel

1 ml (¼ c. à thé) de poivre fraîchement moulu

1 radicchio, déchiqueté en morceaux

1 gros oignon vert, en tranches

**1.** Amener à ébullition l'eau, les cubes de bouillon, les feuilles de laurier et l'ail, puis incorporer les lentilles. Réduire la chaleur, couvrir et laisser mijoter environ 15 minutes, jusqu'à ce que les lentilles soient presque tendres. Égoutter les lentilles et jeter l'ail et les feuilles de laurier.

**2.** Pendant ce temps, bien mêler la mayonnaise, la moutarde, le vinaigre, le sel et le poivre.

**3.** Dans un bol de service, mélanger les lentilles, le radicchio et les oignons verts. Arroser avec la vinaigrette et bien remuer. Couvrir et laisser dans le réfrigérateur de 2 à 3 heures pour laisser les saveurs se mêler.

PAR PORTION : 154 Calories, 2 g Gras total, 1 g Gras saturé, 2 mg Cholestérol, 671 mg Sodium, 25 g Glucide total, 11 g Fibres alimentaires, 11 g Protéines, 50 mg Calcium.

POINTS PAR PORTION : 1.

*Di Giorno Les Italiens utilisent souvent des cubes de bouillon pour cuisiner. Recherchez des marques italiennes puisqu'elles sont de bonne qualité.*

# Salade de pois chiches au romarin

4 PORTIONS

*Les pois chiches font oublier la saveur piquante et astringente du romarin dans cette salade rafraîchissante.*

2 tomates prunes, épépinées et finement hachées

45 ml (3 c. à soupe) de romarin frais, émincé, ou 7 ml (1 ½ c. à thé) de romarin séché

20 ml (4 c. à thé) d'huile d'olive extravierge

20 ml (4 c. à thé) de vinaigre de vin blanc

1 gousse d'ail, émincée

1 ml (¼ c. à thé) de sel

Poivre fraîchement moulu, au goût

1 boîte de 455 ml (16 oz) de pois chiches, rincés et égouttés

Mélanger les tomates, le romarin, l'huile, le vinaigre, l'ail, le sel et le poivre. Laisser reposer environ 30 minutes pour laisser les saveurs se mêler. Incorporer les pois chiches. Laisser reposer environ 30 minutes de plus pour permettre aux pois chiches de bien s'imprégner de toutes les saveurs.

PAR PORTION : 235 Calories, 8 g Gras total, 1 g Gras saturé, 0 mg Cholestérol, 146 mg Sodium, 33 g Glucide total, 4 g Fibres alimentaires, 10 g Protéines, 64 mg Calcium.

POINTS PAR PORTION : 5.

# Salade de roquette au gorgonzola

## 4 PORTIONS

*La roquette, si populaire en Italie depuis de nombreuses années, commence enfin à acquérir ses lettres de noblesse en Amérique du Nord. Parce qu'elle contient souvent beaucoup de sable, rincez-la bien dans un évier rempli d'eau froide comme vous le feriez pour des épinards. Essuyez-la ensuite avec du papier absorbant ou mettez-la dans une essoreuse à salade. Conservez-la jusqu'à deux jours dans un sac de plastique scellé mis dans le réfrigérateur.*

45 ml (3 c. à soupe) de miel

7 ml (½ c. à soupe) de moutarde de Dijon

22 ml (1 ½ c. à soupe) de vinaigre balsamique

1 botte de roquette, nettoyée et déchiquetée

125 ml (½ tasse) de gorgonzola, émietté (environ 60 g/2 oz)

Fouetter ensemble le miel et la moutarde, puis ajouter le vinaigre sans cesser de fouetter. Diviser la roquette entre 4 assiettes à salade. Couvrir de fromage et arroser de vinaigrette.

PAR PORTION : 111 Calories, 5 g Gras total, 3 g Gras saturé, 12 mg Cholestérol, 307 mg Sodium, 14 g Glucide total, 0 g Fibres alimentaires, 4 g Protéines, 88 mg Calcium.

POINTS PAR PORTION : 3.

*Di Giorno Achetez du vinaigre balsamique authentique et non pas cette imitation faite avec du concentré de jus de raisin et du vinaigre. Le bon vinaigre balsamique est délicieux sur un filet de bœuf ou sur des fraises fraîches.*

# Salade alla caprese

*Sur l'île de Capri, on sert les pâtes, la viande et le poisson avec une sauce tomate cuite juste un peu avec du basilic frais, de l'huile d'olive et de la mozzarella. D'une extrême simplicité, cette salade exige toutefois des ingrédients de haute qualité. Pas de tomates de serre s'il vous plaît!*

2 tomates, coupées diagonalement en 4 tranches chacune

120 g (4 oz) de mozzarella, coupée en 4 tranches

20 ml (4 c. à thé) de basilic frais, haché

20 ml (4 c. à thé) de vinaigre balsamique

Sel, au goût

Poivre fraîchement moulu, au goût

Sur chacune des 4 assiettes à salade, mettre une tranche de tomate dressée en éventail, une tranche de fromage, puis une autre tranche de tomate. Couvrir de basilic, arroser de vinaigre, saler et poivrer.

PAR PORTION : 108 Calories, 7 g Gras total, 5 g Gras saturé, 20 mg Cholestérol, 189 mg Sodium, 4 g Glucide total, 1 g Fibres alimentaires, 7 g Protéines, 158 mg Calcium.

POINTS PAR PORTION : 3.

*Di Giorno On dit qu'il n'y aurait pas assez de bufflonne dans le monde pour produire tout le lait nécessaire à la fabrication de l'authentique mozzarella di bufala. La mozzarella vendue dans le commerce est souvent faite avec du lait de vache. Choisissez celle qui est conservée dans l'eau et qui est plus fraîche que celle qu'on trouve préemballée. Celle-ci pourra toujours servir pour les pizzas…*

# Salade de poires grillées au prosciutto

### 4 PORTIONS

*Il faut compter de 10 à 20 minutes pour faire griller les poires selon leur degré de mûrissement. Les poires et la roquette encore jeune composent un duo bien connu dans la région du Frioul. La roquette vendue dans nos supermarchés est souvent plus mûre et peut contrarier la douceur des poires. Remplacez-la alors par des feuilles de pissenlit ou de la laitue frisée.*

2 poires bosc, pelées, coupées en deux et évidées

30 ml (2 c. à soupe) de gorgonzola, émietté

50 ml (¼ tasse) de ricotta sans matières grasses

30 ml (2 c. à soupe) de lait écrémé

5 ml (1 c. à thé) de vinaigre de vin blanc

480 g (1 lb) de feuilles de pissenlit ou de laitue frisée, nettoyées et hachées

2 tranches de prosciutto (environ 30 g/1 oz), hachées

**1.** Préchauffer le four à 200 °C (400 °F). Placer les poires dans un plat de cuisson, face coupée vers le fond. Cuire au four de 10 à 20 minutes, jusqu'à ce qu'il soit facile de les transpercer avec un couteau.

**2.** Pendant ce temps, réduire en purée le gorgonzola, la ricotta, le lait et le vinaigre dans le robot de cuisine.

**3.** Diviser la verdure entre les 4 assiettes à salade. Couper les poires en dés et couvrir la verdure avec ceux-ci. Couvrir de prosciutto et arroser de vinaigrette.

PAR PORTION : 165 Calories, 5 g Gras total, 2 g Gras saturé, 10 mg Cholestérol, 320 mg Sodium, 24 g Glucide total, 6 g Fibres alimentaires, 10 g Protéines, 292 mg Calcium.

POINTS PAR PORTION : 3.

*Di Giorno Les poires bosc gardent mieux leur forme pendant la cuisson. On les évidera facilement avec une cuillère à pamplemousse ou à melon. On peut réserver un peu de gorgonzola pour garnir la salade.*

*Salade de poires grillées au prosciutto*

# Salade de feta aux pommes

4 PORTIONS

*La feta écrémée est disponible dans les bons supermarchés. Elle remplace à merveille le fromage de chèvre beaucoup plus riche. De nos jours, la plupart des fetas sont faites avec du lait de vache ou de brebis même si à l'origine on utilisait du lait de chèvre. Si vous n'avez pas de pommes fuji à portée de la main, optez pour des pommes sucrées comme les gala ou les golden delicious.*

30 ml (2 c. à soupe) de vinaigre de vin blanc

30 ml (2 c. à soupe) de miel

750 ml (3 tasses) de roquette, nettoyée et déchiquetée (environ 90 g/3 oz)

1 pomme fuji, évidée et coupée en morceaux

175 ml (¾ tasse) de feta écrémée aux fines herbes, émiettée

Fouetter ensemble le vinaigre et le miel. Dans un saladier, mélanger la roquette, les pommes et le fromage. Arroser de vinaigrette et remuer pour bien enrober la salade. Servir immédiatement.

PAR PORTION: 106 Calories, 0 g Gras total, 0 g Gras saturé, 17 mg Cholestérol, 214 mg Sodium, 15 g Glucide total, 1 g Fibres alimentaires, 3 g Protéines, 120 mg Calcium.

POINTS PAR PORTION: 2.

*Di Giorno Achetez du vinaigre de vin blanc dont la couleur est ambrée, ce qui indique qu'il a vieilli dans un tonneau de chêne. Les vinaigres de moins bonne qualité sont vieillis dans des contenants de verre ou de plastique. Les meilleures marques viennent de France et d'Italie.*

# Vinaigrette huile et vinaigre

4 PORTIONS

*Cette vinaigrette fraîche et légère donnera vie à la salade verte la plus ordinaire. Selon votre humeur du moment, ajoutez-lui différentes épices et fines herbes, des jus de fruit, des olives, des tomates séchées émincées, des fromages râpés ou des moutardes variées.*

45 ml (3 c. à soupe) de vin rouge ou blanc sec

20 ml (4 c. à thé) d'huile d'olive extravierge

10 ml (2 c. à thé) de vinaigre balsamique

10 ml (2 c. à thé) de vinaigre de vin rouge ou blanc

1 gousse d'ail, écrasée et épluchée

5 ml (1 c. à thé) de marjolaine ou d'origan frais, émincé

1 ml (¼ c. à thé) de sel

Poivre fraîchement moulu, au goût

Dans un petit pot à couvercle hermétique ou dans un petit bol, mélanger le vin, l'huile, les vinaigres, l'ail, l'origan, le sel et le poivre. Couvrir et bien remuer ou fouetter jusqu'à consistance homogène. Laisser reposer de 20 à 30 minutes pour laisser les saveurs se mêler. Jeter l'ail avant de servir. Si on conserve la vinaigrette dans le réfrigérateur, la laisser reposer à la température ambiante avant de l'utiliser.

PAR PORTION DE 20 ML/4 C. À THÉ : 49 Calories, 4 g Gras total, 1 g Gras saturé, 0 mg Cholestérol, 136 mg Sodium, 1 g Glucide total, 0 g Fibres alimentaires, 0 g Protéines, 5 mg Calcium.

POINTS PAR PORTION : 1.

*Di Giorno Comme le vin et l'huile d'olive, le vinaigre balsamique vient dans une variété de choix et de prix. Recherchez la mention* aceto balsamico tradizionale *sur l'étiquette, ce qui garantit qu'il a fermenté lentement et qu'il a vieilli en tonneau de bois pendant 12 à 100 ans. Les vinaigres balsamiques plus âgés sont sucrés, denses, complexes et ressemblent presque à du sirop. En Italie, on les boit même comme apéritif. On peut les payer jusqu'à 200 $ la bouteille. Les vinaigres qui ont vieilli pendant moins de 12 ans peuvent être achetés pour 20 $ environ et on peut en trouver de bonne qualité.*

# L'huile essentielle

Depuis que la déesse Athéna a conquis le droit de souveraineté sur Athènes en y faisant pousser l'olivier, cet arbre, son fruit et l'huile exquise qu'il produit ont été honorés dans toute la Méditerranée. Même si la légende peut être contestée, l'importance de l'huile d'olive dans la cuisine italienne est indiscutable. Voici quelques explications qui vous aideront à mieux choisir votre huile d'olive.

### Extravierge

Résultat de la première pression à froid des olives, elle contient le taux d'acidité le plus faible. Son goût, sa couleur et son arôme sont supérieurs. C'est la meilleure huile d'olive et son prix élevé est égal à sa réputation. Elle est aussi délicate et la cuisson ne lui convient pas. Réservez-la pour les plats sans cuisson ou peu cuits.

### Fino

*Fino* signifie « fine ». C'est un mélange d'huiles d'olive extravierge et vierge.

### Vierge

Son taux d'acidité est un peu plus élevé que celui de l'huile extravierge, mais elle vient elle aussi de la première pression des olives.

### Légère

Quand il est question d'huile d'olive, ce mot ne signifie pas qu'elle est réduite en calories ou en gras. Légère signifie ici que sa couleur et son arôme sont plus légers grâce à un procédé de filtration spécial. L'huile d'olive légère résiste mieux à la chaleur, ce qui la rend idéale pour la friture, la cuisson au four ou sur le poêle.

### Pure

L'huile d'olive pure, parfois simplement appelée huile d'olive, est un mélange d'huile d'olive raffinée et d'huile d'olive vierge ou extravierge.

### Pressée à froid

Les huiles d'olive pressées à froid sont les meilleures. L'huile est extraite par pression, sans utilisation de chaleur ni de produits chimiques, ce qui lui donne naturellement un taux d'acidité peu élevé. Une véritable huile d'olive vierge doit obligatoirement être pressée à froid.

### Chaleur supportée

Les huiles ne supportent pas toutes le même degré de chaleur. Quand le gras commence à chauffer à un degré trop élevé, de l'acide linolénique se dégage et donne un goût désagréable aux aliments. L'huile d'olive a une tolérance peu élevée à la chaleur si on la compare aux huiles de tournesol ou d'arachide. Voilà pourquoi certains cuisiniers suggèrent d'acheter au moins deux types d'huile d'olive : l'huile extravierge pour les vinaigrettes et les soupes, et l'huile pure ou légère pour cuire les aliments sur feu vif.

# Vinaigrette crémeuse à l'italienne

4 PORTIONS

*Particulièrement recommandée avec les salades de pommes de terre, cette vinaigrette convient également aux salades de riz ou de verdure. Conservez-la jusqu'à trois jours dans un bocal de verre fermé hermétiquement gardé dans le réfrigérateur.*

125 ml (½ tasse) de babeurre (1 %)

7 ml (½ c. à soupe) de sirop de maïs léger

15 ml (1 c. à soupe) de vinaigre de vin blanc

2 ml (½ c. à thé) d'assaisonnement à l'italienne

2 ml (½ c. à thé) de sel

1 pincée de piment de Cayenne broyé

1 gousse d'ail, épluchée

Dans le mélangeur ou le robot de cuisine, mélanger le babeurre, le sirop de maïs, le vinaigre, l'assaisonnement à l'italienne, le sel et le piment de Cayenne. Presser l'ail et réduire de nouveau en purée.

PAR PORTION DE 30 ML (2 C. À SOUPE) : 22 Calories, 0 g Gras total, 0 g Gras saturé, 2 mg Cholestérol, 327 mg Sodium, 4 g Glucide total, 0 g Fibres alimentaires, 1 g Protéines, 36 mg Calcium.

POINTS PAR PORTION : 0.

# Vinaigrette à la ciboulette et au persil

6 PORTIONS

*N'oubliez pas cette recette facile la prochaine fois que vous servirez une salade de pâtes. Touillez des coquilles ou des fusillis cuits et des tomates cerises coupées en quartiers avec cette vinaigrette.*

125 ml (½ tasse) de yogourt nature sans matières grasses

7 ml (½ c. à soupe) de vinaigre de vin blanc

7 ml (½ c. à soupe) de moutarde de Dijon

7 ml (½ c. à soupe) de persil plat frais, haché

5 ml (1 c. à thé) de ciboulette fraîche, hachée

1 ml (¼ c. à thé) de sel

1 pincée (⅛ c. à thé) de poivre fraîchement moulu

Dans un bol, fouetter ensemble le yogourt, le vinaigre, la moutarde, le persil, la ciboulette, le sel et le poivre. Laisser reposer quelques minutes pour laisser les saveurs se mêler.

PAR PORTION DE 20 ML (4 C. À THÉ) : 10 Calories, 0 g Gras total, 0 g Gras saturé, 0 mg Cholestérol, 140 mg Sodium, 2 g Glucide total, 0 g Fibres alimentaires, 1 g Protéines, 28 mg Calcium.

POINTS PAR PORTION : 0.

*Voir Di Giorno p. 341*

# Vinaigrette anchois, parmesan et moutarde

## 6 PORTIONS

*Une variante allégée de la vinaigrette César. La mayonnaise hypocalorique remplace allègrement l'huile et l'œuf cru dans cette recette. Si vous n'avez pas de pâte d'anchois, prenez plutôt deux filets d'anchois rincés et épongés.*

5 ml (1 c. à thé) de pâte d'anchois

125 ml (½ tasse) de mayonnaise hypocalorique

45 ml (3 c. à soupe) de vinaigre de vin blanc

20 ml (4 c. à thé) de moutarde de Dijon

2 gousses d'ail, émincées

2 ml (½ c. à thé) de sel

1 ml (¼ c. à thé) de poivre fraîchement moulu

15 ml (1 c. à soupe) de parmesan, râpé

Dans un bol, fouetter ensemble la pâte d'anchois, la mayonnaise, le vinaigre, la moutarde, l'ail, le sel, le poivre et le fromage. Conserver dans le réfrigérateur jusqu'à 2 jours.

PAR PORTION DE 30 ML (2 C. À SOUPE) : 45 Calories, 3 g Gras total, 2 g Gras saturé, 9 mg Cholestérol, 374 mg Sodium, 2 g Glucide total, 0 g Fibres alimentaires, 1 g Protéines, 22 mg Calcium.

POINTS PAR PORTION : 1.

# CHAPITRE 7

# Poissons et fruits de mer

# Poisson au four

4 PORTIONS

*L'Italie ayant plusieurs régions côtières, on y trouve plusieurs variantes de recettes de poisson au four. Souvent, on fait cuire des pommes de terre sur la plaque à rôtir en même temps que le poisson. Ce qui distingue chaque région, ce sont les poissons et les fines herbes dont on dispose. Cette recette est inspirée par une recette similaire de la Toscane.*

600 g (1 ¼ lb) de pommes de terre de consommation courante, pelées et coupées en fines tranches

2 oignons, en tranches

600 g (1 ¼ lb) de filets de pompano, de bar ou de mérou

10 ml (2 c. à thé) de romarin frais, émincé

4 feuilles de sauge, émincées

5 ml (1 c. à thé) de feuilles de thym séché, émiettées

2 ml (½ c. à thé) de sel

Poivre fraîchement moulu, au goût

10 ml (2 c. à thé) d'huile d'olive

50 ml (¼ tasse) de vin blanc sec

**1.** Préchauffer le four à 180 °C (350 °F). Vaporiser un plat de cuisson de 22,5 x 32,5 cm (9 x 13 po) avec de l'enduit anticollant. Couvrir le fond du plat avec les pommes de terre et les oignons en faisant alterner les couches. Mettre le poisson sur les légumes et couvrir avec le romarin, la sauge, le thym, le sel et le poivre. Arroser avec l'huile.

**2.** Couvrir de papier d'aluminium et cuire au four de 50 à 55 minutes, en arrosant de temps à autre avec le jus de cuisson, jusqu'à ce que les pommes de terre soient tendres et que le poisson soit opaque. Verser le vin sur le poisson et cuire à découvert de 3 à 5 minutes de plus. Servir immédiatement.

PAR PORTION : 307 Calories, 11 g Gras total, 2 g Gras saturé, 37 mg Cholestérol, 322 mg Sodium, 30 g Glucide total, 3 g Fibres alimentaires, 20 g Protéines, 31 mg Calcium.

POINTS PAR PORTION : 6.

# $\mathcal{P}$lie avec citron, persil et chapelure

4 PORTIONS

*Si votre marchand de poisson n'a plus de sole ni de plie, optez alors pour le vivaneau, la truite ou la barbue.*

4 filets de plie ou de sole (environ 120 g/¼ lb chacun)

60 ml (4 c. à soupe) de jus de citron fraîchement pressé

20 ml (4 c. à thé) d'huile d'olive

50 ml (¼ tasse) de chapelure nature

1 ml (¼ c. à thé) de sel

1 ml (¼ c. à thé) de poivre blanc moulu

125 ml (½ tasse) de persil plat frais, émincé

Quartiers de citron et brins de persil plat frais

**1.** Préchauffer le four à 180 °C (350 °F). Vaporiser un plat de cuisson de 22,5 x 32,5 cm (9 x 13 po) avec de l'enduit anticollant. Mettre les filets, peau vers le fond, dans le plat de cuisson. Arroser chaque filet avec 15 ml (1 c. à soupe) de jus de citron, puis brosser chacun avec 5 ml (1 c. à thé) d'huile.

**2.** Mélanger la chapelure, le sel et le poivre et saupoudrer sur les filets. Cuire au four de 10 à 12 minutes, jusqu'à ce que le poisson commence à être opaque au centre. Servir avec du persil éminé, des quartiers de citron et des brins de persil frais.

PAR PORTION : 170 Calories, 6 g Gras total, 1 g Gras saturé, 51 mg Cholestérol, 278 mg Sodium, 6 g Glucide total, 1 g Fibres alimentaires, 21 g Protéines, 45 mg Calcium.

POINTS PAR PORTION : 4.

*Di Giorno Assurez-vous d'acheter du poisson bien frais. La couleur et l'apparence des filets doivent être uniformes. Évitez ceux qui ont des taches rosâtres, brunes ou grises ; ceux qui sont secs ou qui ont des trous à certains endroits ; ceux encore dont la chair n'est pas tendre et brillante. Observez bien le marchand quand il prend le poisson : la chair ne doit pas rester renfoncée là où il a mis ses doigts. Si vous avez des doutes, sentez le poisson. L'odeur doit être douce ou vous rappeler celle de la mer. Si vous décelez la moindre odeur d'ammoniaque, insistez pour avoir des filets différents.*

# Bar d'Amérique avec crevettes et palourdes

## 4 PORTIONS

*Toutes les saveurs de la mer profonde sont présentes dans ce plat raffiné et facile à préparer.*
*Si vous ne trouvez pas de bar d'Amérique, tout filet de poisson ferme à chair maigre fera l'affaire:*
*mérou, bar noir, baudroie, etc.*

1 filet de bar d'Amérique de 480 g (1 lb)

120 g (4 oz) de crevettes moyennes, décortiquées et déveinées

12 petites palourdes, brossées

50 ml (¼ tasse) de vin blanc sec

30 ml (2 c. à soupe) de persil plat frais, émincé

30 ml (2 c. à soupe) de jus de citron fraîchement pressé

10 ml (2 c. à thé) d'huile d'olive

1 ml (¼ c. à thé) de sel

Poivre fraîchement moulu, au goût

1 citron, coupé en 8 tranches

4 brins de thym frais

**1.** Préchauffer le four à 200 °C (400 °F). Vaporiser un plat de cuisson de 22,5 x 32,5 cm (9 x 13 po) avec de l'enduit anticollant. Mettre le poisson, les crevettes et les palourdes dans le plat de cuisson.

**2.** Mélanger le vin, le persil, le jus de citron, l'huile, le sel et le poivre. Arroser le poisson et les fruits de mer avec cette préparation. Couvrir avec les tranches de citron et les brins de thym. Couvrir de papier d'aluminium et cuire au four de 15 à 20 minutes, jusqu'à ce que le poisson commence à être opaque au centre, que les crevettes soient roses et les palourdes ouvertes. Jeter toutes les palourdes qui sont restées fermées. Servir immédiatement.

PAR PORTION: 194 Calories, 6 g Gras total, 1 g Gras saturé, 138 mg Cholestérol, 269 mg Sodium, 5 g Glucide total, 0 g Fibres alimentaires, 29 g Protéines, 50 mg Calcium.

POINTS PAR PORTION: 4.

*Di Giorno La meilleure façon de toujours acheter du poisson de qualité est d'établir une relation de confiance avec votre marchand. Posez-lui des questions, demandez-lui ce qu'il a de plus frais, à quel moment le poisson est arrivé, etc. Si sa réponse est «Ce matin», vous pouvez être plus sûr de votre choix.*

# Morue grillée et pommes de terre

4 PORTIONS

*La morue et les pommes de terre ont toujours fait bon ménage en Italie, mais si vous les mettez ensemble au four, les pommes de terre seront trop molles puisque le poisson perd beaucoup de liquide pendant la cuisson. Réglez le problème en les faisant cuire dans le poêlon tandis que la morue est au four. Servez ce plat avec du Brocoli à l'ail et au citron (p. 252) ou une Salade de cardes de bette et d'épinards (p. 167).*

4 filets de morue de 150 g (5 oz) chacun

20 ml (4 c. à thé) de romarin frais, haché

Sel, au goût

Poivre fraîchement moulu, au goût

7 ml (½ c. à soupe) d'huile d'olive

6 petites pommes de terre rouges, en fines tranches

1 poireau moyen, nettoyé et coupé en fines tranches

1. Préchauffer le four à 230 °C (450 °F). Mettre la morue dans un plat de cuisson sur une seule couche. Sur chaque filet, mettre 2 ml (1/2 c. à thé) de romarin, du sel et du poivre. Faire griller environ 15 minutes, jusqu'à ce que le poisson soit opaque au centre.

2. Pendant ce temps, chauffer l'huile dans un poêlon à revêtement antiadhésif, puis ajouter les pommes de terre, les poireaux, le romarin restant, du sel et du poivre au goût. Cuire au four environ 10 minutes, en remuant de temps à autre, jusqu'à ce que le poisson soit bien brun. Servir la morue avec les pommes de terre à côté.

PAR PORTION : 256 Calories, 3 g Gras total, 1 g Gras saturé, 52 mg Cholestérol, 114 mg Sodium, 28 g Glucide total, 3 g Fibres alimentaires, 29 g Protéines, 40 mg Calcium.

POINTS PAR PORTION : 5.

# Poisson entier grillé à la sauce balsamique

*Ce plat est pour le moins spectaculaire et il est possible que vous hésitiez à le préparer.
Simplifiez-vous donc la tâche en achetant un poisson entier qui a été vidé et pesé auquel
on a enlevé les nageoires. Au moment d'entailler le dessus du poisson, évitez de pénétrer trop
profondément et de toucher les arêtes, ce qui vous permettra d'enlever celles-ci beaucoup
plus facilement après la cuisson.*

½ citron, coupé en quartiers

1 vivaneau ou 1 bar, nettoyé (environ 600 à 720 g/1 ¼ à 1 ½ lb)

7 ml (1 ½ c. à thé) d'huile d'olive

1 grosse gousse d'ail, hachée

125 ml (½ tasse) de court-bouillon ou de bouillon de poulet

22 ml (1 ½ c. à soupe) de basilic frais, haché

30 ml (2 c. à soupe) de vinaigre balsamique

1 ml (¼ c. à thé) de sel

1 pincée (⅛ c. à thé) de poivre fraîchement moulu

1. Préchauffer le four à 220 °C (425 °F). Tapisser un plat de cuisson avec du papier d'aluminium.

2. Farcir le poisson avec les quartiers de citron et le mettre dans le plat de cuisson. Entailler le dessus du poisson en quadrillé et arroser avec 2 ml (½ c. à thé) d'huile d'olive. Cuire au four environ 20 minutes, jusqu'à ce que le poisson soit opaque à l'arête.

3. Pendant ce temps, chauffer une petite casserole à revêtement antiadhésif. Verser l'huile restante (5 ml/1 c. à thé), puis ajouter l'ail. Cuire sur feu vif jusqu'à ce qu'il devienne doré. Verser le court-bouillon, le basilic et le vinaigre. Amener à ébullition et laisser bouillir de 3 à 4 minutes pour réduire environ au tiers. Saler et poivrer.

4. Enlever les arêtes et servir avec la sauce à côté.

PAR PORTION : 113 Calories, 3 g Gras total, 1 g Gras saturé, 31 mg Cholestérol, 296 mg Sodium, 2 g Glucide total, 0 g Fibres alimentaires, 18 g Protéines, 44 mg Calcium.

POINTS PAR PORTION : 3.

*Voir Di Giorno p. 342.*

# Thon en croûte de fenouil

4 PORTIONS

*La fraîcheur du fenouil rehausse la saveur de tous les poissons. Utilisez les restes de fenouil pour une autre recette et ne jetez pas les feuilles si jolies. Hachez-les et garnissez-en tous vos plats contenant du fenouil ou utilisez-le pour remplacer l'aneth.*

4 darnes de thon de 120 g (4 oz) chacune

45 ml (3 c. à soupe) de chapelure nature

30 ml (2 c. à soupe) de bulbe de fenouil, émincé

15 ml (1 c. à soupe) de jus de citron fraîchement pressé

15 ml (1 c. à soupe) de persil frais, émincé

10 ml (2 c. à thé) d'huile d'olive

5 ml (1 c. à thé) de graines de fenouil, écrasées

1 ml (¼ c. à thé) de sel

1 ml (¼ c. à thé) de poivre blanc moulu

**1.** Vaporiser une grille avec de l'enduit anticollant. Préchauffer le gril. Faire griller le thon à 12,5 cm (5 po) de la source de chaleur pendant 4 minutes. Retourner les darnes et faire griller 2 minutes de plus.

**2.** Pendant ce temps, mélanger la chapelure, le fenouil, le jus de citron, le persil, l'huile, les graines de fenouil, le sel et le poivre. Étendre cette préparation sur le poisson. Faire griller de 3 à 4 minutes, jusqu'à ce que le poisson commence à être opaque au centre et que la croûte soit bien dorée. Servir immédiatement.

PAR PORTION : 207 Calories, 8 g Gras total, 2 g Gras saturé, 43 mg Cholestérol, 227 mg Sodium, 4 g Glucide total, 0 g Fibres alimentaires, 27 g Protéines, 22 mg Calcium.

POINTS PAR PORTION : 5.

# Vivaneau avec pesto aux fines herbes

4 PORTIONS

*Faire mariner et griller le poisson fait ressortir toute sa saveur et le pesto aux fines herbes donne de merveilleux résultats. Si vous ne trouvez pas de vivaneau, essayez la truite, la plie, la sole ou tout filet de poisson maigre. Vous pouvez aussi adapter cette recette pour un poisson entier. Pour la photo, nous avons opté pour un vivaneau de 960 g (2 lb). Faites deux fentes dans la cavité et mettez-y des tranches de citron et des brins de fines herbes fraîches. Entaillez le dessus du poisson en prenant soin de ne pas pénétrer la chair trop profondément. Mélangez la marinade dans un très grand sac de plastique à fermeture hermétique ou dans un plat de cuisson en verre. Grillez le poisson 10 minutes de chaque côté.*

50 ml (¼ c. à thé) de jus de citron fraîchement pressé

50 ml (¼ c. à thé) de vin blanc sec

2 filets d'anchois, rincés et hachés, ou 5 ml (1 c. à thé) de pâte d'anchois

480 g (1 lb) de filets de vivaneau

250 ml (1 tasse) de feuilles de basilic frais, bien tassées

125 ml (½ tasse) de feuilles de persil frais, bien tassées

125 ml (½ tasse) de feuilles de menthe fraîche, bien tassées

20 ml (4 c. à thé) d'huile d'olive

2 gousses d'ail

1 ml (¼ c. à thé) de sel

Poivre fraîchement moulu, au goût

1. Mélanger le jus de citron, le vin et les anchois dans un sac de plastique à fermeture hermétique. Presser le sac pour faire sortir l'air et sceller. Remuer pour bien enrober le poisson. Mettre dans le réfrigérateur de 1 à 2 heures en retournant de sac de temps à autre.

2. Vaporiser une grille avec de l'enduit anticollant. Préparer le gril.

3. Pendant ce temps, dans le robot de cuisine ou le mélangeur, réduire en purée le basilic, le persil, la menthe, l'huile, l'ail, le sel et le poivre.

4. Faire griller le poisson à 12,5 cm (5 po) de la source de chaleur pendant 8 minutes. Étendre un peu de pesto aux herbes sur le poisson. Cuire environ 2 minutes de plus, jusqu'à ce que le poisson commence à être opaque au centre et que le pesto soit bien chaud. Servir immédiatement avec le pesto à côté.

*Di Giorno Le poisson étant plus délicat que la viande ou la volaille, il faut le faire mariner moins longtemps afin que sa chair ne durcisse pas.*

PAR PORTION : 189 Calories, 6 g Gras total, 1 g Gras saturé, 40 mg Cholestérol, 284 mg Sodium, 7 g Glucide total, 1 g Fibres alimentaires, 24 g Protéines, 210 mg Calcium.

POINTS PAR PORTION : 4.

*Vivaneau avec pesto*
*aux fines herbes*

# Espadon et brochettes de légumes

4 PORTIONS

*Préparez les brochettes à l'avance et ne les faites cuire qu'à la dernière minute.*

250 ml (1 tasse) de vin blanc sec

50 ml (¼ tasse) de jus de citron fraîchement pressé

30 ml (2 c. à soupe) de romarin frais, émincé, ou 5 ml (1 c. à thé) de romarin séché

30 ml (2 c. à soupe) d'origan frais, émincé, ou 5 ml (1 c. à thé) d'origan séché

15 ml (1 c. à soupe) de thym frais, émincé, ou 2 ml (½ c. à thé) de thym séché

10 ml (2 c. à thé) d'huile d'olive

2 gousses d'ail, émincées

2 filets d'anchois, rincés et hachés, ou 5 ml (1 c. à thé) de pâte d'anchois

Poivre fraîchement moulu, au goût

600 g (1 ¼ lb) de darnes d'espadon, coupées en cubes de 2,5 cm (1 po)

1 poivron vert, épépiné et coupé en carrés de 2,5 cm (1 po)

1 poivron rouge ou jaune, épépiné et coupé en carrés de 2,5 cm (1 po)

8 tomates prunes, coupées en deux et épépinées

2 petites courgettes, coupées en tranches de 2,5 cm (1 po)

1 oignon, coupé en 8 quartiers

1. Mélanger le vin, le jus de citron, le romarin, l'origan, le thym, l'huile, l'ail, les anchois et le poivre dans un sac de plastique à fermeture hermétique. Mettre le poisson dans le sac avec les poivrons, les tomates, les courgettes et les oignons. Presser le sac pour faire sortir l'air et sceller. Remuer pour bien enrober le poisson. Mettre dans le réfrigérateur de 1 à 2 heures en retournant le sac de temps à autre.

2. Vaporiser une grille avec de l'enduit anticollant. Préparer le gril. Vaporiser 8 brochettes métalliques de 45 cm (18 po) avec de l'enduit anticollant.

3. Verser la marinade dans une petite casserole et laisser bouillir 3 minutes sans cesser de remuer.

4. Faire alterner les morceaux de poisson et de légumes sur les brochettes. Mettre les brochettes sur la grille et brosser avec la moitié de la marinade. Faire griller 5 minutes, retourner les brochettes et brosser avec le restant de marinade. Faire griller de 3 à 5 minutes de plus, jusqu'à ce que le poisson commence à être opaque au centre et que les légumes soient légèrement noircis.

PAR PORTION : 307 Calories, 9 g Gras total, 2 g Gras saturé, 56 mg Cholestérol, 219 mg Sodium, 17 g Glucide total, 3 g Fibres alimentaires, 32 g Protéines, 63 mg Calcium.

POINTS PAR PORTION : 6.

*Voir Di Giorno p. 342.*

# Espadon en croûte d'anchois

4 PORTIONS

*Les anchois sont appréciés des Italiens. Nous les marions ici à la chapelure et aux câpres pour enrober le poisson d'une croûte délicieuse. Vous pouvez préparer la même recette avec du thon.*

1 darne d'espadon de 480 g (1 lb) de 2,5 cm (1 po) d'épaisseur

80 ml (¼ tasse + 2 c. à soupe) de chapelure nature

50 ml (¼ tasse) de vin blanc sec

5 ml (1 c. à thé) de zeste de citron, râpé

30 ml (2 c. à soupe) de jus de citron fraîchement pressé

15 ml (1 c. à soupe) d'origan frais, émincé, ou 2 ml (½ c. à thé) d'origan séché

15 ml (1 c. à soupe) de câpres, égouttées

10 ml (2 c. à thé) d'huile d'olive

2 filets d'anchois, rincés et hachés, ou 5 ml (1 c. à thé) de pâte d'anchois

Poivre fraîchement moulu, au goût

**1.** Vaporiser le gril avec de l'enduit anticollant. Préchauffer le gril. Faire griller le poisson 5 minutes, le retourner et poursuivre la cuisson 2 minutes de plus.

**2.** Pendant ce temps, dans le robot de cuisine, bien mélanger la chapelure, le vin, le zeste et le jus de citron, l'origan, les câpres, l'huile, les anchois et le poivre. Étendre cette préparation sur le poisson. Faire griller de 3 à 4 minutes, jusqu'à ce que le poisson commence à être opaque au centre et que la croûte soit bien dorée. Servir immédiatement.

PAR PORTION : 206 Calories, 7 g Gras total, 2 g Gras saturé, 43 mg Cholestérol, 312 mg Sodium, 8 g Glucide total, 0 g Fibres alimentaires, 23 g Protéines, 37 mg Calcium.

POINTS PAR PORTION : 5.

*Di Giorno Les câpres, appelées capperi en Italie, sont les boutons floraux d'un arbuste originaire de l'Asie orientale qui s'est répandu dans plusieurs régions chaudes dont la Méditerranée. Dans le sud de la France, les câpres sont petites alors que celles de l'Italie sont plus grosses. Si vous achetez ces dernières, vous voudrez peut-être les hacher. Leur saveur s'allie bien aux olives, aux anchois, au citron et aux tomates. On les vend souvent dans la saumure, mais certaines sont conservées dans le sel et demandent à être rincées avant usage. Les câpres dans le vinaigre peuvent se conserver indéfiniment dans le réfrigérateur.*

# Bar commun cuit en acqua pazza

4 PORTIONS

*Le poisson poché dans un bouillon assaisonné au piment de Cayenne broyé est très populaire dans tout le bassin méditerranéen. En Espagne, on appelle le bouillon agua loco ; en Italie, on le nomme acqua pazza, ce qui signifie « eau folle ». La recette italienne vient de Naples. Servez ce mets dans des assiettes creuses ou des bols peu profonds avec du bon pain croûté que vous tremperez dans l'acqua pazza.*

1 boîte de 427 ml (14 ½ oz) de tomates en dés

1 ml (¼ c. à thé) de piment de Cayenne broyé, ou au goût

1 ml (¼ c. à thé) de sel

3 grosses gousses d'ail, émincées

250 ml (1 tasse) de vin blanc sec

175 ml (¾ tasse) d'eau

10 ml (2 c. à thé) d'huile d'olive

4 filets de bar commun de 180 g (6 oz) chacun

Mélanger les tomates, le piment de Cayenne, le sel, l'ail, le vin et l'eau dans un poêlon à revêtement antiadhésif. Amener à ébullition et laisser bouillir 5 minutes. Ajouter l'huile. Réduire la chaleur et laisser mijoter 10 minutes à découvert. Ajouter le poisson et cuire à couvert environ 8 minutes, jusqu'à ce que le poisson soit opaque au centre.

PAR PORTION : 249 Calories, 6 g Gras total, 1 g Gras saturé, 70 mg Cholestérol, 562 mg Sodium, 5 g Glucide total, 1 g Fibres alimentaires, 33 g Protéines, 33 mg Calcium.

POINTS PAR PORTION : 5.

*Di Giorno Ce mode de cuisson convient aux poissons à chair blanche ferme tels que le vivaneau, la sole et le flétan.*

# Saumon à la sauce verte

4 PORTIONS

*On peut préparer ce plat à l'avance. Gardez la sauce et les filets pochés séparément dans le réfrigérateur (jusqu'à 24 heures). Servez le saumon froid sur un lit de verdure, comme on le fait sur la côte amalfi. Amenez la sauce à la température ambiante avant de servir.*

390 ml (1 ½ tasse + 1 c. à soupe) d'eau

1 feuille de laurier

12 grains de poivre noir entiers

4 filets de saumon de 180 g (6 oz) chacun

150 ml (⅔ tasse) de feuilles de persil plat frais

50 ml (¼ tasse) de feuilles de basilic frais

1 gousse d'ail, épluchée

7 ml (½ c. à soupe) de chapelure nature

30 ml (2 c. à soupe) de jus de citron fraîchement pressé

15 ml (1 c. à soupe) de vinaigre de vin blanc

**1.** Mélanger 375 ml (1 ½ tasse) d'eau, la feuille de laurier et les grains de poivre dans un grand plat à sauter. Amener à ébullition, puis ajouter le poisson sur une seule couche. Réduire la chaleur et laisser mijoter à couvert de 10 à 12 minutes, jusqu'à ce que le poisson commence à être opaque au centre.

**2.** Pendant ce temps, dans le robot de cuisine, réduire en purée le persil, le basilic, l'ail, la chapelure, le jus de citron, le vinaigre et 15 ml (1 c. à soupe) d'eau. Enlever la peau des filets et servir avec la sauce.

PAR PORTION : 255 Calories, 11 g Gras total, 2 g Gras saturé, 94 mg Cholestérol, 89 mg Sodium, 3 g Glucide total, 1 g Fibres alimentaires, 34 g Protéines, 46 mg Calcium.

POINTS PAR PORTION : 6.

*Di Giorno Pour faire la sauce, utilisez le robot de cuisine pour hacher les fines herbes le plus finement possible. Pour rehausser le goût du liquide de cuisson, ajoutez-lui un oignon, des feuilles de céleri ou des carottes au goût.*

# Crevettes Fra Diavolo

## 4 PORTIONS

*Fra Diavolo signifie «frère démon» et qualifie les plats épicés à base de tomates et de piments forts. Servez ces crevettes sur des pâtes en entrée (la recette suffit pour 480 g /1 lb de pâtes) ou en plat principal pour six personnes.*

7 ml (½ c. à soupe) d'huile d'olive

1 gros oignon, haché

3 grosses gousses d'ail, hachées

50 ml (¼ tasse) de vinaigre de vin rouge

75 ml (⅓ tasse) de persil plat frais, haché

1 boîte de 796 ml (28 oz) de tomates en dés

1 ml (¼ c. à thé) de piment de Cayenne broyé, ou au goût

720 g (1 ½ lb) de crevettes

**1.** Chauffer un poêlon à revêtement antiadhésif. Verser l'huile, puis ajouter les oignons. Cuire sur feu vif jusqu'à ce qu'ils soient dorés. Ajouter l'ail et cuire sur feu vif jusqu'à ce que ses arômes se dégagent. Ajouter le vinaigre et le persil et remuer environ 30 secondes de plus, jusqu'à bouillonnement. Ajouter les tomates et le piment de Cayenne et amener à faible ébullition. Réduire la chaleur et laisser mijoter à découvert environ 15 minutes, jusqu'à épaississement.

**2.** Avec des ciseaux, fendre les crevettes à travers la carapace du côté de la courbe extérieure. Rincer à l'eau froide pour retirer les veines. Quand la sauce est assez consistante, ajouter les crevettes et laisser mijoter de 6 à 8 minutes, en les retournant à mi-cuisson, jusqu'à ce qu'elles soient d'un beau rouge brillant et opaques au centre.

PAR PORTION : 275 Calories, 5 g Gras total, 0 g Gras saturé, 0 mg Cholestérol, 581 mg Sodium, 20 g Glucide total, 3 g Fibres alimentaires, 36 g Protéines, 115 mg Calcium.

POINTS PAR PORTION : 5.

# Poulpes à la sicilienne

### 4 PORTIONS

*Autrefois, en Sicile, on faisait cuire les poulpes dans une jarre de terre cuite placée directement sur la braise dans un foyer appelé* quartara. *Servez ces poulpes sur des tranches de pain ou de polenta grillées.*

1 boîte de 427 ml (14 ½ oz) de tomates en dés

3 gousses d'ail, émincées

30 ml (2 c. à soupe) de persil plat frais, haché

2 ml (½ c. à thé) de sel

2 ml (½ c. à thé) de piment de Cayenne broyé

720 g (1 ½ lb) de petits poulpes, nettoyés

Amener les tomates, l'ail, le persil, le sel et le piment de Cayenne à ébullition, puis ajouter les poulpes. Réduire la chaleur au minimum, couvrir et cuire de 40 à 50 minutes, jusqu'à ce que les poulpes soient tendres sous la fourchette. Retirer le couvercle et cuire sur feu moyen de 20 à 30 minutes de plus, jusqu'à ce que la sauce épaississe.

PAR PORTION : 165 Calories, 2 g Gras total, 0 g Gras saturé, 82 mg Cholestérol, 981 mg Sodium, 8 g Glucide total, 1 g Fibres alimentaires, 27 g Protéines, 104 mg Calcium.

POINTS PAR PORTION : 3.

# Calmars farcis

## 6 PORTIONS

*On trouve plusieurs variantes de cette recette dans toute l'Italie. La technique consistant à envelopper la farce dans une feuille est originaire d'Asie. Cela permet de farcir les calmars plus facilement et la présentation est plus élégante par le fait même. Utilisez des feuilles de scarole très larges, sinon prenez deux feuilles plus petites en les faisant se chevaucher légèrement.*

150 ml (⅔ tasse) d'orge à cuisson rapide

125 ml (½ tasse) de champignons creminis, hachés

650 ml (2 ⅔ tasses) de bouillon de poulet

12 grandes feuilles de scarole, équeutées

12 gros calmars (corps seulement) (environ 360 g/12 oz)

1 citron, en quartiers

*Di Giorno Les calmars, ou encornets, ne se conservent pas longtemps et ceux qu'on trouve sur le marché ont souvent été congelés. Recherchez des calmars qui ont été nettoyés et qui ont une bonne odeur. Ne les gardez pas plus de 24 heures dans le réfrigérateur.*

**1.** Dans une casserole moyenne, amener à ébullition l'orge, les champignons et le bouillon. Réduire la chaleur, couvrir et laisser mijoter de 10 à 12 minutes, jusqu'à ce que le bouillon soit complètement absorbé.

**2.** Pendant ce temps, mettre la scarole dans une passoire. Verser de l'eau bouillante par-dessus pour ramollir les feuilles. Bien égoutter. Étendre les feuilles de scarole à plat. Couvrir chaque feuille avec une quantité égale de préparation à l'orge. Rouler chaque feuille de scarole et en farcir un calmar. Faire tenir avec un cure-dent. Farcir ainsi les 12 calmars. Vaporiser avec de l'enduit anticollant.

**3.** Préchauffer le gril. Faire griller les calmars environ 1 minute de chaque côté, jusqu'à ce qu'ils soient opaques et commencent à brunir. Servir avec des quartiers de citron. Enlever les cure-dent avant de manger.

PAR PORTION : 145 Calories, 3 g Gras total, 1 g Gras saturé, 134 mg Cholestérol, 473 mg Sodium, 17 g Glucide total, 4 g Fibres alimentaires, 12 g Protéines, 30 mg Calcium.

POINTS PAR PORTION : 2.

*Calmars farcis*

# Palourdes à la vapeur

4 PORTIONS

*Choisissez les plus petites palourdes que vous trouverez afin qu'elles ressemblent
le plus possible à celles que l'on vend en Italie.*

45 g (1 ½ oz) de pancetta, coupée en dés (environ 50 ml/¼
tasse), ou 3 tranches de bacon,
hachées

2 grosses gousses d'ail, émincées

300 ml (1 ¼ tasse) de pinot grigio ou autre vin blanc sec

960 g (2 lb) de petites palourdes, brossées

Chauffer une casserole à revêtement antiadhésif.
Ajouter la pancetta et cuire sur feu vif jusqu'à ce
qu'elle commence à brunir. Ajouter l'ail et cuire sur
feu vif jusqu'à ce qu'il soit doré. Verser le vin et
amener à ébullition. Ajouter les palourdes, couvrir et
cuire de 5 à 8 minutes, jusqu'à ce qu'elles ouvrent,
en secouant la casserole de temps à autre. Jeter toutes
les palourdes qui sont restées fermées.

PAR PORTION : 279 Calories, 8 g Gras total, 3 g Gras
saturé, 84 mg Cholestérol, 209 mg Sodium, 7 g
Glucide total, 0 g Fibres alimentaires, 30 g Protéines,
114 mg Calcium.

POINTS PAR PORTION : 6.

*Di Giorno* On peut garder les palourdes crues jusqu'à
*24 heures dans le réfrigérateur. Si elles sont dans un sac de
plastique, percez plusieurs trous afin qu'elles puissent
respirer. Pour brosser les palourdes, les mettre dans une
grande passoire et les rincer à l'eau froide en prenant soin
de jeter toutes celles dont le coquillage n'est pas intact.*

# Moules à la vapeur

### 4 PORTIONS

*Il n'est pas toujours facile d'ébarber des moules, mais heureusement on peut maintenant en
acheter toutes nettoyées dans certains supermarchés. Elles sont habituellement vendues dans un sac
en maille. Pour ébarber les moules, mettez-les dans une grande passoire et brossez-les sous l'eau
froide en prenant soin de jeter toutes celles qui ne sont pas parfaitement fermées. Ne les faites pas
tremper dans de l'eau du robinet pour les débarrasser de leur sable, car cela pourrait les tuer.*

5 ml (1 c. à thé) d'huile d'olive

1 petit oignon, haché

3 grosses gousses d'ail, émincées

1 boîte de 427 ml (14 ½ oz) de tomates en dés

175 ml (¾ tasse) de vin blanc sec

30 ml (2 c. à soupe) de basilic frais, haché

960 g (2 lb) de moules, ébarbées et brossées

Chauffer une casserole à revêtement antiadhésif.
Verser l'huile, puis ajouter les oignons. Cuire sur feu
vif jusqu'à ce qu'ils soient dorés. Ajouter l'ail et
cuire sur feu vif jusqu'à ce que ses arômes se dégagent. Incorporer les tomates, le vin et le basilic et
amener à ébullition. Ajouter les moules, couvrir et
cuire environ 5 minutes, jusqu'à ce qu'elles s'ouvrent, en secouant la casserole de temps à autre. Jeter
toutes les moules qui sont restées fermées.

PAR PORTION : 270 Calories, 6 g Gras total, 1 g Gras
saturé, 64 mg Cholestérol, 960 mg Sodium, 15 g
Glucide total, 2 g Fibres alimentaires, 29 g Protéines,
81 mg Calcium.

POINTS PAR PORTION : 6.

# CHAPITRE 8

Volaille

# Poulet rôti au basilic

## 6 PORTIONS

*Utilisez une plaque à rôtir en métal qui convient à la fois au four et à la cuisinière pour préparer ce poulet d'une extrême simplicité que l'on appelle* pollo ruspante *en Italie.*

3 ou 4 gousses d'ail, épluchées

75 ml (⅓ tasse) de feuilles de basilic frais, bien tassées

2 ml (½ c. à thé) de zeste de citron, râpé

15 ml (1 c. à soupe) de jus de citron fraîchement pressé

10 ml (2 c. à thé) d'huile d'olive

1 poulet de 1,7 à 1,9 kg (3 ½ à 4 lb), rincé, épongé et débarrassé de toute trace de gras visible

250 ml (1 tasse) de vin de blanc sec

1 gousse d'ail, émincée

5 ml (1 c. à thé) de basilic frais, haché

1 ml (¼ c. à thé) de sel

1 pincée (⅛ c. à thé) de poivre fraîchement moulu

**1.** Préchauffer le four à 200 °C (400 °F). Mettre une grille sur la plaque à rôtir.

**2.** Dans le robot de cuisine, mélanger l'ail épluché, les feuilles de basilic, le zeste et le jus de citron. Tout en actionnant le moteur, verser lentement l'huile dans l'entonnoir pour former une pâte. Soulever délicatement la peau du poulet et presser cette préparation entre la peau et la chair en l'étendant uniformément. Mettre le poulet sur la grille, poitrine vers le haut, et replier les ailes en dessous. Cuire au four de 1 à 1 ½ heure. Vérifier la cuisson en insérant un thermomètre dans la cuisse (ne pas toucher l'os); le poulet est cuit quand le thermomètre indique 82 °C (180 °F). Mettre le poulet sur une assiette, couvrir de papier d'aluminium et laisser reposer pendant la préparation de la sauce.

**3.** Vider le gras de cuisson de la plaque à rôtir. Mélanger le vin, l'ail émincé et le basilic et verser dans la plaque à rôtir. Amener à ébullition, en remuant et en raclant le fond de la plaque de temps à autre. Cuire environ 5 minutes, jusqu'à ce que la sauce soit réduite de moitié. Saler et poivrer.

**4.** Découper le poulet et enlever la peau avant de le manger. Servir avec la sauce à côté.

Par portion : 159 Calories, 4 g Gras total, 1 g Gras saturé, 66 mg Cholestérol, 175 mg Sodium, 2 g Glucide total, 0 g Fibres alimentaires, 21 g Protéines, 25 mg Calcium.

Points par portion : 4.

*Poulet rôti au basilic*

# Chapon au fenouil

## 8 PORTIONS

*Les chapons sont toujours meilleurs cuits au four. La pancetta est un bacon italien cru et non pas fumé. Elle est vendue sous forme de saucisson et souvent assaisonnée de grains de poivre. On la conserve jusqu'à trois semaines dans le réfrigérateur et on peut même la congeler.*

45 g (1 ½ oz) de pancetta, finement hachée

2 grosses gousses d'ail, épluchées

15 ml (1 c. à soupe) de feuilles de romarin frais

5 ml (1 c. à thé) de graines de fenouil

2 ml (½ c. à thé) de poivre fraîchement moulu

10 ml (2 c. à thé) d'huile d'olive

1 chapon de 2,4 à 2,9 kg (5 à 6 lb), rincé, bien épongé et débarrassé de toute trace de gras visible

**1.** Préchauffer le four à 220 °C (425 °F). Mettre une grille dans une plaque à rôtir.

**2.** Dans le robot de cuisine, mélanger la pancetta, l'ail, le romarin, les graines de fenouil et le poivre. Tout en actionnant le moteur, verser lentement l'huile dans l'entonnoir pour former une pâte. Soulever délicatement la peau de la poitrine du chapon et presser cette préparation entre la peau et la chair en l'étendant uniformément. Mettre le chapon sur la grille, poitrine vers le haut, et replier les ailes en dessous. Rôtir 15 minutes, puis baisser la température à 180 °C (350 °F). Cuire environ 1 ½ heure de plus. Vérifier la cuisson en insérant un thermomètre dans la cuisse (ne pas toucher l'os); le chapon est cuit quand le thermomètre indique 82 °C (180 °F). Laisser reposer 10 minutes avant de découper. Enlever la peau avant de manger.

PAR PORTION : 171 Calories, 7 g Gras total, 2 g Gras saturé, 77 mg Cholestérol, 124 mg Sodium, 1 g Glucide total, 0 g Fibres alimentaires, 24 g Protéines, 27 mg Calcium.

POINTS PAR PORTION : 4.

# Poulet grillé au citron

### 4 PORTIONS

*N'utilisez pas de presse-ail. Pressez simplement la gousse avec le côté plat d'un grand couteau, ce qui vous permettra de la retirer plus facilement de la casserole après la cuisson.*

5 citrons

960 g (2 lb) de morceaux de poulet non désossés, sans peau et débarrassés de toute trace de gras visible

480 g (1 lb) de pommes de terre de consommation courante, pelées et hachées

1 gousse d'ail, écrasée et épluchée

2 ml (½ c. à thé) de sel

3 courgettes, en cubes

5 ml (1 c. à thé) de poudre de bouillon de poulet instantané

10 ml (2 c. à thé) d'estragon frais, émincé

**1.** Couper le zeste de 2 citrons en lanières, puis presser le jus des 5 citrons.

**2.** Chauffer une casserole à revêtement antiadhésif et mélanger le poulet, les pommes de terre, l'ail et 60 à 75 ml (4 à 5 c. à soupe) de jus de citron. Cuire, en retournant le poulet de temps à autre, jusqu'à ce qu'il brunisse. Saler. Incorporer les courgettes et cuire environ 5 minutes, puis ajouter le jus de citron et le bouillon. Réduire la chaleur et laisser mijoter environ 25 minutes, jusqu'à ce que le poulet soit bien cuit. Jeter l'ail. Servir avec le jus de cuisson et garnir d'estragon émincé.

PAR PORTION : 284 Calories, 5 g Gras total, 1 g Gras saturé, 99 mg Cholestérol, 633 mg Sodium, 27 g Glucide total, 2 g Fibres alimentaires, 34 g Protéines, 54 mg Calcium.

POINTS PAR PORTION : 6.

*Di Giorno L'estragon, appelé* dragoncello *en Italie, a un fort parfum d'anis. Utilisez-le avec parcimonie, sinon il tuera le goût des autres ingrédients.*

# Poulet rôti avec pommes de terre et oignons

8 PORTIONS

*Cette recette ne demande que quelques minutes de préparation et une heure de cuisson au four.*
*Servez ce poulet le dimanche soir afin d'avoir de succulents restes pour vos lunchs de la semaine.*

250 ml (1 tasse) de bouillon de poulet hyposodique

125 ml (½ tasse) de jus de citron fraîchement pressé

30 ml (2 c. à soupe) de thym frais, ou 10 ml (2 c. à thé) de feuilles de thym séché, émietté

45 ml (3 c. à soupe) d'huile d'olive

1 ml (¼ c. à thé) de sel

Poivre fraîchement moulu, au goût

1,2 kg (2 ½ lb) de pommes de terre de consommation courante, pelées et coupées en cubes

4 oignons, grossièrement hachés

8 demi-poitrines de poulet de 90 g (3 oz) chacune, sans peau et sans os

**1.** Préchauffer le four à 180 °C (350 °F). Vaporiser un plat de cuisson de 22,5 x 32,5 cm (9 x 13 po) avec de l'enduit anticollant.

**2.** Dans un grand bol, mélanger le bouillon, le jus de citron, le thym, l'huile, le sel et le poivre. Ajouter les pommes de terre et les oignons. Remuer pour bien enrober. Avec une écumoire, transvider les légumes dans le plat de cuisson. Mettre le poulet dans le bouillon et bien l'arroser. Mettre ensuite le poulet dans le plat de cuisson sur une seule couche avec les légumes. Verser le bouillon par-dessus. Couvrir de papier d'aluminium.

**3.** Rôtir 30 minutes, en retournant le poulet de temps à autre, jusqu'à ce que le jus de cuisson devienne rose quand on perce le poulet avec une fourchette. Enlever le papier d'aluminium et rôtir 30 minutes de plus, jusqu'à ce que les légumes soient dorés et que le jus de cuisson soit clair quand on perce le poulet avec une fourchette.

PAR PORTION : 270 Calories, 6 g Gras total, 1 g Gras saturé, 49 mg Cholestérol, 147 mg Sodium, 31 g Glucide total, 3 g Fibres alimentaires, 24 g Protéines, 38 mg Calcium.

POINTS PAR PORTION : 5.

*Voir Di Giorno p. 342.*

# Poulet au marsala

*Vous ne vous tromperez pas en servant ce poulet avec un risotto ou un plat de pâtes léger et les Pois sautés au prosciutto (p. 255).*

15 ml (1 c. à soupe) d'huile d'olive

45 ml (3 c. à soupe) de farine tout usage

1 ml (¼ c. à thé) de sel

Poivre fraîchement moulu, au goût

4 demi-poitrines de poulet de 90 g (3 oz) et de 6 mm (¼ po) d'épaisseur chacune, sans peau

500 ml (2 tasses) de champignons, en fines tranches

250 ml (1 tasse) de marsala

30 ml (2 c. à soupe) de persil plat frais, émincé

15 ml (1 c. à soupe) de basilic frais, émincé, ou 2 ml (½ c. à thé) de basilic séché

1 gousse d'ail, écrasée et épluchée

1. Chauffer l'huile dans un grand poêlon à revêtement antiadhésif. Mélanger la farine, le sel et le poivre dans un sac de plastique à fermeture hermétique. Mettre le poulet dans le sac et remuer pour bien enrober.

2. Secouer le poulet pour le débarrasser de tout excès de farine et le mettre dans le poêlon. Cuire sur feu vif environ 3 minutes de chaque côté, jusqu'à ce qu'il soit bien cuit. Mettre le poulet sur une assiette chaude.

3. Dans le même poêlon, mélanger les champignons, le vin, le persil, le basilic et l'ail. Cuire environ 5 minutes, en remuant souvent et en raclant le fond du poêlon, jusqu'à ce que le liquide soit réduit à 75 ml (⅓ tasse). Jeter l'ail. Réduire la chaleur, remettre le poulet et le jus de cuisson dans le poêlon et réchauffer. Servir le poulet avec la sauce.

PAR PORTION : 261 Calories, 6 g Gras total, 1 g Gras saturé, 49 mg Cholestérol, 226 mg Sodium, 14 g Glucide total, 1 g Fibres alimentaires, 21 g Protéines, 25 mg Calcium.

POINTS PAR PORTION : 6.

*Voir Di Giorno p. 342.*

# Escalopes de poulet à la bolonaise

4 PORTIONS

*Le poulet, le jambon et le fromage se marient bien. À Bologne, on cuisine ce plat avec du veau plutôt qu'avec du poulet et on le frit au lieu de le cuire dans un four chaud.*

50 ml (¼ tasse) de babeurre

1 pincée (⅛ c. à thé) de poivre fraîchement moulu

125 ml (½ tasse) de chapelure assaisonnée à l'italienne

4 demi-poitrines de poulet de 120 g (4 oz) chacune, sans peau et sans os

2 tranches de prosciutto (environ 30 g/1 oz), coupées diagonalement en deux

60 ml (4 c. à soupe) de mozzarella partiellement écrémée, en lamelles

**1.** Mettre une plaque à revêtement antiadhésif dans le four et préchauffer à 250 °C (475 °F).

**2.** Dans un bol peu profond, mélanger le babeurre et le poivre. Mettre la chapelure sur du papier ciré. Tremper les poitrines de poulet dans le babeurre puis les passer dans la chapelure.

**3.** Vaporiser la plaque avec de l'enduit anticollant et mettre le poulet au centre. Cuire au four 4 minutes, vaporiser le dessus des poitrines avec de l'enduit anticollant et les retourner sur la plaque. Couvrir chaque poitrine avec un morceau de prosciutto et 15 ml (1 c. à soupe) de fromage. Cuire environ 3 minutes de plus, jusqu'à ce que le poulet soit bien cuit et que le fromage soit fondu et commence à brunir.

PAR PORTION : 223 Calories, 5 g Gras total, 2 g Gras saturé, 74 mg Cholestérol, 433 mg Sodium, 11 g Glucide total, 1 g Fibres alimentaires, 32 g Protéines, 103 mg Calcium.

POINTS PAR PORTION : 5.

*Di Giorno Au lieu de frire le poulet, on fait préchauffer la plaque et on la vaporise avec de l'enduit anticollant juste avant de mettre le poulet dessus. La volaille sera ainsi plus croustillante sans être trop grasse.*

# Poitrines de poulet à la sauce au thon

4 PORTIONS

*Nous remplaçons le veau par du poulet dans cette recette traditionnelle de la Lombardie et du Piémont appelée Vitello Tonnato, inspirée de la cuisine française. Ce plat est délicieux chaud ou froid.*

1 boîte de 195 g (6 ½ oz) de thon albacore dans l'eau, égoutté

6 feuilles de sauge

50 ml (¼ tasse) de mayonnaise hypocalorique

30 ml (2 c. à soupe) de jus de citron fraîchement pressé

15 ml (1 c. à soupe) de grosses câpres, égouttées

5 ml (1 c. à thé) de pâte d'anchois

6 gouttes de sauce forte au piment vert

4 demi-poitrines de poulet de 90 g (3 oz) chacune, sans peau et sans os

**1.** Préchauffer le four à 190 °C (375 °F).

**2.** Dans le robot de cuisine, réduire en purée le thon, la sauge, la mayonnaise, le jus de citron, les câpres, la pâte d'anchois et la sauce forte. Mettre le poulet sur une seule couche dans un plat de cuisson et couvrir avec la purée. Cuire au four environ 25 minutes, jusqu'à ce que le poulet soit cuit et que la sauce bouillonne.

PAR PORTION : 275 Calories, 6 g Gras total, 2 g Gras saturé, 124 mg Cholestérol, 427 mg Sodium, 2 g Glucide total, 0 g Fibres alimentaires, 50 g Protéines, 33 mg Calcium.

POINTS PAR PORTION : 6.

# Poitrines de poulet farcies aux noisettes

4 PORTIONS

*Les farces aux noisettes sont populaires dans le Piémont. Vous pouvez laisser le poulet refroidir après la cuisson, puis le découper et le servir sur un lit de roquette ou d'épinards. Une salade des plus élégantes! La sauce peut alors remplacer agréablement la vinaigrette.*

60 g (2 oz) de noisettes (environ 125 ml/½ tasse)

50 ml (¼ tasse) de raisins secs dorés

30 ml (2 c. à soupe) de feuilles de persil plat frais

30 ml (2 c. à soupe) de chapelure assaisonnée à l'italienne

95 ml (¼ tasse + 3 c. à soupe) de jus d'orange

4 demi-poitrines de poulet de 120 g (4 oz) et de 6 mm (¼ po) d'épaisseur chacune, sans peau et sans os

45 ml (3 c. à soupe) de miel

30 ml (2 c. à soupe) de moutarde de Dijon

**1.** Préchauffer le four à 190 °C (375 °F). Mettre les noisettes sur une plaque et les passer au four 4 minutes. Transvider les noisettes sur un linge propre, couvrir et laisser refroidir environ 2 minutes. Frotter ensuite vigoureusement avec le linge pour les débarrasser de leur pelure. Mettre les noisettes dans le robot de cuisine avec les raisins secs, le persil, la chapelure et 45 ml (3 c. à soupe) de jus d'orange. Actionner le moteur de 3 à 5 fois pour hacher finement.

**2.** Étendre environ 30 ml (2 c. à soupe) de la préparation aux noisettes sur chaque poitrine et rouler en commençant par le bout le plus étroit. Faire tenir à l'aide d'un cure-dent. Mettre les poitrines dans un plat de cuisson et les vaporiser avec de l'enduit anticollant. Cuire au four environ 20 minutes, jusqu'à ce qu'elles soient bien cuites.

**3.** Pour faire la sauce, mélanger ensemble le miel, la moutarde et le jus d'orange restant (50 ml/¼ tasse). Servir le poulet avec la sauce à côté.

PAR PORTION : 330 Calories, 11 g Gras total, 1 g Gras saturé, 66 mg Cholestérol, 320 mg Sodium, 30 g Glucide total, 2 g Fibres alimentaires, 30 g Protéines, 67 mg Calcium.

POINTS PAR PORTION : 7.

*Poitrines de poulet farcies aux noisettes avec Fenouil grillé (page 268)*

# Poitrines de poulet farcies aux olives

## 4 PORTIONS

*La viande et le poisson roulés, appelés involtini en Italie, sont très appréciés dans tout le pays. Cette recette vient des Marches, où l'on aime servir un poulet entier farci aux olives. Achetez des olives dodues à chair ferme conservées dans la saumure plutôt que dans l'huile.*

50 ml (¼ tasse) de ricotta sans matières grasses

4 olives vertes, dénoyautées

10 ml (2 c. à thé) de feuilles de thym frais

50 ml (¼ tasse) de chapelure nature

4 demi-poitrines de poulet de 90 g (3 oz) et de 6 mm (¼ po) d'épaisseur chacune, sans peau et sans os

125 ml (½ tasse) de bouillon de poulet

15 ml (1 c. à soupe) de vinaigre balsamique

15 ml (1 c. à soupe) de sucre brun pâle cristallisé

1. Préchauffer le four à 180 °C (350 °F).

2. Dans le robot de cuisine, réduire en purée la ricotta, les olives, le thym et 30 ml (2 c. à soupe) de chapelure. Étendre la purée sur les poitrines de poulet et les rouler en commençant par le côté le plus long. Faire tenir à l'aide d'un cure-dent. Rouler les poitrines dans la chapelure restante pour bien les enrober. Mettre les poitrines dans un plat de cuisson, les vaporiser avec de l'huile d'olive et cuire au four environ 25 minutes, jusqu'à ce qu'elles soient bien cuites.

3. Pendant ce temps, amener à ébullition le bouillon, le vinaigre et la cassonade. Laisser bouillir 1 minute. Couper chaque poitrine en 4 tranches. Dresser les tranches de poulet sur une assiette et arroser avec la sauce.

PAR PORTION : 158 Calories, 2 g Gras total, 1 g Gras saturé, 50 mg Cholestérol, 342 mg Sodium, 10 g Glucide total, 1 g Fibres alimentaires, 23 g Protéines, 53 mg Calcium.

POINTS PAR PORTION : 3.

*Di Giorno Les cristaux du sucre brun cristallisé ne collent pas ensemble contrairement à ceux de la cassonade ordinaire. Utilisez-le pour les sauces et les vinaigrettes parce qu'il peut se dissoudre presque instantanément.*

# Poulet aux haricots de Lima

4 PORTIONS

*En Lombardie, on prépare habituellement ce plat avec des fèves des marais ou des gourganes, pas toujours faciles à trouver chez nous. Si vous avez la chance d'en avoir sous la main, choisissez celles qui sont fraîches et qui poussent à la fin du printemps et au début de l'été. Comptez 720 g (1 ½ lb) de gourganes dans leur cosse. Écossez-les, blanchissez-les et pelez-les. Ajustez la cuisson en conséquence.*

50 ml (¼ tasse) de farine tout usage

5 ml (1 c. à thé) d'assaisonnement à l'italienne

2 ml (½ c. à thé) de sel

1 ml (¼ c. à thé) de poivre fraîchement moulu

4 demi-poitrines de poulet de 120 g (4 oz) chacune, sans peau et sans os

1 gousse d'ail, émincée

1 paquet de 300 g (10 oz) de haricots de Lima, décongelés

15 ml (1 c. à soupe) de basilic frais, haché

250 ml (1 tasse) de vin blanc sec

**1.** Mélanger la farine, l'assaisonnement à l'italienne, le sel et le poivre sur du papier ciré. Passer le poulet dans cette préparation, puis le vaporiser avec de l'enduit anticollant.

**2.** Chauffer un poêlon à revêtement antiadhésif. Ajouter les poitrines de poulet et cuire environ 2 minutes pour faire brunir. Retourner les poitrines, ajouter l'ail, les haricots de Lima, le basilic et le vin. Réduire la chaleur, couvrir et cuire environ 10 minutes, jusqu'à ce que le poulet soit bien cuit.

PAR PORTION : 270 Calories, 2 g Gras total, 0 g Gras saturé, 66 mg Cholestérol, 990 mg Sodium, 21 g Glucide total, 4 g Fibres alimentaires, 32 g Protéines, 40 mg Calcium.

POINTS PAR PORTION : 5.

*Di Giorno Le papier ciré est très utile pour paner la viande et la volaille. Quand le travail est terminé, il suffit de le replier et de le jeter. Un plat en moins à laver !*

# Dinde à la romaine

## 6 PORTIONS

*À Rome, on fait souvent pocher la dinde dans une sauce tomate aux poivrons. Même si on coupe habituellement la volaille en tranches avant de la pocher, dans cette recette nous avons choisi de la laisser entière afin qu'elle reste plus tendre.*

5 ml (1 c. à thé) d'huile d'olive

1 rôti de poitrine de dinde maigre de 720 g (1 ½ lb), désossé

2 pots de 300 ml (10 oz) de piments mélangés rôtis, rincés et égouttés

1 boîte de 796 ml (28 oz) de tomates en dés

2 gousses d'ail, émincées

2 ml (½ c. à thé) de sel

10 ml (2 c. à thé) d'arrow-root, dissoute sans 30 ml (2 c. à soupe) d'eau

1. Chauffer un plat à sauter à revêtement antiadhésif. Verser l'huile, puis ajouter la dinde. Faire brunir environ 2 minutes, puis retourner pour faire brunir pendant environ 1 minute de l'autre côté. Mettre la dinde sur une assiette. Ajouter les piments, les tomates et l'ail dans le poêlon. Amener à ébullition, remettre la dinde dans le plat à sauter et l'arroser avec la sauce. Réduire la chaleur, couvrir et laisser mijoter environ 1 heure, jusqu'à ce qu'elle soit bien cuite. Laisser reposer 10 minutes avant de découper.

2. Ajouter le sel et l'arrow-root dissoute dans le jus de cuisson. Bien remuer et cuire environ 2 minutes, jusqu'à ce que la sauce soit épaisse et claire. Servir la dinde avec la sauce. Enlever la peau avant de manger.

PAR PORTION : 198 Calories, 1 g Gras total, 0 g Gras saturé, 70 mg Cholestérol, 678 mg Sodium, 10 g Glucide total, 1 g Fibres alimentaires, 29 g Protéines, 35 mg Calcium.

POINTS PAR PORTION : 4.

*Di Giorno Utilisez un plat à sauter, ou sautoir, pour pocher la dinde, ce qui vous facilitera la tâche.*

# Dinde braisée dans le lait avec pesto de roquette

6 PORTIONS

*On fait souvent braiser la volaille dans le lait dans les régions du Piémont et de la Lombardie.*
*La poitrine de dinde deviendra remarquablement tendre et blanche grâce à ce mode de cuisson.*
*Gardez les restes pour faire des sandwichs et utilisez le pesto comme tartinade.*

1 rôti de poitrine de dinde maigre de 960 g (2 lb), désossé

10 feuilles de sauge

1 ml (¼ c. à thé) de sel

1 pincée (⅛ c. à thé) de poivre fraîchement moulu

125 ml (½ tasse) de lait écrémé

175 ml (¾ tasse) de bouillon de poulet

1 botte de roquette, nettoyée et équeutée

2 gousses d'ail, épluchées

7 ml (½ c. à soupe) de pignons

15 ml (1 c. à soupe) d'huile d'olive

30 ml (2 c. à soupe) de feuilles de persil plat frais

30 ml (2 c. à soupe) de mayonnaise hypocalorique

**1.** Soulever délicatement la peau de la poitrine de dinde et mettre les feuilles de sauge entre la peau et la chair. Saler et poivrer la poitrine.

**2.** Dans un plat à sauter à revêtement antiadhésif, amener à ébullition le lait et 125 ml (½ tasse) de bouillon. Ajouter la poitrine de dinde, réduire la chaleur, couvrir et laisser mijoter environ 1 heure, jusqu'à ce qu'elle soit bien cuite. Laisser reposer 10 minutes avant de découper.

**3.** Pour faire le pesto, dans le robot de cuisine, réduire en purée la roquette, l'ail, les pignons, l'huile, le persil, la mayonnaise et le bouillon restant (50 ml/¼ tasse). Servir la dinde avec le pesto à côté. Enlever la peau avant de manger.

PAR PORTION : 236 Calories, 5 g Gras total, 1 g Gras saturé, 96 mg Cholestérol, 336 mg Sodium, 5 g Glucide total, 2 g Fibres alimentaires, 40 g Protéines, 164 mg Calcium.

POINTS PAR PORTION : 5.

# Poulet de Cornouailles vesuvio

## 6 PORTIONS

*Le style vesuvio est italo-américain et son origine demeure un mystère, mais l'on croit qu'il s'agit de la signature de grands chefs de Chicago qui adorent mettre beaucoup d'ail et de romarin dans leurs plats. Mettez-en plus ou moins à votre goût, certaines personnes allant jusqu'à doubler les quantités suggérées.*

3 poulets de Cornouailles de 720 g (1 ½ lb) en quartiers

Sel, au goût

Poivre fraîchement moulu, au goût

6 pommes de terre pour cuisson au four, en quartiers

4 gousses d'ail, émincées

125 ml (½ tasse) de jus de citron fraîchement pressé

15 ml (1 c. à soupe) de romarin frais, haché

1. Saler et poivrer les poulets. Dans un plat de cuisson en verre ou en acier inoxydable, mettre les poulets avec les pommes de terre, l'ail, le jus de citron et le romarin. Couvrir et laisser mariner dans le réfrigérateur au moins 30 minutes.

2. Préchauffer le four à 220 °C (425 °F). Découvrir le plat de cuisson et rôtir environ 30 minutes, jusqu'à ce que la peau soit brune et que le jus soit clair quand on perce le poulet avec une fourchette. Augmenter la température du four à broil. Griller environ 2 minutes de plus, jusqu'à ce que les pommes de terre soient brunes. Enlever la peau avant de manger.

PAR PORTION : 274 Calories, 4 g Gras total, 1 g Gras saturé, 103 mg Cholestérol, 88 mg Sodium, 33 g Glucide total, 3 g Fibres alimentaires, 26 g Protéines, 35 mg Calcium.

POINTS PAR PORTION : 5.

*Di Giorno Ne faites pas mariner le poulet dans un plat qui pourrait réagir à l'acidité du jus de citron. Les plats en verre, en porcelaine ou en acier inoxydable font très bien l'affaire.*

# Poulet de Cornouailles alla cacciatora

## 4 PORTIONS

*Le poulet de Cornouailles offre une viande presque entièrement maigre. Les petites traces de viande plus foncée qu'on trouve dans les cuisses ne renferment que peu de gras. Servez-le en apprêt sauté dans une riche sauce tomate au vin, à la façon des chasseurs, cacciatora en italien.*

5 ml (1 c. à thé) d'huile d'olive

2 poulets de Cornouailles de 720 g (1 ½ lb) chacun, en quartiers

1 oignon, haché

1 poivron vert, épépiné et haché

2 gousses d'ail, émincées

1 boîte de 443 ml (15 oz) de sauce tomate

4 tomates prunes, épépinées et hachées

2 feuilles de laurier

5 ml (1 c. à thé) d'origan séché

2 ml (½ c. à thé) de sel

1 ml (¼ c. à thé) de poivre fraîchement moulu

2 ml (½ c. à thé) de graines de céleri

50 ml (¼ tasse) de vin rouge sec

Chauffer un grand poêlon à revêtement antiadhésif. Verser l'huile, puis faire brunir les poulets environ 3 minutes, peau vers le fond. Mettre les poulets sur une assiette. Dans le même poêlon, ajouter les oignons et les poivrons et cuire sur feu vif jusqu'à ce que les oignons soient dorés. Ajouter l'ail et cuire sur feu vif jusqu'à ce que ses arômes se dégagent. Incorporer la sauce tomate, les tomates, les feuilles de laurier, l'origan, le sel, le poivre et les graines de céleri. Remettre les poulets dans le poêlon, réduire la chaleur, couvrir et laisser mijoter 10 minutes. Enlever le couvercle et laisser mijoter 10 minutes de plus. Incorporer le vin et laisser bouillir environ 3 minutes, jusqu'à ce que la sauce épaississe et que les poulets soient bien cuits. Enlever les feuilles de laurier et la peau avant de servir.

PAR PORTION : 240 Calories, 6 g Gras total, 1 g Gras saturé, 120 mg Cholestérol, 1 014 mg Sodium, 16 g Glucide total, 4 g Fibres alimentaires, 29 g Protéines, 59 mg Calcium.

POINTS PAR PORTION : 5.

# $\mathcal{P}$oulet de Cornouailles aux olives

### 4 PORTIONS

*Les petites olives de Gaète, originaires de Campanie, sont de couleur noire pourpre et elles donnent beaucoup de goût à ce plat. Servez cette entrée sur un lit de Polenta (p. 148) avec une Salade tricolore (p. 164).*

2 poulets de Cornouailles de 720 g (1 ½ lb) chacun

2 ml (½ c. à thé) de sel

Poivre fraîchement moulu, au goût

20 ml (4 c. à thé) d'huile d'olive

2 gousses d'ail, épluchées

125 ml (½ tasse) de vin blanc sec

10 petites olives vertes, dénoyautées

10 petites olives noires, dénoyautées

30 ml (2 c. à soupe) de persil frais, émincé

1. Assaisonner l'intérieur des poulets avec la moitié du sel et du poivre au goût.

2. Chauffer l'huile sur feu moyen dans un poêlon à revêtement antiadhésif, puis ajouter l'ail. Cuire environ 5 minutes, sans cesser de remuer, jusqu'à ce qu'il soit doré ; réduire la chaleur si la cuisson est trop rapide. Ajouter les poulets et les faire brunir de tous les côtés. Jeter l'ail. Assaisonner les poulets avec le sel restant et du poivre, puis incorporer le vin et les olives. Réduire la chaleur, couvrir et cuire environ 45 minutes, en retournant les poulets de temps à autre et en ajoutant de l'eau au besoin.

3. Couper les poulets en deux et enlever la peau. Servir avec les olives et le jus de cuisson. Garnir de persil émincé.

PAR PORTION : 241 Calories, 12 g Gras total, 3 g Gras saturé, 76 mg Cholestérol, 581 mg Sodium, 1 g Glucide total, 1 g Fibres alimentaires, 25 g Protéines, 33 mg Calcium.

POINTS PAR PORTION : 6.

*Di Giorno En faisant dorer l'ail dams l'huile, on donne plus de goût à celle-ci et, par le fait même, aux poulets. Si vous préférez, vous pouvez préparer cette recette avec des poitrines de poulet non désossées. Jetez la peau avant de manger.*

# CHAPITRE 9

# Viandes

# Poivrons farcis au bœuf

4 PORTIONS

*Les poivrons farcis conviennent bien au congélateur et aux boîtes à lunch. Servis chauds ou froids, toujours regorgeant de couleur, ils feront le bonheur de tous à l'heure du buffet ou du pique-nique.*

360 g (12 oz) de bœuf haché maigre (10 p. 100 ou moins de matières grasses)

1 tomate, finement hachée

2 oignons, finement hachés

1 gros piment italien à frire (voir Di Giorno 3 p. 341), épépiné et finement haché

3 blancs d'œufs

45 ml (3 c. à soupe) de chapelure nature

15 ml (1 c. à soupe) d'origan frais, émincé, ou 5 ml (1 c. à thé) d'origan séché

1 ml (¼ c. à thé) de sel

Poivre fraîchement moulu, au goût

4 poivrons jaunes, rouges ou verts, coupés en deux sur la longueur et épépinés

250 ml (1 tasse) de sauce tomate (sans sel ajouté)

**1.** Préchauffer le four à 200 °C (400 °F). Vaporiser un plat de cuisson de 22,5 x 32,5 cm (9 x 13 po) avec de l'enduit anticollant.

**2.** Mélanger le bœuf haché, les tomates, les oignons, les piments, les blancs d'œufs, la chapelure, l'origan, le sel et le poivre ; réserver.

**3.** Mettre les poivrons dans un plat convenant au four à micro-ondes. Couvrir de pellicule plastique et percer quelques trous dans le plastique. Cuire 6 minutes au micro-ondes, à chaleur moyenne, jusqu'à ce qu'ils soient tendres. Retirer le couvercle et laisser refroidir. Farcir les poivrons avec la préparation à la viande en pressant doucement sur celle-ci. Dresser les poivrons dans un plat de cuisson et cuire au four de 25 à 30 minutes, jusqu'à ce que la farce brunisse légèrement. Verser la sauce tomate sur les poivrons et cuire de 15 à 20 minutes de plus, jusqu'à ce que la sauce bouillonne et brunisse légèrement. Laisser reposer 5 minutes avant de servir.

PAR PORTION : 240 Calories, 8 g Gras total, 3 g Gras saturé, 44 mg Cholestérol, 294 mg Sodium, 23 g Glucide total, 4 g Fibres alimentaires, 21 g Protéines, 47 mg Calcium.

POINTS PAR PORTION : 5.

# Bollito misto

## 8 PORTIONS

*Voici une variante simplifiée, malgré ses 15 ingrédients, du plat piémontais traditionnel. Certaines recettes de bollito misto demandent sept coupes de bœuf différentes, sept autres sortes de viande (saucisse, chapon, etc.), sept légumes et trois sauces!*

125 ml (½ tasse) de persil plat frais, émincé

15 ml (1 c. à soupe) de menthe fraîche, hachée

15 ml (1 c. à soupe) de câpres, égouttées

15 ml (1 c. à soupe) de raifort blanc

10 ml (2 c. à thé) d'huile d'olive

5 ml (1 c. à thé) de vinaigre de vin blanc

1 filet d'anchois, rincé, ou 2 ml (1/2 c. à thé) de pâte d'anchois

4 oignons, hachés

3 branches de céleri, hachées

2 carottes, en dés

1 petit chou, évidé et coupé en 8 quartiers

960 g (2 lb) de bœuf maigre (poitrine, croupe, bas de ronde, paleron maigre)

1 boîte de 427 ml (14 ½ oz) de tomates prunes en dés (sans sel ajouté), avec leur jus

1 ml (¼ c. à thé) de sel

Poivre fraîchement moulu, au goût

**1.** Pour préparer la sauce, dans le robot de cuisine ou le mélangeur, réduire en purée le persil, la menthe, les câpres, le raifort, l'huile, le vinaigre et les anchois. Laisser reposer à la température amiante pour laisser les saveurs se mêler.

**2.** Dans une casserole, couvrir d'eau froide les oignons, le céleri, les carottes et le chou et amener à ébullition. Ajouter le bœuf, couvrir et ramener à ébullition. Réduire la chaleur et laisser mijoter environ 15 minutes en prenant soi d'enlever l'écume qui pourrait se former. Incorporer les tomates, le sel et le poivre. Laisser mijoter environ 2 heures de plus, jusqu'à ce que la viande et les légumes soient très tendres. Mettre la viande et les légumes sur un plateau et réserver le bouillon (et quelques légumes si désiré) pour plus tard. Servir le bœuf et les légumes avec la sauce à côté.

PAR PORTION : 246 Calories, 10 g Gras total, 3 g Gras saturé, 71 mg Cholestérol, 260 mg Sodium, 13 g Glucide total, 4 g Fibres alimentaires, 26 g Protéines, 83 mg Calcium.

POINTS PAR PORTION : 5.

*Di Giorno S'il reste beaucoup de bouillon et de légumes une fois que vous avez mangé la viande, faites-les réchauffer avec des pâtes, des pommes de terre en dés ou du riz pour faire une soupe délicieuse.*

# Braciola à la sauce tomate

### 4 PORTIONS

*La braciola alla brugia est une coupe de viande que l'on roule autour d'une farce et que l'on fait cuire dans du lard. Servi avec une sauce tomate, ce plat très ancien est originaire de la Calabre. Notre variante très allégée est recommandée sur des rigatonis ou des pennes avec un peu de fromage râpé. Assurez-vous d'utiliser le parmigiano reggiano dans cette recette. Son goût est tellement meilleur.*

1 bifteck de ronde maigre désossé de 480 g (1 lb) ayant environ 1,25 cm (½ po) d'épaisseur

5 ml (1 c. à thé) d'huile d'olive

1 petit oignon, émincé

50 ml (¼ tasse) de céleri, émincé

2 gousses d'ail, émincées

80 ml (¼ tasse + 2 c. à soupe) de chapelure nature

45 ml (3 c. à soupe) de persil plat frais, émincé

45 ml (3 c. à soupe) de parmesan, râpé

2 ml (½ c. à thé) d'origan séché

1 ml (¼ c. à thé) de sel

Poivre fraîchement moulu, au goût

250 ml (1 tasse) de sauce tomate (sans sel ajouté)

250 ml (1 tasse) de tomates étuvées, en purée

125 ml (½ tasse) de bouillon de bœuf hyposodique

1. Préchauffer le four à 180 °C (350 °F). Vaporiser un plat de cuisson carré de 20 cm (8 po) avec de l'enduit anticollant.

2. Mettre le bifteck entre deux feuilles de papier ciré et l'aplatir à 3 mm (⅛ po) d'épaisseur.

3. Chauffer l'huile dans un poêlon à revêtement antiadhésif, puis ajouter les oignons, le céleri et l'ail. Cuire sur feu vif pour attendrir et transvider dans un bol. Incorporer la chapelure, 30 ml (2 c. à soupe) de persil, 30 ml (2 c. à soupe) de fromage, l'origan, le sel et le poivre. Étendre cette préparation sur la viande, en laissant environ 1,25 cm (½ po) tout autour. Rouler le bifteck comme pour un gâteau roulé, et l'attacher avec de la ficelle de cuisine à tous les 2,5 cm (1 po) d'intervalle. Dresser dans le plat de cuisson et rôtir 15 minutes.

4. Pendant ce temps, mélanger la sauce tomate, les tomates et le bouillon. Verser sur la viande après 15 minutes de cuisson. Continuer de rôtir de 1 ½ à 2 heures, en arrosant avec la sauce toutes les 15 minutes, jusqu'à ce que le bœuf soit bien cuit et très tendre. Dresser sur un plateau et napper de sauce. Servir avec le fromage et le persil restants.

PAR PORTION : 260 Calories, 8 g Gras total, 3 g Gras saturé, 65 mg Cholestérol, 493 mg Sodium, 18 g Glucide total, 3 g Fibres alimentaires, 28 g Protéines, 102 mg Calcium.

POINTS PAR PORTION : 5.

# Salute! Les bons vins italiens

## VINS ROUGES

| Type | Caractéristiques | Servir avec |
|------|------------------|-------------|
| Barolo | Vin intense, riche, qui vieillit bien. Grande concentration de fruit et bouquet de truffe, de poivre et de tabac. | Mets au goût prononcé tels que le gibier et les viandes rôties, les fromages vieillis et les pot-au-feu. |
| Barbaresco | Comme son voisin le barolo, il est fait avec des raisins nebbiolo, ce qui le rend riche et complexe. Plus faible en alcool que le barolo, on le laisse vieillir moins longtemps. | Gibier et viandes rôties, pâtes avec sauces riches, plats en casserole, fromages vieillis. |
| Chianti | Mélange de raisins blancs et rouges. Varie beaucoup d'un producteur à l'autre. Les jeunes chiantis ont tendance à être légers, fruités et rafraîchissants; les plus vieux sont souvent intenses et complexes. | Jeunes chiantis: pizza, grillades, gibier à plume, dinde, prociutto, pâtes avec sauce à la viande. Vieux chiantis: viandes rouges grillées et bifteck. |

## VINS BLANCS

| Type | Caractéristiques | Servir avec |
|------|------------------|-------------|
| Orvieto | Vin vif et doré à saveur de pommes et de poires fraîches si le vin est de qualité. Un vin d'Orvieto mal fait présente peu d'intérêt. Misez sur les Orvieto Classico qui sont souvent complexes et dont le goût de noisette est très agréable. | Mets simples et légers: poissons, volaille, pâtes, sandwichs. Vin de tous les jours ou pour le pique-nique. |
| Gavi | Agréablement sec, fruité, fait avec des raisins cortese. | Poissons, volaille, plats de veau simples, pâtes et risottos légers. |
| Greco di Tufo | Vin blanc sec et raffiné au goût d'amande particulier. Riche et intéressant. | Poissons, fruits de mer, risottos, fromages jeunes. |

## VINS DE SPÉCIALITÉ

| Type | Caractéristiques | Servir avec |
|------|------------------|-------------|
| Asti Spumante | Vin blanc de dessert léger et pétillant fait avec des raisins moscato. Les spumantes américains ont tendance à être trop sucrés; essayez plutôt les spumantes italiens dont plusieurs sont équilibrés et sophistiqués. | Biscottis, fruits frais et autres desserts peu sucrés. |
| Vin Santo («vin saint») | Spécialité toscane faite de raisins légèrement secs fermentés dans des petits barils conservés dans des greniers. Les changements de température (gel en hiver, grande chaleur en été) donnent à ce vin de dessert une couleur ambrée inhabituelle. Ce vin peut être sec, semi-sec ou sucré. | Biscottis (mariage classique), pêches, fraises, pâtisseries. |
| Grappa | Brandy fait avec les matières solides qui restent une fois que le vin a fermenté. Elles sont trempées et mises à fermenter de nouveau. Le vin ainsi obtenu est distillé et le résultat varie d'une ville à l'autre selon la durée du vieillissement et ce qu'on y ajoute: fines herbes, anis, lavande, raisins, etc. | La grappa facilite la digestion; servir comme apéritif. |

# Osso-buco

4 PORTIONS

4 jarrets de veau de 240 g (8 oz) ayant environ 2,5 cm (1 po) d'épaisseur chacun, débarrassés de toute trace de gras visible

80 ml (¼ tasse + 2 c. à soupe) de farine tout usage

20 ml (4 c. à thé) d'huile d'olive

375 ml (1 ½ tasse) de champignons, en tranches

2 échalotes, finement hachées

1 carotte, en fines tranches

2 branches de céleri, finement hachées

125 ml (½ tasse) de vin blanc sec

1 gousse d'ail, émincée

250 ml (1 tasse) de bouillon de bœuf hyposodique

50 ml (¼ tasse) de persil plat frais, émincé

30 ml (2 c. à soupe) de zeste de citron, râpé

30 ml (2 c. à soupe) de jus de citron fraîchement pressé

15 ml (1 c. à soupe) de romarin frais, émincé, ou 2 ml (½ c. à thé) de romarin séché, émietté

15 ml (1 c. à soupe) de sauge fraîche, émincée, ou 2 ml (½ c. à thé) de sauge séchée, émiettée

1 filet d'anchois, rincé et haché, ou 2 ml (½ c. à thé) de pâte d'anchois

Poivre fraîchement moulu, au goût

1 gousse d'ail, émincée

1. Passer le veau dans la farine et réserver.

2. Chauffer l'huile dans une casserole à revêtement anti-adhésif, puis ajouter le veau et faire brunir sur toutes les faces. Transvider sur une assiette. Dans la même casserole, cuire sur feu vif les champignons, les échalotes, les carottes, le céleri, le vin et l'ail, en raclant le fond, jusqu'à ce que le liquide soit réduit à 50 ml (¼ tasse). Ajouter le bouillon, la moitié du persil, la moitié du zeste, le jus de citron, le romarin, la sauge, les anchois et le poivre. Remettre le veau dans la casserole. Réduire la chaleur, couvrir et laisser mijoter de 1 à 1 ½ heure, jusqu'à ce qu'il soit très tendre. Verser 50 ml (¼ tasse) d'eau à la fois au besoin si la sauce est trop épaisse.

3. Pendant ce temps, préparer la garniture en mélangeant le persil et le zeste restants avec l'ail. Servir le veau avec la sauce et garnir avec la gremolata.

PAR PORTION : 273 Calories, 8 g Gras total, 2 g Gras saturé, 89 mg Cholestérol, 207 mg Sodium, 17 g Glucide total, 2 g Fibres alimentaires, 28 g Protéines, 40 mg Calcium.

POINTS PAR PORTION : 6.

*Di Giorno* **Demandez à votre boucher la partie centrale du jarret, là où l'os est plus petit. Vous aurez ainsi plus de viande. Ce plat est une spécialité de la Lombardie. On le sert habituellement avec le Risotto à la milanaise (p. 122) et la gremolata, un mélange d'ail, de persil et de citron. Si vous le pouvez, zestez le citron en lamelles plutôt qu'en petits morceaux. La présentation du plat sera ainsi plus spectaculaire.**

*Osso-buco*

# Piccata de veau

## 4 PORTIONS

*Juste un peu de citron rehausse considérablement le goût de ce mets du nord de l'Italie. Pour un lunch ou un souper léger, servez-le avec la Salade de roquette et de pommes de terre (p. 166).*

20 ml (4 c. à thé) d'huile d'olive

3 blancs d'œufs

80 ml (¼ tasse + 2 c. à soupe) de chapelure nature

1 ml (¼ c. à thé) de sel

Poivre fraîchement moulu, au goût

4 escalopes de veau de 90 g (3 oz) ayant 6 mm (¼ po) d'épaisseur chacune

30 ml (2 c. à soupe) de persil plat frais, émincé

1 citron, en quartiers

**1.** Chauffer l'huile dans un grand poêlon à revête-ment antiadhésif. Dans un bol peu profond, battre les blancs d'œufs jusqu'à ce qu'ils deviennent mous-seux. Mélanger la chapelure, le sel et le poivre sur du papier ciré. Tremper rapidement les escalopes, une à la fois, dans les blancs d'œufs, puis les enrober uniformément de chapelure.

**2.** Mettre les escalopes dans le poêlon et cuire sur feu vif environ 3 minutes de chaque côté, jusqu'à ce qu'elles soient bien cuites et d'un beau brun doré. Servir immédiatement avec des quartiers de citron. Garnir de persil.

PAR PORTION : 196 Calories, 7 g Gras total, 2 g Gras saturé, 66 mg Cholestérol, 376 mg Sodium, 11 g Glucide total, 1 g Fibres alimentaires, 22 g Protéines, 49 mg Calcium.

POINTS PAR PORTION : 4.

# Escalopes de veau aux câpres et au citron

4 PORTIONS

*Ce plat est d'une extrême simplicité et on le prépare en un clin d'œil. Ne panez pas les escalopes à l'avance sinon leur enrobage ne sera pas aussi beau.*

10 ml (2 c. à thé) d'huile d'olive

4 escalopes de veau de 90 g (3 oz) ayant 6 mm (¼ po) chacune

30 ml (2 c. à soupe) de farine tout usage

1 pincée de sel

Poivre fraîchement moulu, au goût

45 ml (3 c. à soupe) de jus de citron fraîchement pressé

30 ml (2 c. à soupe) d'eau

5 ml (1 c. à thé) de beurre sans sel

5 ml (1 c. à thé) de câpres, égouttées et hachées

50 ml (¼ tasse) de persil frais, émincé

1. Chauffer un poêlon à revêtement antiadhésif. Verser 5 ml (1 c. à thé) d'huile. Passer 2 escalopes dans la farine et bien les enrober des deux côtés. Secouer tout excès de farine. Mettre le veau dans le poêlon et cuire environ 1 minute de chaque côté, jusqu'à ce qu'il brunisse légèrement. Mettre les escalopes sur une assiette et réserver au chaud. Répéter les mêmes opérations pour les deux autres escalopes. Saler et poivrer.

2. Verser le jus de citron, l'eau et le jus de cuisson dans le poêlon. Amener à ébullition. Retirer du feu, faire fondre le beurre, puis ajouter les câpres. Remettre les escalopes dans le poêlon et bien enrober de sauce. Servir avec le jus de cuisson et garnir de persil.

PAR PORTION : 123 Calories, 4 g Gras total, 1 g Gras saturé, 58 mg Cholestérol, 80 mg Sodium, 4 g Glucide total, 0 g Fibres alimentaires, 16 g Protéines, 10 mg Calcium.

POINTS PAR PORTION : 3.

# Rôti de veau farci

## 8 PORTIONS

*Pour saisir ou faire brunir une viande, choisissez minutieusement le plat de cuisson. Le métal foncé, comme la fonte ou l'aluminium étamé, peut supporter de hautes températures et retenir la chaleur, deux qualités nécessaires pour qu'une belle croûte se forme autour de la viande. Les métaux plus légers, comme l'acier inoxydable, réfléchissent la chaleur, ce qui empêche la viande de brunir uniformément. Quant à l'aluminium, très léger, il peut même se déformer pendant la cuisson.*

1 tranche de pain, sans croûte

125 ml (½ tasse) de lait écrémé

1 botte de chicorée, nettoyée et hachée

1 paquet de 300 g (10 oz) d'épinards lavés, nettoyés et hachés

1 gousse d'ail, écrasée et épluchée

250 ml (1 tasse) de pois verts, décongelés

30 ml (2 c. à soupe) de parmesan, râpé

15 ml (1 c. à soupe) de persil frais, émincé

10 ml (2 c. à thé) de marjolaine fraîche, émincée

1 ml (¼ c. à thé) de sel

Poivre fraîchement moulu, au goût

1 épaule de veau maigre de 960 g (2 lb), désossée

2 carottes, coupées en deux si trop grosses

20 ml (4 c. à thé) d'huile d'olive

125 ml (½ tasse) de vin rouge sec

1 boîte de 427 ml (14 ½ oz) de purée de tomate (sans sel ajouté)

**1.** Faire tremper le pain dans le lait.

**2.** Vaporiser une casserole avec de l'enduit anticollant et mettre sur feu moyen. Cuire sur feu vif la chicorée, les épinards et l'ail jusqu'à ce que les légumes ramollissent. Jeter l'ail et laisser refroidir la verdure. Incorporer le pain et le lait, les pois, le fromage, le persil, la marjolaine, le sel et le poivre.

**3.** Mettre la viande entre deux feuilles de papier ciré et l'aplatir uniformément. Retirer le papier du dessus et verser les légumes par-dessus en laissant un espace tout autour. Recouvrir avec les carottes, puis rouler le veau en l'attachant avec de la ficelle de cuisine à tous les 5 cm (2 po).

**4.** Chauffer l'huile dans une poêle, puis ajouter le veau. Faire brunir de tous les côtés, puis verser le vin et cuire jusqu'à ce qu'il soit presque complètement évaporé. Incorporer la purée de tomate. Réduire la chaleur, couvrir et laisser mijoter environ 1 heure, jusqu'à ce que la viande soit bien cuite. Laisser refroidir à la température ambiante, puis découper en 8 tranches. Servir avec la sauce à côté.

PAR PORTION : 237 Calories, 7 g Gras total, 2 g Gras saturé, 92 mg Cholestérol, 490 mg Sodium, 14 g Glucide total, 4 g Fibres alimentaires, 27 g Protéines, 121 mg Calcium.

POINTS PAR PORTION : 5.

*Rôti de veau farci*

# Rôti de veau braisé

## 10 PORTIONS

*La cuisson au four est récente en Italie et les modes de préparation varient d'une région à l'autre. Dans le nord, on fait braiser la viande dans le lait ou le bouillon tandis qu'en Italie centrale on mélange le bouillon et le vin en ajoutant parfois un soupçon de crème en fin de cuisson. Nous utilisons ici des légumes en purée pour donner de la consistance au mélange de bouillon et de vin.*

1 rôti d'épaule de veau de 1,2 à 1,4 kg (2 ½ à 3 lb)

1 gros oignon, finement haché

2 branches de céleri, finement hachées

2 carottes, finement hachées

30 g (1 oz) de pancetta, hachée (environ 30 ml/2 c. à soupe)

2 grosses gousses d'ail, émincées

375 ml (1 ½ tasse) de bouillon de bœuf ou de poulet

250 ml (1 tasse) de vin blanc sec

2 gros brins de thym frais

2 feuilles de laurier

Sel, au goût

Poivre fraîchement moulu, au goût

**1.** Chauffer l'huile dans une casserole à revêtement antiadhésif, puis ajouter le veau et le faire brunir sur toutes les faces. Transvider sur une assiette. Ajouter les oignons, le céleri, les carottes, la pancetta et l'ail. Cuire sur feu vif jusqu'à ce que les oignons soient tendres. Remettre le veau dans la casserole, puis ajouter le bouillon, le vin, le thym, les feuilles de laurier, le sel et le poivre. Amener à ébullition. Réduire la chaleur, couvrir et laisser mijoter environ 1 ½ heure, jusqu'à ce que le veau soit bien cuit et très tendre.

**2.** Mettre le rôti sur une surface de travail. Couvrir avec du papier d'aluminium et réserver au chaud. Jeter le thym et les feuilles de laurier. Transvider environ 500 ml (2 tasses) de légumes et de bouillon dans le robot de cuisine et réduire en purée. Remettre la purée dans la casserole et remuer. Couper le rôti en tranches fines et le servir avec la sauce.

*Di Giorno Au lieu de jeter les fines herbes après la cuisson de la viande, attachez ensemble les feuilles de laurier et le thym avec de la ficelle pour faire un bouquet garni. Ou émiettez-les et mettez-les dans une boule à thé que vous suspendrez dans la casserole.*

PAR PORTION : 200 Calories, 6 g Gras total, 2 g Gras saturé, 119 mg Cholestérol, 309 mg Sodium, 3 g Glucide total, 1 g Fibres alimentaires, 28 g Protéines, 44 mg Calcium.

POINTS PAR PORTION : 4.

*Agneau alla cacciatora avec Polenta (page 148)*

# Rôti de porc farci

### ·8 PORTIONS

*Le porc est très apprécié en Italie et l'une de ses présentations les plus populaires est le fameux rôti désossé de Toscane appelé* arista *que l'on prépare souvent avec des fruits secs. Faites une cavité au centre de la longe, ce qui ira beaucoup plus vite que de rouler la viande autour de la farce. L'assaisonnement à volaille qu'on trouve dans le commerce ressemble beaucoup à la préparation de sauce que les Toscans utilisent pour assaisonner ce rôti.*

8 figues séchées de Calimyrna, équeutées et finement hachées

50 ml (¼ tasse) de chapelure à l'italienne

30 ml (2 c. à soupe) de persil plat frais, haché

7 ml (½ c. à soupe) de pignons, hachés

45 ml (3 c. à soupe) de marsala sec

1 rôti de longe de porc de 720 à 840 g (1 ½ à 1 ¾ lb), débarrassé de toute trace de gras visible

5 ml (1 c. à thé) de sel

2 ml (½ c. à thé) de poivre fraîchement moulu

5 ml (1 c. à thé) d'assaisonnement à volaille

**1.** Préchauffer le four à 190 °C (375 °F). Mélanger les figues, la chapelure, le persil, les pignons et le vin pour faire une pâte.

**2.** Faire tenir le rôti sur une de ses extrémités. Pousser le long manche d'une cuillère en bois au centre du rôti pour faire un trou que l'on élargira ensuite à l'aide d'un long couteau. Remplir la cavité avec la préparation aux figues en faisant pénétrer celle-ci par les deux bouts du rôti.

**3.** Assaisonner le rôti avec le sel, le poivre et l'assaisonnement à volaille. Mettre le rôti sur la plaque à rôtir. Faire rôtir environ 1 heure, jusqu'à ce que le thermomètre inséré au centre indique 65 °C (150 °F). S'assurer que le thermomètre est dans la viande et non dans la farce. Couvrir et laisser reposer environ 5 minutes, jusqu'à ce que la température grimpe à 70 °C (160 °F). Découper en 8 tranches.

PAR PORTION : 202 Calories, 5 g Gras total, 2 g Gras saturé, 63 mg Cholestérol, 398 mg Sodium, 16 g Glucide total, 3 g Fibres alimentaires, 22 g Protéines, 49 mg Calcium.

POINTS PAR PORTION : 4.

# Côtelettes de porc à la mode du Frioul

4 PORTIONS

*Ce mets est rehaussé par une sauce tomate au basilic toujours populaire dans le Frioul. Là-bas, on y ajoute toutefois plusieurs petits piments forts que l'on peut remplacer ici par 2 ml (½ c. à thé) de piment de Cayenne broyé si on aime la viande bien épicée. Ne faites pas cuire la sauce trop longtemps afin de ne pas trop briser les tomates. Il suffit de les réchauffer et de les attendrir juste un peu.*

4 côtelettes de porc de milieu de longe (avec l'os) de 150 g (5 oz) chacune, débarrassées de toute trace de gras visible

Sel, au goût

Poivre fraîchement moulu, au goût

50 ml (¼ tasse) de bouillon de légumes ou de poulet

1 paquet de 360 g (12 oz) de tomates cerises, nettoyées et coupées en huit

50 ml (¼ tasse) de basilic frais, haché

1. Préchauffer le gril.

2. Saler et poivrer les côtelettes, puis les mettre sur le gril. Faire griller de 3 à 4 minutes de chaque côté, jusqu'à ce qu'elles soient très brunes et bien cuites.

3. Pendant ce temps, amener le bouillon à ébullition dans un petit poêlon. Ajouter les tomates et le basilic et cuire environ 1 minute, en remuant de temps à autre, jusqu'à ce que les tomates commencent à ramollir. Servir les côtelettes avec la sauce.

PAR PORTION : 218 Calories, 8 g Gras total, 3 g Gras saturé, 89 mg Cholestérol, 164 mg Sodium, 4 g Glucide total, 1 g Fibres alimentaires, 32 g Protéines, 38 mg Calcium.

POINTS PAR PORTION : 5.

# Pot-au-feu de porc aux pommes

## 8 PORTIONS

*Le Frioul est la région située la plus au nord-est de l'Italie. Ce plat reflète l'influence austro-hongroise de cette cuisine régionale. Les baies de genièvre donnent un goût particulier à ce pot-au-feu. Vous les trouverez au comptoir des épices et fines herbes de votre supermarché.*

5 ml (1 c. à thé) d'huile d'olive

1 gros bulbe de fenouil, paré et coupé en fines tranches

1 oignon, haché

2 pommes granny smith, pelées, évidées et hachées

720 g (1 ½ lb) de longe de porc, en cubes de 2,5 cm (1 po), débarrassée de toute trace de gras visible

125 ml (½ tasse) de vin blanc sec

2 ml (½ c. à thé) de sel

1 ml (¼ c. à thé) de poivre fraîchement moulu

7 ml (½ c. à soupe) de baies de genièvre

15 ml (1 c. à soupe) d'arrow-root, dissoute dans 30 ml (2 c. à soupe) d'eau

30 ml (2 c. à soupe) de persil plat frais, haché

Chauffer une casserole à revêtement antiadhésif. Verser l'huile, puis ajouter le fenouil et les oignons. Cuire sur feu vif environ 2 minutes, jusqu'à ce que les oignons commencent à devenir dorés. Ajouter les pommes et le porc. Cuire environ 1 minute, sans cesser de remuer, jusqu'à ce que le porc perde sa couleur rosée. Incorporer le vin, le sel, le poivre et les baies de genièvre. Réduire la chaleur, couvrir et laisser mijoter environ 40 minutes, jusqu'à ce que la viande soit tendre sous la fourchette. Incorporer l'arrow-root dissoute et le persil et cuire environ 2 minutes, sans cesser de remuer, jusqu'à ce que la sauce épaississe et devienne claire.

PAR PORTION : 175 Calories, 6 g Gras total, 2 g Gras saturé, 50 mg Cholestérol, 206 mg Sodium, 9 g Glucide total, 2 g Fibres alimentaires, 19 g Protéines, 36 mg Calcium.

POINTS PAR PORTION : 4.

# Saucisse à la scarole et aux lentilles

## 6 PORTIONS

*Dans les Marches, d'où provient cette recette, la saucisse est débarrassée de son enveloppe et émiettée et on fait cuire les lentilles séparément. Servez ce mets dans des bols avec une Salade de feta aux pommes (p. 176) et un bon verre de vin blanc. Passez le parmesan râpé à table.*

5 ml (1 c. à thé) d'huile d'olive

1 petit oignon blanc, haché

6 saucisses de dinde italiennes (environ 360 g/12 oz), en morceaux

2 gousses d'ail, hachées

300 ml (1 ¼ tasse) de lentilles sèches, défaites à la fourchette, rincées et égouttées

750 ml (3 tasses) de bouillon de bœuf, ou 3 cubes de bouillon de bœuf dissous dans 750 ml (3 tasses) d'eau

1 tête de scarole, nettoyée et hachée (environ 625 ml/2 ½ tasses)

2 tomates prunes, hachées

2 ml (½ c. à thé) de sel (voir Di Giorno)

1 ml (¼ c. à thé) de poivre fraîchement moulu

**1.** Chauffer l'huile dans un plat à sauter à revêtement antiadhésif, puis ajouter les oignons. Cuire sur feu vif jusqu'à ce qu'ils soient transparents. Ajouter la saucisse et cuire sur feu vif jusqu'à ce qu'elle commence à brunir et que les oignons soient dorés. Incorporer l'ail et continuer à cuire jusqu'à ce que ses arômes se dégagent. Répandre uniformément les lentilles dans le plat à sauter et verser le bouillon par-dessus. Amener à ébullition. Réduire la chaleur et laisser mijoter environ 20 minutes, jusqu'à ce que le liquide soit presque complètement évaporé.

**2.** Incorporer la scarole et les tomates. Couvrir et cuire environ 5 minutes, jusqu'à ce que la scarole soit complètement ramollie, que les lentilles soient tendres et que les tomates commencent à se défaire. Saler et poivrer.

PAR PORTION : 272 Calories, 7 g Gras total, 2 g Gras saturé, 43 mg Cholestérol, 1188 mg Sodium, 29 g Glucide total, 15 g Fibres alimentaires, 25 g Protéines, 77 mg Calcium.

POINTS PAR PORTION : 3.

*Di Giorno Ne salez pas si vous remplacez le bouillon par des cubes dissous dans l'eau.*

# CHAPITRE 10

# Légumes

# Légumes grillés au basilic

## 4 PORTIONS

*Emportez ces délicieux légumes en pique-nique. Ils sont si bons à la température ambiante, mais vous pouvez aussi les réchauffer dans du papier d'aluminium sur le barbecue ou au four à 160 °C (325 °F) pendant 10 minutes.*

250 ml (1 tasse) de feuilles de basilic frais

50 ml (¼ tasse) de feuilles de persil frais

10 ml (2 c. à thé) de parmesan, râpé

10 ml (2 c. à thé) de vinaigre balsamique

2 gousses d'ail

1 pincée (⅛ c. à thé) de sel

Poivre fraîchement moulu, au goût

50 ml (¼ tasse) de bouillon de légumes ou de poulet hyposodique

1 tête de brocoli, coupée en bouquets

250 ml (1 tasse) de champignons, en quartiers

120 g (4 oz) de haricots verts, coupés en morceaux de 5 cm (2 po)

1 petit oignon, coupé en fines tranches et séparé en rondelles

50 ml (¼ tasse) de pimientos, hachés

**1.** Préchauffer le four à 220 °C (425 °F). Vaporiser un plat de cuisson carré de 20 cm (8 po) avec de l'enduit anticollant.

**2.** Dans le robot de cuisine, hacher ensemble le basilic, le persil, le fromage, le vinaigre, l'ail, le sel et le poivre. Ajouter le bouillon et actionner le moteur pour bien mélanger.

**3.** Mettre le brocoli, les champignons, les haricots verts et les oignons dans le plat de cuisson. Verser la sauce au basilic par-dessus et bien remuer. Couvrir de papier d'aluminium et cuire au four de 15 à 20 minutes, en remuant souvent, jusqu'à ce que les légumes soient tendres. Incorporer les pimientos.

PAR PORTION : 60 Calories, 1 g Gras total, 0 g Gras saturé, 1 mg Cholestérol, 126 mg Sodium, 11 g Glucide total, 3 g Fibres alimentaires, 4 g Protéines, 155 mg Calcium.

POINTS PAR PORTION : 1.

*Di Giorno Plusieurs personnes jettent les tiges de brocoli plutôt que de les manger. Il suffit pourtant de peler leur pelure trop dure. Dans certains supermarchés, on vend des bouquets de brocoli tout préparés. Ils coûtent généralement un peu plus cher, mais en revanche vous ne perdez aucune partie en les préparant.*

*Choux de Bruxelles et topinambours grillés
avec Côtelettes de porc grillées à la mode du Frioul (page 237)*

# Giardinetto al forno

## 6 PORTIONS

*Le mot* giardinetto *fait référence à une assiette de légumes qui ressemble à un jardin. On doit donc cuire les légumes séparément et les dresser aussi séparément sur le plateau de service (al forno signifie « rôti ou cuit au four »). Avant de servir, garnissez ce plat avec une ou deux cuillerées de vos fines herbes préférées.*

1 aubergine de 480 g (1 lb), en morceaux

2 courgettes moyennes, en morceaux

300 ml (1 ¼ tasse) de carottes miniatures, coupées diagonalement en deux

1 paquet de 240 g (8 oz) de petits oignons blancs, pelés

Préchauffer le four à 190 °C (375 °F). Vaporiser une plaque avec de l'enduit anticollant. Mettre les aubergines, les courgettes, les carottes et les oignons en piles séparées sur la plaque. Vaporiser avec de l'enduit anticollant. Cuire au four environ 45 minutes, en retournant les légumes toutes les 15 minutes, jusqu'à ce qu'ils soient très bruns.

PAR PORTION : 59 Calories, 0 g Gras total, 0 g Gras saturé, 0 mg Cholestérol, 22 mg Sodium, 13 g Glucide total, 4 g Fibres alimentaires, 2 g Protéines, 28 mg Calcium.

POINTS PAR PORTION : 0.

# Courgettes farcies

4 PORTIONS

*Comme plusieurs autres courges, les courgettes ont été importées d'Italie vers les années 1500. On sert des courgettes farcies dans presque tous les coins de l'Italie. Cette préparation avec des pignons, des raisins secs et des anchois vient du sud du pays.*

4 courgettes moyennes

10 ml (2 c. à thé) d'huile d'olive

2 oignons, émincés

3 gousses d'ail, émincées

80 ml (¼ tasse + 2 c. à soupe) de chapelure nature

50 ml (¼ tasse) de raisins secs dorés, hachés

50 ml (¼ tasse) de persil frais, émincé

50 ml (¼ tasse) de parmesan, râpé

45 ml (3 c. à soupe) de pignons, hachés

15 ml (1 c. à soupe) de pâte d'anchois

Poivre fraîchement moulu, au goût

*Di Giorno Choisissez les courgettes les plus petites; leurs graines sont plus petites et moins nombreuses et leur goût est meilleur.*

**1.** Préchauffer le four à 190 °C (375 °F). Couvrir une plaque de papier d'aluminium.

**2.** Couper le bout supérieur des courgettes, puis couper une tranche aussi mince que du papier sur un de leurs côtés pour les empêcher de rouler. Couper 1,25 cm (½ po) au bout inférieur, puis avec un couteau pointu ou une cuillère, vider les courgettes pour obtenir des coquilles de 1,25 cm (½ po). Hacher finement les morceaux des extrémités et la pulpe intérieure des courgettes.

**3.** Chauffer l'huile dans un poêlon à revêtement antiadhésif, puis ajouter les courgettes et les oignons. Cuire sur feu vif environ 10 minutes, jusqu'à ce qu'ils soient dorés, puis ajouter l'ail et cuire sur feu vif jusqu'à ce que ses arômes se dégagent. Retirer du feu et incorporer la chapelure, les raisins secs, le persil, le fromage, les pignons, la pâte d'anchois et le poivre. Farcir la pelure des courgettes avec cette préparation et mettre sur la plaque. Couvrir de papier d'aluminium et cuire au four 20 minutes. Retirer le papier d'aluminium, puis cuire 10 minutes de plus, jusqu'à ce que les pelures soient tendres et que la farce soit brune.

PAR PORTION : 235 Calories, 10 g Gras total, 3 g Gras saturé, 10 mg Cholestérol, 436 mg Sodium, 29 g Glucide total, 4 g Fibres alimentaires, 12 g Protéines, 226 mg Calcium.

POINTS PAR PORTION : 5.

# Courgettes à l'aigre-doux

4 PORTIONS

*Servez ces courgettes à la température ambiante avec du pain croûté,
des tomates mûres et un peu de fromage.*

20 ml (4 c. à thé) d'huile
d'olive

4 petites courgettes, coupées
finement en diagonale

50 ml (¼ tasse) de vinaigre
balsamique

10 ml (2 c. à thé) de sucre

Poivre fraîchement moulu, au
goût

1 pincée de cannelle

Chauffer l'huile dans un très grand poêlon à revête-ment antiadhésif, puis ajouter les courgettes. Cuire sur feu vif jusqu'à ce qu'elles soient brunes, puis incorporer le vinaigre, le sucre, le poivre et la can-nelle. Bien remuer, puis cuire jusqu'à ce que le liquide soit presque complètement évaporé. Laisser refroidir à la température ambiante ou couvrir et laisser refroidir dans le réfrigérateur.

PAR PORTION : 68 Calories, 5 g Gras total, 1 g Gras saturé, 0 mg Cholestérol, 5 mg Sodium, 6 g Glucide total, 1 g Fibres alimentaires, 2 g Protéines, 21 mg Calcium.

POINTS PAR PORTION : 2.

*Di Giorno Les sauces à l'aigre-doux étaient très populaires dans toute l'Italie pendant la Renaissance. Elles sont pro-bablement arrivées du Moyen-Orient pendant les croisades. On les prépare encore de nos jours dans certaines régions du nord près de la frontière autrichienne ainsi que dans le sud du pays.*

# Oignons à l'aigre-doux

## 4 PORTIONS

*Les oignons perlés, mijotés dans le vinaigre avec un peu de sucre, accompagnent à merveille la viande et la volaille. Ils sont aussi délicieux servis avec d'autres antipasti ou encore comme garniture ou collation. En Lombardie, on les appelle* cipolline in agrodolce.

1 litre (4 tasses) d'oignons perlés, décongelés

500 ml (2 tasses) de bouillon de bœuf hyposodique

20 ml (4 c. à thé) d'huile d'olive

30 ml (2 c. à soupe) de vinaigre de vin blanc

15 ml (1 c. à soupe) de sucre

Poivre noir fraîchement moulu, au goût

**1.** Dans un poêlon à revêtement antiadhésif, mélanger les oignons, le bouillon et l'huile. Couvrir et cuire environ 30 minutes, en remuant de temps à autre, jusqu'à ce que les oignons commencent à ramollir. Si les oignons deviennent trop secs, ajouter 15 ml (1 c. à soupe) d'eau à la fois.

**2.** Incorporer le vinaigre, le sucre et le poivre. Cuire environ 30 minutes de plus, en remuant souvent, jusqu'à ce qu'ils soient très tendres. Ajouter 15 ml (1 c. à soupe) d'eau à la fois au besoin.

PAR PORTION : 137 Calories, 5 g Gras total, 1 g Gras saturé, 0 mg Cholestérol, 110 mg Sodium, 19 g Glucide total, 0 g Fibres alimentaires, 4 g Protéines, 68 mg Calcium.

POINTS PAR PORTION : 3.

*Di Giorno Ne vous épuisez pas à peler une telle quantité de petits oignons ; achetez ceux qui sont congelés !*

# Brocoli à l'ail et au citron

4 PORTIONS

*L'ail et le citron assaisonnent plusieurs salades ou plats de légumes en Italie. Cette vinaigrette est aussi très bonne avec les choux-fleurs, les rapinis, les épinards et les cardes à bette.*

480 g (1 lb) de bouquets de brocoli (environ 1 litre/ 4 tasses)

125 ml (½ tasse) de bouillon de poulet hyposodique

20 ml (4 c. à thé) d'huile d'olive

6 gousses d'ail, émincées

1 ml (¼ c. à thé) de sel

30 ml (2 c. à soupe) de jus de citron fraîchement pressé

**1.** Mettre le brocoli dans une étuveuse (marguerite) et placer celle-ci dans une casserole contenant 2,5 cm (1 po) d'eau bouillante. Couvrir hermétiquement et cuire à la vapeur environ 3 minutes, jusqu'à ce qu'il soit presque tendre.

**2.** Mélanger le bouillon et l'huile dans un poêlon à revêtement antiadhésif sur feu moyen-élevé. Ajouter le brocoli, l'ail et le sel. Cuire, en remuant souvent, jusqu'à ce que le brocoli soit tendre et que le liquide soit évaporé. Transvider dans un bol de service et arroser de jus de citron. Servir chaud ou à la température ambiante.

PAR PORTION : 71 Calories, 5 g Gras total, 1 g Gras saturé, 0 mg Cholestérol, 169 mg Sodium, 6 g Glucide total, 2 g Fibres alimentaires, 3 g Protéines, 45 mg Calcium.

POINTS PAR PORTION : 1.

*Di Giorno Choisissez le brocoli qui est vert foncé ayant des pousses florales très petites. Évitez le brocoli jauni qui n'est évidemment plus très frais.*

# Sauté de brocofleur et d'oignons

## 6 PORTIONS

*Le brocofleur est l'hybride des deux légumes les plus populaires d'Italie, le brocoli et le chou-fleur. Mariez-le avec du piment de Cayenne broyé et du pecorino romano. S'il n'est plus de saison, remplacez-le par 1 litre (4 tasses) de bouquets de brocoli. Servez-le en accompagnement de l'Osso-buco (p. 224) et du Risotto à la milanaise (p. 122).*

1 oignon, en tranches

720 g (1 ½ lb) de brocofleur, coupé en bouquets (environ 1,5 litre/6 tasses)

1 grosse gousse d'ail, hachée

1 pincée (⅛ c. à thé) de piment de Cayenne broyé

125 ml (½ tasse) de vin blanc sec

30 ml (2 c. à soupe) de pecorino romano, râpé

Chauffer l'huile dans un poêlon à revêtement anti-adhésif. Cuire sur feu vif les oignons de 1 à 2 minutes, jusqu'à ce qu'ils soient mous et secs. Ajouter le brocofleur en les étendant en une couche aussi mince que possible. Assaisonner avec l'ail et le piment de Cayenne. Ajouter le vin, réduire la chaleur et cuire à couvert de 10 à 12 minutes, jusqu'à ce que les légumes soient tendres sous la fourchette et que le vin soit évaporé. Servir avec du fromage râpé.

PAR PORTION : 67 Calories, 1 g Gras total, 0 g Gras saturé, 2 mg Cholestérol, 66 mg Sodium, 9 g Glucide total, 4 g Fibres alimentaires, 4 g Protéines, 71 mg Calcium.

POINTS PAR PORTION : 1.

# Sauté de champignons à la menthe et au persil

*La menthe est populaire à Rome. Ailleurs en Italie, on l'utilise parfois avec les champignons.*

10 ml (2 c. à thé) d'huile d'olive

3 échalotes, finement hachées

2 gousses d'ail, émincées

240 g (8 oz) de champignons portobellos, parés et coupés en tranches très fines

1 ml (¼ c. à thé) de sel

1 ml (¼ c. à thé) de poivre blanc moulu

30 ml (2 c. à soupe) de menthe fraîche, émincée

30 ml (2 c. à soupe) de persil plat frais, émincé

Chauffer l'huile dans un poêlon à revêtement anti-adhésif, puis ajouter les échalotes et l'ail. Cuire sur feu vif jusqu'à ce que leurs arômes se dégagent, puis ajouter les champignons, le sel et le poivre. Cuire sur feu vif environ 5 minutes, jusqu'à ce que les champignons aient rendu un peu de leur eau. Ajouter la menthe et le persil. Augmenter la chaleur et cuire sur feu vif jusqu'à évaporation du liquide. Servir chaud ou à la température ambiante.

PAR PORTION : 56 Calories, 3 g Gras total, 0 g Gras saturé, 0 mg Cholestérol, 141 mg Sodium, 7 g Glucide total, 1 g Fibres alimentaires, 2 g Protéines, 16 mg Calcium.

POINTS PAR PORTION : 1.

*Di Giorno Les grains de poivre blancs, noirs et verts sont les mêmes grains à différentes étapes de leur mûrissement. Les grains verts sont cueillis avant maturité et ils deviennent noirs si on leur laisse le temps de mûrir. Quand on débarrasse le poivre noir de sa coque, on obtient le poivre blanc. Le poivre blanc moulu est surtout utilisé dans les sauces blanches et les soupes pâles. Son goût est plus doux que celui du poivre noir.*

# Pois sautés au prosciutto

4 PORTIONS

*À Florence, on choisit les plus petits pois pour cette recette. Si vous n'avez pas le temps d'écosser des petits pois frais, achetez ceux qui sont congelés, mais assurez-vous qu'ils sont vraiment petits.*

20 ml (4 c. à thé) d'huile d'olive

2 échalotes, émincées

2 gousses d'ail, émincées

30 g (1 oz) de prosciutto, émincé

500 ml (2 tasses) de petits pois frais ou partiellement décongelés

15 ml (1 c. à soupe) de menthe fraîche, émincée

1 ml (¼ c. à thé) de sel

Poivre fraîchement moulu, au goût

45 ml (3 c. à soupe) d'eau

Chauffer l'huile dans un poêlon à revêtement anti-adhésif, puis ajouter les échalotes, l'ail et le prosciutto. Cuire sur feu vif jusqu'à ce que les échalotes soient ramollies. Ajouter les petits pois, la menthe, le sel, le poivre et l'eau. Couvrir et cuire jusqu'à ce que les petits pois soient tendres mais non défaits (10 minutes pour les petits pois frais et de 3 à 5 minutes pour les petits pois congelés).

PAR PORTION : 122 Calories, 6 g Gras total, 1 g Gras saturé, 6 mg Cholestérol, 271 mg Sodium, 12 g Glucide total, 3 g Fibres alimentaires, 6 g Protéines, 25 mg Calcium.

POINTS PAR PORTION : 2.

# Piments sautés

*Lorsque vous goûterez ces piments doux et crémeux, vous serez convaincu qu'ils contiennent plus d'une demi-cuillerée à thé d'huile par portion. Servez-les en hors-d'œuvre ou en accompagnement, ou coupez-les en fines tranches pour vos sandwichs ou vos salades. Si vous trouvez des piments à frire verts et rouges, utilisez les deux pour ajouter de la couleur à vos plats.*

4 piments italiens à frire (voir Di Giorno 3 p. 341), en quartiers et épépinés

250 ml (1 tasse) d'eau chaude

4 gousses d'ail, en tranches

10 ml (2 c. à thé) d'huile d'olive

1 ml (¼ c. à thé) de sel

Poivre fraîchement moulu, au goût

5 ml (1 c. à thé) de vinaigre balsamique

**1.** Dans un poêlon à revêtement antiadhésif, mélanger les piments à frire, l'eau, l'ail, l'huile, le sel et le poivre. Couvrir et cuire environ 20 minutes, en remuant de temps à autre, jusqu'à ce que les piments soient tendres et que le liquide soit évaporé.

**2.** Ajouter le vinaigre balsamique et remuer délicatement. Servir chauds, froids ou à la température ambiante.

PAR PORTION : 58 Calories, 2 g Gras total, 0 g Gras saturé, 0 mg Cholestérol, 141 mg Sodium, 9 g Glucide total, 1 g Fibres alimentaires, 2 g Protéines, 21 mg Calcium.

POINTS PAR PORTION : 1.

# Endives sautées

4 PORTIONS

*Le goût prononcé de ce plat se marie bien avec celui du Poisson entier grillé*
*à la sauce balsamique (p. 186) ou du Bar commun cuit en acqua pazza (p. 192).*

7 ml (½ c. à soupe) d'huile d'olive

2 endives, nettoyées et coupées diagonalement en tranches

125 ml (½ tasse) de roquette, hachée

2 ml (½ c. à thé) de sel

30 ml (2 c. à soupe) de parmesan, râpé

Chauffer un poêlon à revêtement antiadhésif. Verser l'huile, puis ajouter les endives. Cuire sur feu vif jusqu'à ce qu'elles commencent à brunir, puis ajouter la roquette. Cuire sur feu vif jusqu'à ce qu'elle ramollisse et devienne d'un beau vert brillant. Saler et ajouter le fromage.

PAR PORTION : 34 Calories, 3 g Gras total, 1 g Gras saturé, 2 mg Cholestérol, 350 mg Sodium, 1 g Glucide total, 1 g Fibres alimentaires, 2 g Protéines, 52 mg Calcium.

POINTS PAR PORTION : 1.

*Di Giorno Achetez uniquement des endives belges dont les feuilles sont longues et blanches. Ne les confondez pas avec la chicorée frisée. Conservez-les tout au plus pendant une journée dans le réfrigérateur, enveloppées dans du papier absorbant. Si elles sont exposées à la lumière, elles deviennent vite amères.*

# Rapini et pommes de terre

4 PORTIONS

*Le rapini a un goût agréablement amer qui s'allie bien au piment de Cayenne broyé et à beaucoup d'ail. Avec ces pommes de terre il est tout à fait sublime, surtout si on le sert en accompagnement de la viande ou de la volaille.*

1 rapini, nettoyé et grossière-ment haché

20 ml (4 c. à thé) d'huile d'olive

2 pommes de terre moyennes de consommation courante, brossées et coupées en tranches très minces

4 gousses d'ail, émincées

2 ml (½ c. à thé) de piment de Cayenne broyé

1 ml (¼ c. à thé) de sel

**1.** Mettre le rapini dans une étuveuse (marguerite) et placer celle-ci dans une casserole contenant 2,5 cm (1 po) d'eau bouillante. Couvrir hermétiquement et cuire à la vapeur environ 10 minutes, jusqu'à ce qu'il soit tendre.

**2.** Chauffer un poêlon à revêtement antiadhésif. Verser l'huile. Couvrir le fond du poêlon avec les tranches de pomme de terre en les faisant se chevaucher au besoin. Assaisonner avec l'ail, le piment de Cayenne et le sel. Cuire sur feu moyen environ 10 minutes, jusqu'à ce que le dessous des pommes de terre soit brun mais qu'elles ne soient pas encore tendres.

**3.** Étendre le rapini sur les pommes de terre. Réduire la chaleur, couvrir et cuire de 10 à 15 minutes, en ajoutant 50 ml (¼ tasse) d'eau à la fois au besoin, jusqu'à ce que les pommes de terre soient tendres.

PAR PORTION : 185 Calories, 5 g Gras total, 1 g Gras saturé, 0 mg Cholestérol, 195 mg Sodium, 32 g Glucide total, 5 g Fibres alimentaires, 6 g Protéines, 90 mg Calcium.

POINTS PAR PORTION : 3.

# Rapini et cannellinis au piment de Cayenne

## 6 PORTIONS

*Aussi appelé broccoletti di rapa ou cime di rapa, le rapini nous prouve une fois de plus que les Italiens ne craignent pas les saveurs prononcées. Le rapini étant un légume d'hiver, essayez cette recette quand votre potager commence à être dégarni.*

7 ml (½ c. à soupe) d'huile d'olive

2 grosses gousses d'ail, émincées

480 g (1 lb) de rapini, nettoyé et haché

1 boîte de 455 ml (16 oz) de haricots cannellinis, rincés et égouttés

1 ml (¼ c. à thé) de piment de Cayenne broyé

75 ml (⅓ tasse) d'eau

10 ml (2 c. à thé) de jus de citron fraîchement pressé

Chauffer l'huile dans un poêlon à revêtement anti-adhésif. Verser l'huile, puis ajouter l'ail. Cuire sur feu vif jusqu'à ce que son arôme se dégage. Ajouter le rapini, les haricots, le piment de Cayenne et l'eau. Cuire à couvert environ 15 minutes, jusqu'à ce que l'eau soit évaporée et que le rapini soit tendre sous la fourchette. Arroser de jus de citron.

PAR PORTION : 80 Calories, 1 g Gras total, 0 g Gras saturé, 0 mg Cholestérol, 161 mg Sodium, 13 g Glucide total, 3 g Fibres alimentaires, 5 g Protéines, 42 mg Calcium.

POINTS PAR PORTION : 1.

*Di Giorno Le jus de citron est un heureux complément pour la plupart des légumes, mais ne l'ajoutez qu'en fin de cuisson afin d'empêcher son acidité de ramollir les légumes ou de leur donner une couleur verdâtre peu appétissante.*

# Poivrons farcis aux cannellinis

*En Toscane, les haricots, et particulièrement les cannellinis, font partie du quotidien. Avec de la sauce et des tomates, ils se transforment en farce généreuse pour ces poivrons colorés.*

4 poivrons rouges ou jaunes, coupés en deux sur la longueur et épépinés

20 ml (4 c. à thé) d'huile d'olive

4 tomates prunes, hachées

2 oignons, émincés

30 ml (2 c. à soupe) de sauge fraîche, émincée, ou 5 ml (1 c. à thé) de sauge séchée

1 gousse d'ail, émincée

1 ml (¼ c. à thé) de sel

Poivre fraîchement moulu, au goût

1 boîte de 455 ml (16 oz) de haricots cannellinis, rincés et égouttés

**1.** Préchauffer le four à 220 °C (425 °F). Rincer les poivrons à l'eau froide et les mettre dans un plat de cuisson de 22,5 x 32,5 cm (9 x 13 po). Couvrir le plat de papier d'aluminium et cuire au four 20 minutes, jusqu'à ce qu'ils soient presque tendres. Enlever le papier d'aluminium et cuire 15 minutes de plus. Jeter tout le liquide.

**2.** Pendant ce temps, chauffer l'huile dans un poêlon à revêtement antiadhésif, puis ajouter les tomates, les oignons, la sauge, l'ail, le sel et le poivre. Cuire sur feu vif de 15 à 20 minutes, jusqu'à ce que la sauce soit épaisse et que les oignons soient tendres. Retirer du feu et incorporer les haricots. Remplir les moitiés de poivron avec une quantité égale de la préparation. Laisser reposer 5 minutes avant de servir.

PAR PORTION : 248 Calories, 6 g Gras total, 1 g Gras saturé, 0 mg Cholestérol, 150 mg Sodium, 41 g Glucide total, 8 g Fibres alimentaires, 12 g Protéines, 59 mg Calcium.

POINTS PAR PORTION : 4.

# Poivrons farcis aux pâtes

### 4 PORTIONS

*Si vous êtes pressé, remplacez les tomates prunes fraîches par une boîte de 427 ml (14 ½ oz)*
*Prenez quand même le temps d'enlever les pieds fibreux ou terreux des champignons*
*avant de hacher les chapeaux.*

20 ml (4 c. à thé) d'huile d'olive

1 oignon, émincé

2 gousses d'ail, émincées

4 tomates prunes, pelées, épépinées et hachées

250 ml (1 tasse) de champignons blancs, hachés

15 ml (1 c. à soupe) de basilic frais, émincé, ou 5 ml (1 c. à thé) de basilic séché

15 ml (1 c. à soupe) d'origan frais, émincé, ou 5 ml (1 c. à thé) d'origan séché

15 ml (1 c. à soupe) de câpres, égouttées et hachées

2 filets d'anchois, rincés et hachés, ou 5 ml (1 c. à thé) de pâte d'anchois

Poivre fraîchement moulu, au goût

125 ml (½ tasse) de pâtes (orzo, petites étoiles ou tubettis)

175 ml (¾ tasse) de mozzarella écrémée, en lamelles

4 poivrons verts, rouges ou jaunes, coupés en deux sur la longueur, épépinés

**1.** Préchauffer le four à 180 °C (350 °F). Vaporiser un plat de 22,5 x 32,5 cm (9 x 13 po) avec de l'enduit anti-collant.

**2.** Chauffer l'huile dans un poêlon à revêtement antiadhésif, puis ajouter les oignons et l'ail. Cuire sur feu vif jusqu'à ce qu'ils soient tendres. Incorporer les tomates, les champignons, le basilic, l'origan, les câpres, les anchois et le poivre et cuire jusqu'à épaississement. Retirer du feu.

**3.** Cuire les pâtes selon les indications inscrites sur l'emballage environ 5 minutes, jusqu'à ce qu'elles soient presque tendres. Égoutter et ajouter à la préparation aux tomates. Ajouter la moitié du fromage et bien remuer. Farcir les moitiés de poivrons avec une quantité égale de préparation, puis les dresser dans le plat de cuisson. Verser 1,25 cm (½ po) d'eau dans le fond du plat. Cuire au four environ 45 minutes, jusqu'à ce que les poivrons soient tendres. Couvrir avec le fromage restant, puis cuire 5 minutes de plus pour le faire fondre. Laisser reposer 5 minutes avant de servir.

PAR PORTION : 206 Calories, 6 g Gras total, 1 g Gras saturé, 3 mg Cholestérol, 296 mg Sodium, 28 g Glucide total, 3 g Fibres alimentaires, 12 g Protéines, 188 mg Calcium.

POINTS PAR PORTION : 4.

*Di Giorno Les pâtes continueront de cuire au four; assurez-vous de les faire cuire un peu moins longtemps que ce qui est indiqué sur l'emballage.*

# Tomates grillées

4 PORTIONS

*Même s'il est impossible d'imaginer les Italiens cuisiner sans tomates, celles-ci n'ont été introduites en Italie qu'au XVI$^e$ siècle par les Jésuites qui les ont rapportées du Mexique. Ce n'est qu'au XVIII$^e$ siècle qu'elles ont gagné la faveur populaire. On les a d'abord cultivées sur les terres fertiles de la Campanie, et tout particulièrement dans la région de San Marzano près de Naples.*

2 grosses tomates mûres

2 ml (½ c. à thé) de sel

45 ml (3 c. à soupe) de chapelure nature

15 ml (1 c. à soupe) de câpres, égouttées et émincées

15 ml (1 c. à soupe) de persil frais, émincé

1 gousse d'ail, émincée

20 ml (4 c. à thé) d'huile d'olive extravierge

30 ml (2 c. à soupe) de basilic frais, déchiqueté

**1.** Préchauffer le gril. Tapisser une plaque carrée de 20 cm (8 po) de papier d'aluminium.

**2.** Couper les tomates en deux à l'horizontale et les épépiner. Saupoudrer de sel et les renverser sur une assiette pour les laisser égoutter pendant la préparation de la farce.

**3.** Mélanger la chapelure, les câpres, le persil et l'ail. Remplir les tomates à la cuillère avec cette farce et les mettre sur la plaque. Arroser avec l'huile et couvrir avec le basilic. Griller à 12,5 cm (5 po) de la source de chaleur environ 5 minutes, jusqu'à ce que les tomates soient tendres et que la farce soit brune. Servir chaudes ou à la température ambiante.

PAR PORTION : 87 Calories, 5 g Gras total, 1 g Gras saturé, 0 mg Cholestérol, 383 mg Sodium, 10 g Glucide total, 2 g Fibres alimentaires, 2 g Protéines, 34 mg Calcium.

POINTS PAR PORTION : 2.

*Di Giorno Vous pouvez mettre les tomates directement sur la grille du barbecue et les laisser cuire de 20 à 25 minutes.*

# Chou-fleur à la calabraise

## 4 PORTIONS

*Le chou-fleur est surtout cultivé dans le sud de l'Italie. Cette recette est une variante d'un plat réputé en Calabre où l'on ne lésine pas sur l'utilisation des anchois, des câpres et parfois de la chapelure dans la sauce.*

500 ml (2 tasses) de bouquets de chou-fleur

5 ml (1 c. à thé) d'huile d'olive

2 tranches de pain blanc, finement émiettées

2 ml (½ c. à thé) de feuilles de thym séché

1 poivron vert, épépiné et coupé en fines tranches

30 ml (2 c. à soupe) de bouillon de poulet hyposodique

7 ml (½ c. à soupe) de câpres, égouttées et hachées

1 gousse d'ail, émincée

1 filet d'anchois, rincé et finement haché

Poivre fraîchement moulu, au goût

**1.** Cuire le chou-fleur dans l'eau bouillante environ 5 minutes, jusqu'à ce qu'il soit presque tendre. Égoutter.

**2.** Chauffer l'huile dans un poêlon à revêtement antiadhésif, puis ajouter la chapelure et le thym. Cuire, en remuant souvent, jusqu'à brunissement léger. Ajouter le chou-fleur et les poivrons. Cuire, en remuant souvent, jusqu'à ce que les légumes soient tendres. Incorporer le bouillon, les câpres, l'ail, les anchois et le poivre. Cuire, en remuant, jusqu'à dissolution des anchois.

PAR PORTION : 79 Calories, 3 g Gras total, 1 g Gras saturé, 1 mg Cholestérol, 214 mg Sodium, 11 g Glucide total, 2 g Fibres alimentaires, 3 g Protéines, 42 mg Calcium.

POINTS PAR PORTION : 1.

# Gratin d'asperges

4 PORTIONS

*L'influence de la cuisine française a été grande dans le nord de l'Italie. Les gratins sont souvent servis dans le Piémont, la Lombardie et l'Émilie-Romagne. Vous pouvez remplacer les asperges par des choux de Bruxelles ou du fenouil.*

1 botte d'asperges, parées

10 ml (2 c. à thé) d'huile d'olive

250 ml (1 tasse) de lait écrémé

50 ml (¼ tasse) de parmesan, râpé

1 œuf

1 blanc d'œuf

1 pincée de sel

**1.** Préchauffer le four à 200 °C (400 °F).

**2.** Cuire les asperges dans une casserole d'eau qui mijote environ 5 minutes, jusqu'à ce qu'elles soient tendres. Égoutter et mettre dans un plat de service convenant à la cuisson au four. Arroser avec l'huile.

**3.** Fouetter ensemble le lait, le fromage, l'œuf, le blanc d'œuf et le sel. Verser sur les asperges. Cuire au four environ 20 minutes, jusqu'à ce que le gratin soit brun et bouillonnant.

PAR PORTION : 131 Calories, 6 g Gras total, 3 g Gras saturé, 62 mg Cholestérol, 216 mg Sodium, 9 g Glucide total, 1 g Fibres alimentaires, 12 g Protéines, 196 mg Calcium.

POINTS PAR PORTION : 3.

# Haricots verts et pommes de terre au pesto

4 PORTIONS

*Le pesto est connu partout en Italie, mais on l'associe surtout à la ville de Gênes, sur la côte ligurienne. Cette recette est servie sur des pâtes en forme de ruban appelées* trenette.

500 ml (2 tasses) de feuilles de basilic frais, bien tassées

20 ml (4 c. à thé) d'huile d'olive

2 gousses d'ail, hachées

1 ml (¼ c. à thé) de sel

Poivre fraîchement moulu, au goût

4 pommes de terre moyennes de consommation courante, pelées et coupées en morceaux

480 g (1 lb) de haricots verts, coupés en morceaux de 2,5 cm (1 po) (environ 750 ml/3 tasses)

**1.** Dans le robot de cuisine, mélanger le basilic, l'huile, l'ail, le sel et le poivre. Actionner le moteur à plusieurs reprises jusqu'à consistance onctueuse.

**2.** Couvrir les pommes de terre d'eau froide et amener à ébullition. Réduire la chaleur, couvrir et laisser mijoter environ 20 minutes, jusqu'à ce qu'elles soient tendres. Égoutter et transvider dans un grand bol de service.

**3.** Pendant ce temps, mettre les haricots verts dans une étuveuse (marguerite) que l'on placera dans une casserole contenant 2,5 cm (1 po) d'eau bouillante. Couvrir hermétiquement et cuire à la vapeur environ 5 minutes, jusqu'à ce qu'ils soient presque tendres. Transvider dans le bol contenant les pommes de terre. Ajouter le pesto et bien remuer. Servir chauds ou la température ambiante.

PAR PORTION : 222 Calories, 5 g Gras total, 1 g Gras saturé, 0 mg Cholestérol, 155 mg Sodium, 42 g Glucide total, 4 g Fibres alimentaires, 7 g Protéines, 339 mg Calcium.

POINTS PAR PORTION : 4.

# Ciambotta

4 PORTIONS

*Il existe une quantité innombrable de recettes de légumes cuits en pot-au-feu. Dans les Pouilles, on leur ajoute parfois des fruits de mer. En Calabre, on utilise jusqu'à quatre sortes de poivrons pour ajouter de la couleur au plat. Si vous ne disposez pas d'un choix aussi vaste dans votre région, prenez ce qu'il y a de disponible. Cette recette peut être préparée quelques heures à l'avance.*

125 ml (½ tasse) de bouillon de légumes hyposodique

15 ml (1 c. à soupe) d'huile d'olive

1 ml (¼ c. à thé) de sel

Poivre fraîchement moulu, au goût

1 aubergine de 480 g (1 lb), coupée diagonalement en tranches de 6 mm (¼ po) d'épaisseur

4 pommes de terre moyennes de consommation courante, brossées et coupées en tranches de 3 mm (⅛ po) d'épaisseur

1 poivron vert, épépiné et coupé en rondelles de 6 mm (¼ po)

1 poivron jaune, épépiné et coupé en rondelles de 6 mm (¼ po)

1 poivron rouge, épépiné et coupé en rondelles de 6 mm (¼ po)

1 poivron orange, épépiné et coupé en rondelles de 6 mm (¼ po)

1 petite courgette, coupée diagonalement en tranches de 6 mm (¼ po)

3 tomates, hachées

3 gousses d'ail, émincées

**1.** Vaporiser une rôtissoire avec de l'enduit anticollant et préchauffer le gril.

**2.** Fouetter ensemble le bouillon, l'huile, le sel et le poivre. Brosser légèrement les aubergines, les pommes de terre, les poivrons et les courgettes des deux côtés avec ce liquide. Transférer les légumes dans la rôtissoire. Griller à 12,5 cm (5 po) de la source de chaleur environ 5 minutes, jusqu'à ce qu'ils soient tendres et légèrement noircis. Retourner les légumes et les griller 4 minutes de plus. Retirer du feu.

**3.** Réduire la température du four à 190 °C (375 °F). Vaporiser une casserole avec de l'enduit anticollant. Faire des couches dans l'ordre suivant : aubergines, pommes de terre, poivrons et courgettes en mettant des tomates et de l'ail entre chaque couche. (Ce plat peut être préparé jusqu'à 2 heures à l'avance jusqu'à cette étape. Couvrir et réserver à la température ambiante. Découvrir avant de remettre au four.)

**4.** Cuire au four de 30 à 40 minutes, jusqu'à ce que des bulles commencent à se former. Servir la ciambotta chaude, froide ou à la température ambiante.

PAR PORTION : 270 Calories, 8 g Gras total, 1 g Gras saturé, 0 mg Cholestérol, 172 mg Sodium, 48 g Glucide total, 7 g Fibres alimentaires, 7 g Protéines, 81 mg Calcium.

POINTS PAR PORTION : 5.

# Artichauts à la vapeur

## 4 PORTIONS

*Si vous aimez les artichauts, faites-les cuire à l'étuvée dans du vin blanc, de l'ail, du citron et de l'huile jusqu'à ce qu'ils soient très tendres. Ils se marient à la plupart des plats de pâtes, de viande, de poisson ou de volaille. Les artichauts miniatures sont aussi succulents; on peut remplacer les 4 gros artichauts de la recette par 720 g (1 ½ lb) d'entre eux. Et la bonne nouvelle, c'est qu'il n'y aura pas de foin à enlever…*

50 ml (¼ tasse) de jus de citron fraîchement pressé

4 artichauts

20 ml (4 c. à thé) d'huile d'olive extravierge

6 échalotes, hachées

250 ml (1 tasse) de vin blanc sec

30 ml (2 c. à soupe) de persil plat frais, émincé

2 gousses d'ail, émincées

1 ml (¼ c. à thé) de sel

Poivre fraîchement moulu, au goût

*Di Giorno Quand l'eau est mélangée avec un ingrédient un peu acide comme le jus de citron, on dit qu'il s'agit d'une eau acidulée. L'acide empêche les fruits et les légumes coupés de perdre leur couleur. Assurez-vous que votre bol est assez grand pour que les artichauts soient complètement submergés.*

**1.** Remplir un grand bol d'eau froide aux deux tiers. Ajouter le jus de citron.

**2.** Trancher la tige et le tiers supérieur des artichauts pour que le fond et le dessus soient plats. Enlever les feuilles extérieures trop coriaces et retirer le foin avec une cuillère à thé. Couper les artichauts en deux sur la longueur et les mettre aussitôt dans l'eau pour empêcher leur décoloration.

**3.** Chauffer l'huile dans une casserole à revêtement antiadhésif, puis ajouter les échalotes. Cuire sur feu vif pour les ramollir. Égoutter les artichauts, puis les ajouter aux échalotes. Incorporer le vin, le persil, l'ail, le sel et le poivre. Réduire la chaleur et laisser mijoter à couvert environ 40 minutes, jusqu'à ce que les artichauts soient tendres. Ajouter de l'eau, 15 ml (1 c. à soupe) à la fois, si le liquide s'évapore trop rapidement. Servir chauds ou à la température ambiante.

PAR PORTION : 166 Calories, 5 g Gras total, 1 g Gras saturé, 0 mg Cholestérol, 270 mg Sodium, 20 g Glucide total, 7 g Fibres alimentaires, 5 g Protéines, 80 mg Calcium.

POINTS PAR PORTION : 2.

# Fenouil grillé

## 6 PORTIONS

*Pour parer le bulbe de fenouil, coupez d'abord les tiges vertes. Enlevez une fine tranche à la base, puis coupez le bulbe en fines tranches. Plus les tranches seront minces et plus elles seront douces une fois cuites. Une mandoline pourrait vous faciliter grandement la tâche pour cette recette.*

15 ml (1 c. à soupe) d'huile d'olive

2 filets d'anchois, rincés et hachés

1 gros bulbe de fenouil, paré et coupé en fines tranches

Poivre fraîchement moulu, au goût

Chauffer un poêlon à revêtement antiadhésif. Verser l'huile, puis ajouter les anchois. Cuire environ 30 secondes, sans cesser de remuer, jusqu'à ce que leurs arômes se dégagent. Ajouter le fenouil et bien remuer. Réduire la chaleur, couvrir et cuire environ 30 minutes, en remuant de temps à autre, jusqu'à ce qu'il soit très tendre. Assaisonner avec du poivre.

PAR PORTION : 63 Calories, 4 g Gras total, 1 g Gras saturé, 13 mg Cholestérol, 570 mg Sodium, 3 g Glucide total, 1 g Fibres alimentaires, 5 g Protéines, 54 mg Calcium.

POINTS PAR PORTION : 1.

*Di Giorno Cuit sur feu doux, le fenouil perd suffisamment d'eau pour qu'il ne soit pas nécessaire d'en ajouter pendant la cuisson. Remuez souvent pour vous assurer qu'il ne colle pas au fond de la casserole ; baissez le feu au besoin.*

# Chou-fleur grillé

6 PORTIONS

*Si vous en avez assez des légumes cuits à la vapeur, voici du nouveau. Braiser un légume permet de conserver sa valeur nutritive. Ajoutez des liquides et des ingrédients différents dans le liquide de cuisson pour varier le goût.*

10 ml (2 c. à thé) d'huile d'olive

720 g (1 ½ lb) de bouquets de chou-fleur (environ 1,5 litre/ 6 tasses)

2 gousses d'ail, émincées

1 petit oignon, en tranches

125 ml (½ tasse) d'eau

2 tomates prunes, épépinées et hachées

30 ml (2 c. à soupe) de grosses câpres, égouttées et hachées

1 pincée (⅛ c. à thé) de poivre fraîchement moulu

Chauffer un poêlon à revêtement antiadhésif. Verser l'huile, puis ajouter le chou-fleur, l'ail et les oignons. Cuire sur feu vif jusqu'à ce que les légumes commencent à brunir. Verser l'eau et cuire à couvert environ 10 minutes, jusqu'à ce que l'eau soit évaporée et que le chou-fleur soit tendre sous la fourchette. Enlever le couvercle et ajouter les tomates, les câpres et le poivre. Cuire environ 3 minutes, sans cesser de remuer, jusqu'à ce que les tomates commencent à se défaire.

PAR PORTION : 55 Calories, 2 g Gras total, 0 g Gras saturé, 0 mg Cholestérol, 142 mg Sodium, 9 g Glucide total, 4 g Fibres alimentaires, 3 g Protéines, 33 mg Calcium.

POINTS PAR PORTION : 0.

*Di Giorno Les grosses câpres italiennes ont plus de goût que les petites câpres françaises et conviennent mieux à la douceur naturelle du chou-fleur.*

# $\mathcal{S}$carole au vin rouge

## 4 PORTIONS

*Faire braiser de la verdure dans le vin est un mode de cuisson populaire dans plusieurs régions de l'Italie. Cette préparation toscane demande du chianti, un vin robuste dont la qualité supérieure est identifiée sur l'étiquette par le mot* riserva. *La scarole n'est pas aussi douce que l'épinard, mais elle est moins amère que la chicorée frisée ou la carde à bette. On peut la manger crue en salade ou cuite de nombreuses manières.*

5 ml (1 c. à thé) d'huile d'olive

2 grosses gousses d'ail, émincées

1 botte de scarole, nettoyée et hachée

125 ml (½ tasse) de chianti ou autre vin rouge sec

1 pincée (⅛ c. à thé) de sel

1 pincée (⅛ c. à thé) de poivre fraîchement moulu

Chauffer un poêlon à revêtement antiadhésif. Verser l'huile, puis ajouter l'ail. Cuire sur feu vif jusqu'à ce que ses arômes se dégagent. Ajouter la scarole et le vin. Cuire à couvert environ 5 minutes, jusqu'à ce qu'elle ramollisse. Enlever le couvercle et cuire, sans cesser de remuer, jusqu'à ce que le liquide soit presque complètement évaporé. Saler et poivrer.

PAR PORTION : 48 Calories, 1 g Gras total, 0 g Gras saturé, 0 mg Cholestérol, 93 mg Sodium, 4 g Glucide total, 3 g Fibres alimentaires, 1 g Protéines, 50 mg Calcium.

POINTS PAR PORTION : 0.

# Torta à l'aubergine

4 PORTIONS

*Torta signifie «gâteau» en italien. Quand les tranches d'aubergine sont empilées en cercle et recouvertes de tomates, de fines herbes et de parmesan râpé, elles ont vraiment l'air d'un gâteau!*

1 aubergine de 480 g (1 lb), pelée et coupé en tranches de 6 mm (¼ po) d'épaisseur

175 ml (¾ tasse) de Sauce tomate aux fines herbes (p. 74), chaude

30 ml (2 c. à soupe) de parmesan, râpé

50 ml (¼ tasse) de basilic frais, émincé

**1.** Préchauffer le four à 200 °C (400 °F). Vaporiser 2 plaques avec de l'enduit anticollant. Placer les tranches d'aubergine sur une seule couche sur les plaques. Cuire au four de 15 à 20 minutes, jusqu'à ce qu'elles soient tendres.

**2.** Placer le tiers des tranches d'aubergine sur une assiette en formant un cercle de 20 cm (8 po). Verser 50 ml (¼ tasse) de sauce par-dessus, puis couvrir avec le tiers du fromage. Répéter les mêmes étapes en terminant avec une couche de fromage. Décorer le dessus avec le basilic. Au moment de servir, couper en 4 pointes avec un couteau bien affûté.

PAR PORTION : 85 Calories, 4 g Gras total, 1 g Gras saturé, 4 mg Cholestérol, 159 mg Sodium, 10 g Glucide total, 2 g Fibres alimentaires, 4 g Protéines, 145 mg Calcium.

POINTS PAR PORTION : 2.

*Di Giorno Pour savoir si une aubergine est bien mûre, pressez-la avec un doigt. Si votre empreinte reste marquée, l'aubergine est prête à manger. Si la chair rebondit, il faudra attendre encore un peu…*

# Aubergine parmigiana

## 4 PORTIONS

*Même si le mot parmigiana nous rappelle la ville de Parme située dans le nord de l'Italie, ce plat vient pourtant du sud. Certains érudits croient que ce mot vient de la déformation du mot palmigiana qui signifie «volets» en dialecte sicilien, ce qui fait probablement référence à l'aspect des couches d'aubergine qui se chevauchent. Si vous souhaitez doubler la recette, réchauffez les restes et servez-les sur du pain de campagne italien pour faire des sandwichs inoubliables.*

1 aubergine de 480 g (1 lb), pelée et coupée en tranches de 6 mm (¼ po)

2 ml (½ c. à thé) de sel

375 ml (1 ½ tasse) de Sauce tomate aux fines herbes (p. 74)

90 ml (6 c. à soupe) de chapelure nature

175 ml (¾ tasse) de mozzarella écrémée, en lamelles

*Di Giorno L'aubergine fait partie de la famille des solanacées et elle a été introduite en Europe au Moyen Âge. À l'époque, certains croyaient que cette plante était dangereuse parce qu'on la confondait avec la belladone, de la même famille mais vénéneuse. Même si on la prépare toujours comme un légume, l'aubergine est un fruit. Vous pouvez faire des portions individuelles avec cette recette. Faites des piles séparées dans un moule à gâteau roulé.*

1. Étendre les tranches d'aubergine sur une seule couche sur du papier absorbant, les saler et les couvrir avec d'autres feuilles de papier absorbant. Laisser reposer 30 minutes, puis éponger les tranches avec le papier.

2. Préchauffer le four à 180 °C (350 °F). Vaporiser 2 plaques et un plat de cuisson carré de 20 cm (8 po) avec de l'enduit anticollant. Mettre les tranches d'aubergine sur une seule couche sur les plaques. Cuire au four de 15 à 20 minutes, jusqu'à ce qu'elles soient tendres.

3. Étendre le quart de la sauce tomate dans le plat de cuisson. Couvrir avec une couche de tranches d'aubergine en les faisant se chevaucher au besoin. Saupoudrer avec le tiers de la chapelure, le quart du fromage et le quart de la sauce. Répéter les mêmes étapes en terminant avec une couche de fromage. Couvrir de papier d'aluminium et cuire de 30 à 40 minutes, jusqu'à ce que le tout soit bien cuit et bouillonnant. Enlever le papier d'aluminium, augmenter la température du four à 200 °C (400 °F) et cuire environ 15 minutes de plus, jusqu'à ce que le dessus soit légèrement croustillant. Servir chaude ou tiède.

PAR PORTION : 155 Calories, 5 g Gras total, 1 g Gras saturé, 2 mg Cholestérol, 360 mg Sodium, 20 g Glucide total, 3 g Fibres alimentaires, 10 g Protéines, 232 mg Calcium.

POINTS PAR PORTION : 3.

*Aubergine parmigiana*

# Flan aux poireaux

## 6 PORTIONS

*Les Piémontais adorent les flans à base de jaune d'œuf. Ici nous utilisons plutôt du babeurre. Ne vous en faites pas si le flan gonfle dans le four; il retombera tout naturellement au moment de refroidir.*

10 ml (2 c. à thé) d'huile d'olive

4 poireaux, nettoyés et coupés en diagonale

1 radicchio, nettoyé et coupé en tranches

125 ml (½ tasse) de babeurre à faible teneur en matières grasses

175 ml (¾ tasse) de substitut d'œuf sans matières grasses

1 ml (¼ c. à thé) de sel

1 pincée (⅛ c. à thé) de poivre blanc moulu

15 ml (1 c. à soupe) de farine tout usage

1. Chauffer l'huile dans un poêlon à revêtement antiadhésif. Ajouter les poireaux et le radicchio, réduire la chaleur et cuire à couvert de 18 à 20 minutes, en remuant de temps à autre, jusqu'à ce qu'ils soient très ramollis.

2. Pendant ce temps, placer les grilles du four pour diviser celui-ci en trois parties égales. Préchauffer le four à 190 °C (375 °F). Vaporiser une assiette à tarte de 22,5 cm (9 po) avec de l'enduit anticollant. Transvider les légumes dans l'assiette.

3. Fouetter ensemble le babeurre et le substitut d'œuf. Saler, poivrer, puis incorporer la farine en fouettant. Verser sur les légumes. Placer l'assiette sur la grille supérieure et cuire environ 30 minutes, jusqu'à ce que le dessus soit légèrement brun et qu'un couteau inséré au centre ressorte propre. Laisser reposer 10 minutes avant de servir.

PAR PORTION : 91 Calories, 2 g Gras total, 0 g Gras saturé, 1 mg Cholestérol, 193 mg Sodium, 13 g Glucide total, 2 g Fibres alimentaires, 6 g Protéines, 90 mg Calcium.

POINTS PAR PORTION : 2.

# Panettone

10 PORTIONS

*Ce pain de Noël originaire de Milan a été créé il y a plusieurs centaines d'années à l'époque où la plupart des paysans ne pouvaient s'offrir ces ingrédients plus d'une fois l'an. Fait traditionnellement avec de l'orange et du citron confits et du zeste de citron, nous vous le proposons ici avec des zestes mélangés et des fruits confits variés afin qu'il ressemble davantage à un gâteau aux fruits.*

125 ml (½ tasse) de farine à pain

75 ml (⅓ tasse) de lait écrémé

1 sachet de 7 g (¼ oz) de levure active sèche

530 ml (2 tasses + 2 c. à soupe) de farine tout usage non blanchie

50 ml (¼ tasse) de sucre

2 ml (½ c. à thé) de sel

10 ml (2 c. à thé) de zeste de citron

125 ml (½ tasse) de fruit et de pelure confits, finement hachés

175 ml (¾ tasse) de raisins secs dorés

2 œufs, battus

60 ml (4 c. à soupe) de beurre non salé, fondu et refroidi

5 ml (1 c. à thé) d'extrait de vanille

1 ml (¼ c. à thé) d'extrait d'anis

50 ml (¼ tasse) d'eau

1. Mettre la farine à pain dans un grand bol. Chauffer le lait à 43 à 46 °C (110 à 115 °F). Retirer du feu et incorporer la levure en fouettant, puis verser sur la farine. Remuer pour faire une pâte. Couvrir avec de la pellicule plastique et garder dans un endroit chaud de 1 ¼ à 1 ½ heure, jusqu'à ce que la pâte double de volume.

2. Mélanger 500 ml (2 tasses) de farine tout usage, le sucre, le sel et le zeste de citron dans le robot de cuisine muni d'une lame de plastique. Mélanger. Ajouter la pâte, les fruits confits, le zeste et les raisins secs. Pendant que le moteur tourne, ajouter les œufs, le beurre, la vanille, l'anis et l'eau dans l'entonnoir. Mettre la pâte sur une surface de travail et pétrir les 30 ml (2 c. à soupe) de farine tout usage restantes dans la pâte.

3. Vaporiser un grand bol avec de l'enduit anticollant. Mettre la pâte dans le bol. Couvrir hermétiquement avec de la pellicule plastique et remettre dans un endroit chaud de 1 ½ à 2 heures, jusqu'à ce que la pâte double de volume. Mettre la pâte dans un moule à panettone ou un moule à soufflé de 15 cm (6 po) légèrement graissé. Vaporiser légèrement une feuille de pellicule plastique avec de l'enduit anticollant et couvrir le moule. Laisser lever de 1 ½ à 2 heures de plus. Préchauffer le four à 190 °C (375 °F).

4. Faire un X sur le dessus de la pâte. Cuire au four environ 40 minutes, jusqu'à ce que le panettone soit brun et qu'une brochette insérée au centre ressorte propre. Laisser refroidir environ 15 minutes dans le moule placé sur une grille. Démouler et laisser refroidir complètement sur la grille.

PAR PORTION : 276 Calories, 6 g Gras total, 3 g Gras saturé, 55 mg Cholestérol, 153 mg Sodium, 50 g Glucide total, 2 g Fibres alimentaires, 6 g Protéines, 33 mg Calcium.

POINTS PAR PORTION : 6.

*Di Giorno Vous pouvez aussi faire ce panettone dans une boîte à café de 700 g (23 oz) rincée et bien essuyée. N'oubliez pas d'utiliser la lame de plastique du robot de cuisine pour faire la pâte. Une lame de métal hacherait les raisins secs et les fruits confits.*

# Grissinis

24 PORTIONS

*Ces bâtonnets croquants originaires de Toscane peuvent parfois mesurer jusqu'à 90 cm (3 pi)*
*de longueur! Pour faire des grissinis minces et très longs, coupez la pâte en 6 morceaux seulement*
*et passez chacun dans la machine à faire les pâtes en utilisant le couteau à fettucines plutôt que*
*de travailler la pâte avec les mains.*

---

425 ml (1 ¾ tasse) de farine tout usage non blanchie

5 ml (1 c. à thé) de levure rapide

5 ml (1 c. à thé) de sel

10 ml (2 c. à thé) de parmesan, râpé

175 ml (¾ tasse) d'eau du robinet très chaude

45 ml (3 c. à soupe) de semoule de blé dur (semolina)

---

*Di Giorno Pour une présentation spectaculaire à l'occasion d'un buffet ou d'un cocktail, mettez les grissinis dans un petit vase ou dans un verre.*

---

1. Mélanger la farine tout usage, la levure, le sel et le fromage dans le robot de cuisine et mélanger de 1 à 2 minutes. Pendant que le moteur tourne toujours, verser l'eau dans l'entonnoir. Quand la pâte forme une boule, continuer de faire tourner le moteur environ 45 secondes pour pétrir la pâte.

2. Vaporiser un bol avec de l'enduit anticollant. Mettre la pâte dans le bol. Couvrir hermétiquement avec de la pellicule plastique et laisser lever environ 1 heure dans un endroit chaud, jusqu'à ce que la pâte double de volume. Préchauffer le four à 200 °C (400 °F).

3. Sur un comptoir fariné, former un rectangle de 30 x 12,5 cm (12 x 5 po) avec la pâte. Couper ensuite la pâte en 48 lanières de 12,5 cm (5 po), puis rouler chacune en l'étirant jusqu'à 25 à 30 cm (10 à 12 po) de longueur. Saupoudrer la semoule de blé dur sur une plaque à pâtisserie et mettre les lanières de pâte par-dessus. Cuire au four environ 15 minutes, jusqu'à ce que les bâtonnets soient dorés. Laisser refroidir sur une grille.

PAR PORTION : 39 Calories, 0 g Gras total, 0 g Gras saturé, 0 mg Cholestérol, 100 mg Sodium, 8 g Glucide total, 0 g Fibres alimentaires, 1 g Protéines, 4 mg Calcium.

POINTS PAR PORTION : 1.

# Pâte à pizza

2 CROÛTES DE 30 CM (12 PO)
(8 PORTIONS PAR CROÛTE)

*Cette pâte peut être gardée facilement au congélateur. Si vous n'avez besoin que d'une seule croûte, enveloppez la moitié de la pâte dans de la pellicule plastique et gardez-la au réfrigérateur jusqu'à 3 jours ou congelez-la jusqu'à 1 mois. Laissez-la décongeler dans le réfrigérateur toute une nuit avant de l'utiliser.*

1 litre (4 tasses) de farine tout usage non blanchie

1 sachet de 7 g (¼ oz) de levure active

2 ml (½ c. à thé) de sel

300 ml (1 ¼ tasse) d'eau chaude à 49-54 °C (120-130 °F)

*Di Giorno Si vous préférez la farine de blé entier, remplacez 375 ml (1 ½ tasse) de farine tout usage par la même quantité de farine de blé entier.*

1. Mélanger 500 ml (2 tasses) de farine, la levure et le sel dans un grand bol. Avec le batteur à main, incorporer l'eau doucement. Battre 2 minutes en raclant les côtés du bol avec une spatule de caoutchouc de temps à autre. Avec le batteur à main, à vitesse moyenne, incorporer 125 ml (½ tasse) de la farine restante en battant environ 2 minutes, jusqu'à ce que la pâte soit ferme. Avec une cuillère de bois, incorporer la farine restante et travailler la pâte avec les mains quand celle-ci devient trop ferme pour être mélangée à la cuillère.

2. Vaporiser un grand bol avec de l'enduit anticollant. Mettre la pâte dans le bol. Couvrir hermétiquement avec de la pellicule plastique et laisser la pâte lever dans un endroit chaud environ 1 heure, jusqu'à ce qu'elle double de volume.

3. Diviser la pâte en deux (garder la moitié au congélateur ou au réfrigérateur si désiré). Utiliser la pâte tel que prescrit dans la recette choisie.

PAR PORTION : 130 Calories, 0 g Gras total, 0 g Gras saturé, 0 mg Cholestérol, 69 mg Sodium, 27 g Glucide total, 1 g Fibres alimentaires, 4 g Protéines, 6 mg Calcium.

POINTS PAR PORTION : 2.

# Pizza aux pommes de terre et à la mozzarella fumée

### 4 PORTIONS

*Dans les Pouilles, on fait la croûte avec des pommes de terre en purée que l'on recouvre de mozzarella fumée et de fines herbes. Notre recette utilise plutôt une croûte traditionnelle recouverte de tranches de pommes de terre. Un mélange inhabituel mais néanmoins délicieux!*

125 ml (½ tasse) d'eau à 49-54 °C (120-130 °F)

2 ml (½ c. à thé) de sucre

1 sachet de 7 g (¼ oz) de levure rapide

300 ml (1 ¼ tasse) de farine tout usage non blanchie

2 ml (½ c. à thé) de sel

1 pomme de terre moyenne de consommation courante, pelée, coupée en fines tranches et jetée dans l'eau froide

10 ml (2 c. à thé) d'huile d'olive extravierge

1 ml (¼ c. à thé) de sel kascher

90 g (3 oz) de mozzarella fumée, en lamelles (environ 175 ml/ ¾ tasse)

Poivre fraîchement moulu, au goût

1. Pour faire la pâte, mélanger l'eau et le sucre dans un petit bol. Incorporer la levure à l'aide d'un fouet et laisser reposer environ 5 minutes jusqu'à ce que le tout soit mousseux. Mélanger la farine et le sel dans le robot de cuisine. Pendant que le moteur tourne toujours, verser la préparation à la levure dans l'entonnoir. Quand la pâte forme une boule, continuer de laisser tourner le moteur pendant environ 30 secondes pour pétrir la pâte.

2. Vaporiser un grand bol avec de l'enduit anticollant. Mettre la pâte dans le bol. Couvrir hermétiquement de pellicule plastique et garder dans un endroit chaud environ 30 minutes, jusqu'à ce que la pâte double de volume.

3. Pendant ce temps, égoutter les pommes de terre et bien les éponger avec du papier essuie-tout. Mélanger les pommes de terre, l'huile et le sel kascher. Préchauffer le four à 220 °C (425 °F).

4. Façonner la pâte en un cercle de 30 cm (12 po) sur une plaque à pâtisserie ou une plaque à pizza à revêtement anti-adhésif. Garnir avec la moitié du fromage et couvrir avec les pommes de terre dressées sur une seule couche. Couvrir avec le fromage restant et poivrer. Cuire au four environ 18 minutes, jusqu'à ce que la croûte brunisse légèrement.

PAR PORTION : 283 Calories, 9 g Gras total, 4 g Gras saturé, 30 mg Cholestérol, 615 mg Sodium, 39 g Glucide total, 2 g Fibres alimentaires, 11 g Protéines, 125 mg Calcium.

POINTS PAR PORTION : 6.

# Pizza minute aux olives

## 8 PORTIONS

*Le succès d'une bonne pizza dépend souvent de la température du four. Si votre four prend plusieurs minutes à atteindre 260 °C (500 °F), préchauffez le four pendant que la pâte lève.*

155 ml (½ tasse + 2 c. à soupe) d'eau chaude à 49-54 °C (120-130 °F)

2 ml (½ c. à thé) de sucre

1 sachet de 7 g (¼ oz) de levure rapide

375 ml (1 ½ tasse) de farine tout usage non blanchie

2 ml (½ c. à thé) de sel

250 ml (1 tasse) de sauce aux tomates à pizza

12 grosses olives de Calamata, dénoyautées et hachées

1. Pour faire la pâte, mélanger l'eau et le sucre dans un petit bol. Incorporer la levure à l'aide d'un fouet et laisser reposer environ 5 minutes, jusqu'à ce que le tout soit mousseux. Mélanger la farine et le sel dans le robot de cuisine. Pendant que le moteur tourne toujours, verser la préparation de levure dans l'entonnoir. Quand la pâte forme une boule, laisser tourner le moteur 30 secondes de plus pour pétrir la pâte.

2. Vaporiser un grand bol avec de l'enduit anticollant. Mettre la pâte dans le bol. Couvrir hermétiquement avec de la pellicule plastique et garder dans un endroit chaud environ 30 minutes, jusqu'à ce que la pâte double de volume. Préchauffer le four à 260 °C (500 °F).

3. Façonner la pâte en un cercle de 30 cm (12 po) sur une plaque à pâtisserie ou une plaque à pizza à revêtement antiadhésif. Verser la sauce à la cuillère sur la croûte et couvrir avec les olives. Cuire au four environ 10 minutes, jusqu'à ce que la croûte soit croustillante et brunisse légèrement.

PAR PORTION : 134 Calories, 3 g Gras total, 0 g Gras saturé, 0 mg Cholestérol, 392 mg Sodium, 23 g Glucide total, 1 g Fibres alimentaires, 4 g Protéines, 5 mg Calcium.

POINTS PAR PORTION : 3.

# Pizza alla marinara

## 8 PORTIONS

*Préparez cette merveilleuse recette les soirs où vous rêvez de pizza sans trop de calories ni de matières grasses.*

140 ml (½ tasse + 1 c. à soupe) d'eau chaude à 40-46 °C (105-115 °F)

2 ml (½ c. à thé) de sucre

1 sachet de 7 g (¼ oz) de levure active sèche

375 ml (1 ¼ tasse) de farine tout usage non blanchie

1 oignon, finement haché

20 ml (4 c. à thé) d'huile d'olive

1 boîte de 427 ml (14 ½ oz) de tomates prunes à l'italienne (sans sel ajouté), hachées

5 ml (1 c. à thé) d'origan séché

1 ml (¼ c. à thé) de sel

30 ml (2 c. à soupe) de pecorino romano, râpé

125 ml (½ tasse) de mozzarella écrémée, en lamelles

1. Pour faire la pâte, mélanger l'eau et le sucre dans un petit bol. Incorporer la levure à l'aide d'un fouet et laisser reposer environ 5 minutes, jusqu'à ce que le tout soit mousseux. Mélanger la farine et le sel dans le robot de cuisine. Pendant que le moteur tourne toujours, verser la préparation de levure dans l'entonnoir. Quand la pâte forme une boule, laisser tourner le moteur 30 secondes de plus pour pétrir la pâte.

2. Vaporiser un grand bol avec de l'enduit anticollant. Mettre la pâte dans le bol. Couvrir hermétiquement avec de la pellicule plastique et garder dans un endroit chaud environ 1 heure, jusqu'à ce que la pâte double de volume.

3. Pendant ce temps, préparer la sauce. Mélanger les oignons et l'huile dans une casserole sur feu doux. Couvrir et cuire 5 minutes. Ajouter les tomates, l'origan et le sel. Laisser mijoter à découvert 15 minutes de plus en remuant de temps à autre. Laisser refroidir à la température ambiante.

4. Façonner la pâte en un cercle de 30 cm (12 po) sur une plaque à pâtisserie ou une plaque à pizza à revêtement antiadhésif. Couvrir légèrement et garder 30 minutes dans un endroit chaud. Préchauffer le four à 260 °C (500 °F).

5. Verser la sauce à la cuillère sur la croûte, puis couvrir avec les fromages. Cuire au four de 10 à 12 minutes, jusqu'à ce que la croûte brunisse légèrement et que les fromages soient fondus.

PAR PORTION : 146 Calories, 4 g Gras total, 0 g Gras saturé, 4 mg Cholestérol, 166 mg Sodium, 22 g Glucide total, 1 g Fibres alimentaires, 7 g Protéines, 106 mg Calcium.

POINTS PAR PORTION : 3.

# Pizza de blé entier aux artichauts et aux poivrons rouges

## 6 PORTIONS

*Le gorgonzola est un fromage bleu qui ne fond pas. Il ramollira un peu, mais pas autant que la mozzarella.*

140 ml (½ tasse + 15 ml) d'eau chaude 40-46 ºC (105-115 ºF)

2 ml (½ c. à thé) de sucre

1 sachet de 7 g (¼ oz) de levure sèche active

250 ml (1 tasse) de farine à pain

125 ml (½ tasse) de farine de blé entier

1 ml (¼ c. à thé) de sel

500 ml (2 tasses) d'artichauts en conserve, égouttés, ou décongelés, hachés

1 poivron rouge, épépiné et en julienne

15 ml (1 c. à soupe) d'huile d'olive

60 g (2 oz) de gorgonzola, émietté (environ 125 ml/½ tasse)

Poivre fraîchement moulu

*Di Giorno Si possible, faites cette pizza dans un moule noir lourd. Les métaux foncés absorbent la chaleur rapidement et uniformément, ce qui permet d'obtenir une croûte brune et croustillante.*

**1.** Pour faire la pâte, mélanger l'eau et le sucre dans un petit bol. Incorporer la levure à l'aide d'un fouet et laisser reposer environ 5 minutes, jusqu'à ce que le tout soit mousseux. Mélanger les farines et la moitié du sel dans le robot de cuisine. Pendant que le moteur tourne toujours, verser la préparation de levure dans l'entonnoir. Quand la pâte forme une boule, laisser tourner le moteur 30 secondes de plus pour pétrir la pâte.

**2.** Vaporiser un grand bol avec de l'enduit anticollant. Mettre la pâte dans le bol. Couvrir hermétiquement avec de la pellicule plastique et garder dans un endroit chaud environ 1 heure, jusqu'à ce que la pâte double de volume.

**3.** Façonner la pâte en un cercle de 30 cm (12 po) sur une plaque à pâtisserie ou une plaque à pizza à revêtement antiadhésif. Couvrir légèrement et garder 30 minutes dans un endroit chaud. Préchauffer le four à 260 ºC (500 ºF).

**4.** Mélanger les artichauts, les poivrons, l'huile et le sel restant. Verser à la cuillère sur la croûte, couvrir de fromage et poivrer. Cuire au four environ 10 minutes, jusqu'à ce que la croûte brunisse légèrement.

PAR PORTION : 197 Calories, 6 g Gras total, 2 g Gras saturé, 9 mg Cholestérol, 237 mg Sodium, 30 g Glucide total, 4 g Fibres alimentaires, 8 g Protéines, 73 mg Calcium.

POINTS PAR PORTION : 4.

**Problème :** La pâte se déchire quand vous l'étirez.

**Solution :** Vous avez trop travaillé la pâte. Couvrez-la avec un linge humide et laissez-la reposer de 15 à 20 minutes à la température ambiante. Cela «détendra» le gluten, cette protéine de la farine qui donne à la pâte son élasticité.

**Problème :** Votre pizza n'est pas aussi croustillante qu'au restaurant.

**Solution :** Les pizzas authentiques sont faites dans des fours à bois faits en brique pouvant atteindre jusqu'à 370 °C (700 °F), ce qui ne ressemble pas du tout à nos fours domestiques. Vous pouvez utiliser un moule à pizza dont le fond est perforé, mais c'est en plaçant au fond de votre four des pierres ou des briques à pizza retenant la chaleur que vous obtiendrez une pizza semblable à l'authentique pizza napolitaine. Cuisez la pizza directement sur des briques préchauffées pour obtenir de meilleurs résultats.

**Problème :** Votre pizza colle à la pelle à pizza.

**Solution :** La pelle est une grande spatule plate en bois servant à glisser directement des mets délicats dans le four sans les briser. Mais il n'est pas toujours facile de l'utiliser. Saupoudrez-la d'abord généreusement de semoule de maïs avant de mettre la pâte par-dessus, ce qui empêchera celle-ci de coller. Ne laissez pas la pizza sur la pelle trop longtemps. Préparez la pizza le plus vite possible une fois qu'elle est sur la pelle et glissez-la immédiatement dans le four.

**Problème :** Votre croûte à pizza cuite dans un plat est lourde et pâteuse.

**Solution :** Essayez une pâte plus légère. Certaines recettes de pizzas à cuire dans un plat contiennent des œufs, de la semoule de maïs et d'autres ingrédients non traditionnels qui donnent une croûte tendre semblable à la pâte à biscuits. La pâte à pain français réfrigérée (et non la pâte à pizza) pourrait être un excellent substitut.

**Problème :** Votre pizza a une croûte imbibée de sauce et les ingrédients ne sont pas assez cuits.

**Solution :** Certains ingrédients laissent échapper de l'eau ou du gras pendant la cuisson. Des légumes tels que les oignons, les épinards, le brocoli, les cœurs d'artichaut et les champignons devraient d'abord être cuits sur feu vif ou à la vapeur avant d'être utilisés sur la pizza. Les légumes congelés ne nécessitent pas de cuisson, mais on doit d'abord bien les égoutter ou les éponger. Le bœuf et la volaille hachés et la saucisse doivent être cuits et égouttés, non seulement pour perdre leur eau mais aussi une bonne partie de leur gras.

# Pizzas aux légumes grillés

## 16 PORTIONS

*Une plaque à pizza dont le fond est percé de petits trous d'aération donnera une croûte plus croustillante. Vous pouvez aussi cuire la pizza directement sur une pierre à cuisson préchauffée.*

1 aubergine de 480 g (1 lb), en morceaux

3 courgettes moyennes, en morceaux

1 oignon, coupé en tranches

10 ml (2 c. à thé) d'huile d'olive

4 tomates runes, en tranches de 6 mm (¼ po)

1 recette (environ 960 g/2 lb) de Pâte à pizza (p. 290)

1 contenant de 450 g (15 oz) de ricotta sans matières grasses

50 ml (¼ tasse) de basilic frais, haché

**1.** Préchauffer le four à 180 °C (350 °F). Dans un grand bol, mélanger les aubergines, les courgettes et les oignons. Ajouter l'huile et remuer. Mettre le tout sur une plaque à pâtisserie et cuire au four 15 minutes. Remuer, ajouter les tomates et cuire environ 15 minutes de plus, jusqu'à ce que les légumes commencent à brunir. Retirer du four et augmenter la température de celui-ci à 230 °C (450 °F).

**2.** Façonner la pâte en deux cercles de 30 cm (12 po) sur des plaques à pâtisserie ou des plaques à pizza à revêtement antiadhésif. Piquer la pâte plusieurs fois avec une fourchette. Cuire au four environ 5 minutes, jusqu'à ce que la pâte commence à gonfler.

**3.** Bien mélanger la ricotta et le basilic. Étendre uniformément sur chaque croûte. Garnir avec les légumes grillés. Cuire au four environ 10 minutes, jusqu'à ce que les croûtes soient d'un beau brun doré.

PAR PORTION : 175 Calories, 1 g Gras total, 0 g Gras saturé, 0 mg Cholestérol, 69 mg Sodium, 32 g Glucide total, 2 g Fibres alimentaires, 9 g Protéines, 46 mg Calcium.

POINTS PAR PORTION : 3.

*Pizzas aux légumes grillés*

# Pizza aux portobellos

## 8 PORTIONS

*Les portobellos peuvent être remplacés par des champignons blancs, créminis ou shiitakes dont on aura enlevé le pied et qu'on aura coupés en tranches.*

½ recette (environ 480 g/1 lb) de Pâte à pizza (p. 290)

45 g (3 c. à soupe) de gorgonzola, émietté

250 ml (1 tasse) de ricotta sans matières grasses

30 ml (2 c. à soupe) de lait écrémé

180 g (6 oz) de champignons portobellos, nettoyés, pieds enlevés, coupés en tranches de 6 mm (¼ po)

15 ml (1 c. à soupe) de romarin frais, haché

**1.** Préchauffer le four à 230 °C (450 °F). Façonner la pâte en un cercle de 30 cm (12 po) sur une plaque à pâtisserie ou une plaque à pizza à revêtement antiadhésif. Piquer la croûte plusieurs fois avec une fourchette. Cuire au four environ 5 minutes, jusqu'à ce que la pâte commence à gonfler. Vaporiser la croûte avec de l'enduit anticollant.

**2.** Bien mélanger le gorgonzola, la ricotta et le lait. Étendre uniformément sur la croûte. Couvrir avec les champignons et le romarin et vaporiser de nouveau avec de l'enduit anticollant. Cuire au four de 10 à 12 minutes, jusqu'à ce que la croûte brunisse légèrement.

PAR PORTION : 174 Calories, 1 g Gras total, 1 g Gras saturé, 3 mg Cholestérol, 152 mg Sodium, 29 g Glucide total, 2 g Fibres alimentaires, 10 g Protéines, 73 mg Calcium.

POINTS PAR PORTION : 3.

*Di Giorno Vous pouvez acheter des portobellos déjà coupés en tranches, mais celles-ci sont souvent trop épaisses (environ 1,25 cm/½ po), ce qui vous obligera à couper chaque tranche en deux.*

# Pizza florentine

## 8 PORTIONS

*Les plats préparés alla fiorentina, c'est-à-dire à la mode de Florence, contiennent des épinards et sont souvent recouverts de fromage que l'on fait brunir légèrement. Utilisez des épinards frais et non des épinards congelés pour cette recette. Lavez les épinards et faites-les cuire simplement dans l'eau qui reste attachée aux feuilles après rinçage.*

1 paquet de 300 g (10 oz) d'épinards lavés, nettoyés (ne pas les éponger)

½ recette (environ 480 g/1 lb) de Pâte à pizza (p. 290)

75 ml (⅓ tasse) de feta aux fines herbes sans matières grasses, émietté

125 ml (½ tasse) de mozzarella partiellement écrémée, en lamelles

*Di Giorno En faisant d'abord cuire partiellement la croûte, vous empêcherez qu'elle devienne trop molle. Cette technique est surtout nécessaire quand on fait une pizza avec des ingrédients renfermant beaucoup d'eau (comme les épinards).*

1. Préchauffer le four à 230 °C (450 °F).

2. Chauffer un poêlon à revêtement antiadhésif. Ajouter les épinards et cuire à couvert environ 2 minutes, jusqu'à ce qu'ils ramollissent. Retirer du feu et laisser refroidir. Presser les épinards pour retirer l'eau et hacher grossièrement.

3. Façonner la pâte en un cercle de 30 cm (12 po) sur une plaque à pâtisserie ou une plaque à pizza à revêtement antiadhésif. Piquer la croûte plusieurs fois avec une fourchette. Cuire au four environ 5 minutes, jusqu'à ce que la pâte commence à gonfler. Étendre les épinards sur la croûte. Garnir uniformément la pizza avec la feta et la mozzarella et vaporiser légèrement avec de l'enduit anticollant. Cuire au four de 11 à 12 minutes, jusqu'à ce que le fromage fonde et brunisse.

PAR PORTION : 167 Calories, 1 g Gras total, 1 g Gras saturé, 7 mg Cholestérol, 174 mg Sodium, 29 g Glucide total, 2 g Fibres alimentaires, 7 g Protéines, 110 mg Calcium.

POINTS PAR PORTION : 3.

# Pizza aux trois fromages

## 6 PORTIONS

*Quoi ? Une pizza sans sauce tomate ? En fait, une pizza comme celle-ci, particulièrement appréciée à Rome, porte le nom de* pizza bianca *ou* pizza blanche.

80 ml (¼ tasse + 2 c. à soupe) d'eau chaude à 49-54 ºC (120-130 ºF)

2 ml (½ c. à thé) de sucre

1 sachet de 7 g (¼ oz) de levure active sèche

250 ml (1 tasse) de farine tout usage non blanchie

50 ml (¼ tasse) de son d'avoine

2 ml (½ c. à thé) de sel

20 ml (1 c. à soupe + 1 c. à thé) d'huile d'olive

250 ml (1 tasse) de ricotta sans matières grasses

30 ml (2 c. à soupe) de parmesan, râpé

45 g (1 ½ oz) de fontina, râpé (environ 75 ml/⅓ tasse)

1 grosse gousse d'ail, en fines tranches

Sel et poivre fraîchement moulu, au goût

**1.** Pour faire la pâte, mélanger l'eau et le sucre dans un petit bol. Incorporer la levure en fouettant et laisser reposer environ 5 minutes jusqu'à consistance mousseuse. Dans le robot de cuisine, mélanger la farine, le son d'avoine et le sel. Pendant que le moteur tourne, verser dans l'entonnoir 15 ml (1 c. à soupe) d'huile, puis la préparation à la levure. Quand la pâte forme une boule, laisser le moteur tourner environ 30 secondes pour pétrir la pâte.

**2.** Vaporiser un grand bol avec de l'enduit anticollant. Mettre la pâte dans le bol. Couvrir hermétiquement avec de la pellicule plastique et laisser lever la pâte environ 1 heure dans un endroit chaud, jusqu'à ce qu'elle double de volume.

**3.** Mettre la ricotta dans une passoire tapissée avec un filtre à café ou de la mousseline placée au-dessus d'un bol. Laisser égoutter 15 minutes. Jeter le liquide. Préchauffer le four à 220 ºC (425 ºF).

**4.** Travailler la pâte pour former un cercle de 25 cm (10 po) sur une plaque à pâtisserie ou une plaque à pizza à revêtement antiadhésif. Étendre la ricotta sur la pâte. Couvrir avec le parmesan, le fontina, l'ail, le sel et le poivre. Arroser avec l'huile restante. Cuire environ 18 minutes, jusqu'à ce que la croûte brunisse légèrement.

PAR PORTION : 209 Calories, 11 g Gras total, 5 g Gras saturé, 28 mg Cholestérol, 402 mg Sodium, 20 g Glucide total, 1 g Fibres alimentaires, 10 g Protéines, 169 mg Calcium.

POINTS PAR PORTION : 5.

# Pizza aux crevettes

8 PORTIONS

*La pizza aux fruits de mer est très populaire à Venise, où l'on va même jusqu'à les laisser dans leurs coquillages. Pour un goût d'ail rôti bien prononcé, utilisez-en jusqu'à 12 gousses.*

½ recette (environ 480 g/1 lb) de Pâte à pizza (p. 290)

8 gousses d'ail, rôties (p. 15) et épluchées

2 tomates prunes, en fines tranches

360 g (12 oz) de crevettes moyennes, pelées et déveinées

150 ml (⅔ tasse) de mozzarella partiellement écrémée, en lamelles

30 ml (2 c. à soupe) de basilic frais, coupé

1. Préchauffer le four à 230 °C (450 °F).

2. Façonner la pâte en un cercle de 30 cm (12 po) sur une plaque à pâtisserie ou une plaque à pizza à revêtement antiadhésif. Piquer la croûte plusieurs fois avec une fourchette. Cuire au four environ 5 minutes, jusqu'à ce que la pâte commence à gonfler. Étendre l'ail rôti sur la croûte. Garnir avec les tomates et les crevettes, puis couvrir avec le fromage et le basilic. Cuire au four de 9 à 10 minutes, jusqu'à ce que les crevettes soient bien cuites et que le fromage soit fondu.

PAR PORTION : 209 Calories, 2 g Gras total, 1 g Gras saturé, 70 mg Cholestérol, 184 mg Sodium, 20 g Glucide total, 1 g Fibres alimentaires, 16 g Protéines, 104 mg Calcium.

POINTS PAR PORTION : 4.

# Pizza à la saucisse à la sicilienne

*Cette pan pizza cuite dans un moule est une véritable* pizza alla siciliana. *Sa croûte est épaisse et cuite dans un moule carré avec de la sauce tomate et, parfois, des anchois.*

5 ml (1 c. à thé) de fécule de maïs

¼ recette (environ 240 g/8 oz) de Pâte à pizza (p. 290)

125 ml (½ tasse) de sauce tomate (sans sel ajouté)

½ poivron vert, épépiné et coupé en tranches

1 petit oignon, en fines tranches

250 ml (1 tasse) de saucisses de porc italiennes, émiettées (environ 120 g/4 oz), cuites

75 ml (⅓ tasse) de mozzarella partiellement écrémée, en lamelles

30 ml (2 c. à soupe) de basilic frais, émincé

Poivre fraîchement moulu, au goût

1 gousse d'ail, émincée

**1.** Préchauffer le four à 230 °C (450 °F). Saupoudrer un moule carré de 20 x 20 cm (8 x 8 po) avec de la semoule de maïs.

**2.** Sur un comptoir légèrement fariné, étendre la pâte pour former un carré de 25 cm (10 po). Tapisser le moule avec la pâte en la pressant bien sur les côtés pour former un bord.

**3.** Étendre la sauce tomate sur la pâte. Couvrir avec les poivrons et les oignons, puis avec les saucisses, le fromage, le basilic, le poivre et l'ail. Cuire au four environ 20 minutes, jusqu'à ce que la croûte soit brune et que le fromage soit fondu.

PAR PORTION : 295 Calories, 11 g Gras total, 4 g Gras saturé, 28 mg Cholestérol, 630 mg Sodium, 33 g Glucide total, 2 g Fibres alimentaires, 14 g Protéines, 93 mg Calcium.

POINTS PAR PORTION : 6.

*Di Giorno Nous avons réduit considérablement la quantité de matières grasses que l'on trouve dans la recette originale. Si vous voulez couper davantage, rincez la saucisse à l'eau chaude avant de la faire cuire.*

*Pizza à la saucisse
à la sicilienne*

# Pâte à focaccia

16 PORTIONS

*La focaccia est une invention génoise. Plus épaisse et plus difficile à mastiquer qu'une pizza, elle demande aussi moins d'ingrédients pour la garniture. La levure rapide que l'on utilise dans cette recette réduit de moitié le temps de fermentation.*

1 sachet de 7 g (¼ oz) de levure rapide

5 ml (1 c. à thé) de sucre

15 ml (1 c. à soupe) d'huile d'olive

625 ml (2 ½ tasses) de farine tout usage non blanchie

250 ml (1 tasse) d'eau du robinet très chaude

1. Mélanger la levure, le sucre, le sel, l'huile et la farine dans le robot de cuisine. Pendant que le moteur tourne toujours, verser l'eau dans l'entonnoir. Quand la pâte forme une boule, continuer de faire tourner le moteur pendat 1 minute pour pétrir la pâte.

2. Vaporiser un grand bol avec de l'enduit anticollant. Mettre la pâte dans le bol. Couvrir hermétiquement avec de la pellicule plastique et garder dans un endroit chaud environ 45 minutes jusqu'à ce que la pâte double de volume.

3. Utiliser la pâte tel que prescrit dans la recette de focaccia choisie.

PAR PORTION : 81 Calories, 1 g Gras total, 0 g Gras saturé, 0 mg Cholestérol, 1 mg Sodium, 15 g Glucide total, 1 g Fibres alimentaires, 2 g Protéines, 3 mg Calcium.

POINTS PAR PORTION : 2.

# Focaccia au romarin

## 24 PORTIONS

*Plutôt que de couvrir la pâte de brins de romarin comme on le fait en Italie, nous vous proposons de pétrir du romarin haché directement dans la pâte. À Gênes, les boulangers travaillent la pâte avec le bout des doigts plutôt qu'avec le manche d'une cuillère en bois.*

50 ml (¼ tasse) d'eau chaude à 43-46 °C (110-115 °F)

15 ml (1 c. à soupe) de miel

1 sachet de 7 g (¼ tasse) de levure rapide

800 ml (3 ¼ tasses) de farine tout usage non blanchie

22 ml (1 ½ c. à soupe) de romarin frais, haché

7 ml (½ c. à soupe) de sel de table

175 ml (¾ tasse) d'eau à température ambiante

1 blanc d'œuf, battu avec 22 ml (1 ½ c. à soupe) d'eau

15 ml (1 c. à soupe) de sel de mer cristallisé ou 7 ml (½ c. à soupe) de sel kascher

1. Dans un petit bol, mélanger l'eau chaude et le miel. Incorporer la levure en fouettant et laisser reposer environ 10 minutes jusqu'à consistance mousseuse. Dans le robot de cuisine, mélanger la farine, le romarin et le sel de table et mélanger 1 minute, puis verser la préparation à la levure. Pendant que le moteur tourne, verser lentement dans l'entonnoir l'eau gardée à la température ambiante. Quand la pâte forme une boule, faire tourner le moteur environ 1 minute pour pétrir la pâte.

2. Vaporiser un grand bol avec de l'enduit anticollant. Mettre la pâte dans le bol. Couvrir légèrement et laisser lever la pâte environ 45 minutes dans un endroit chaud, jusqu'à ce qu'elle double de volume et qu'elle ne rebondisse plus au toucher.

3. Vaporiser une plaque à pâtisserie de 23 x 33 cm (9 ¼ x 13 ¼ po) avec de l'enduit anticollant. Travailler la pâte dans le moule en l'étirant pour bien couvrir les coins. Couvrir de nouveau et réserver pendant 15 minutes. Plisser la pâte avec le manche d'une cuillère en bois, la brosser avec le mélange de blanc d'œuf et d'eau et la saupoudrer de sel kascher. Préchauffer le four à 180 °C (350 °F).

4. Cuire au four environ 45 minutes, jusqu'à ce que la focaccia soit dorée. Laisser refroidir 5 minutes dans le moule placé sur une grille avant de le couper en morceaux.

PAR PORTION : 66 Calories, 0 g Gras total, 0 g Gras saturé, 0 mg Cholestérol, 436 mg Sodium, 14 g Glucide total, 1 g Fibres alimentaires, 2 g Protéines, 5 mg Calcium.

POINTS PAR PORTION : 1.

# Focaccia au gorgonzola

## 16 PORTIONS

*Nommé d'après la ville de Lombardie dont il est originaire, le gorgonzola est un fromage bleu riche et piquant. Comme le parmesan, le gorgonzola se marie bien à la ricotta sans matières grasses pour faire une tartinade exquise. Préparez-en une plus grande quantité que vous utiliserez pour napper des paninis aux portobellos grillés ou comme vinaigrette.*

1 gros oignon rouge, coupé en deux sur la longueur, puis coupé diagonalement en fines tranches

125 ml (½ tasse) de ricotta sans matières grasses

50 ml (¼ tasse) de gorgonzola

30 ml (2 c. à soupe) de lait écrémé

1 recette de Pâte à focaccia (p. 304)

1. Préchauffer le four à 220 °C (425 °F). Tapisser un plat de cuisson avec du papier d'aluminium et mettre les oignons par-dessus. Cuire au four 3 minutes, remuer et cuire 3 minutes de plus pour les attendrir. Éteindre le four.

2. Pendant ce temps, mélanger la ricotta, le gorgonzola et le lait.

3. Vaporiser une plaque à pâtisserie de 27,5 x 37,5 cm (11 x 15 po) avec de l'enduit anticollant. Travailler la pâte dans le plat de cuisson en la pressant bien dans les coins. Plisser la pâte avec le manche d'une cuillère en bois et la piquer plusieurs fois avec une fourchette. Étendre la préparation au fromage par-dessus et couvrir avec les oignons. Couvrir légèrement et laisser lever environ 45 minutes dans un endroit chaud. Préchauffer le four à 220 °C (425 °F).

4. Cuire au four environ 20 minutes, jusqu'à ce que la focaccia soit gonflée et brune. Laisser refroidir 5 minutes dans le plat de cuisson placé sur une grille avant de couper en morceaux.

PAR PORTION : 97 Calories, 2 g Gras total, 1 g Gras saturé, 2 mg Cholestérol, 37 mg Sodium, 16 g Glucide total, 1 g Fibres alimentaires, 4 g Protéines, 24 mg Calcium.

POINTS PAR PORTION : 2.

# Focaccia au parmesan

### 24 PORTIONS

*La focaccia est tout simplement une pâte à pizza à laquelle on a incorporé divers ingrédients ou que l'on a recouverte de fines herbes, etc. Cette focaccia des plus simples peut se transformer en excellent panino.*

375 ml (1 ½ tasse) d'eau chaude à 40-46 ºC (105-115 ºF)

1 sachet de 7 g (¼ oz) de levure active sèche

5 ml (1 c. à thé) de sucre

1 litre (4 tasses) de farine tout usage non blanchie

7 ml (1 ½ c. à thé) d'origan séché

5 ml (1 c. à thé) de sel

30 ml (2 c. à soupe) d'huile d'olive

50 ml (¼ tasse) de parmesan, râpé

1. Pour faire la pâte, mélanger 125 ml (½ tasse) d'eau et la levure dans un petit bol. Incorporer le sucre. Laisser reposer environ 5 minutes jusqu'à consistance mousseuse. Mélanger la farine, l'origan et le sel dans le robot de cuisine. Pendant que le moteur tourne, ajouter la préparation à la levure, 15 ml (1 c. à soupe) d'huile et l'eau restante. Quand la pâte forme une boule, laisser tourner le moteur environ 30 secondes pour pétrir la pâte. Renverser la pâte sur un comptoir légèrement fariné et pétrir environ 1 minute pour la rendre légère et élastique.

2. Vaporiser un grand bol avace de l'enduit anticollant. Mettre la pâte dans le bol. Couvrir hermétiquement avec de la pellicule plastique et laisser lever la pâte environ 1 heure dans un endroit chaud jusqu'à ce qu'elle double de volume.

3. Vaporiser un moule à gâteau roulé avec de l'enduit anticollant. Étendre la pâte dans le moule en couvrant bien les coins. Plisser la pâte avec le manche d'une cuillère en bois et la piquer plusieurs fois avec une fourchette. Couvrir légèrement et réserver 30 minutes dans un endroit chaud. Diviser le four en deux parties égales avec les grilles et le préchauffer à 230 ºC (450 ºF).

4. Brosser la pâte avec l'huile restante. Cuire au four 10 minutes et réduire la température à 200 ºC (400 ºF). Saupoudrer avec le fromage. Cuire environ 15 minutes de plus, jusqu'à ce que la focaccia soit brune et croustillante. Laisser refroidir 5 minutes dans le moule placé sur une grille avant de couper en morceaux.

PAR PORTION : 105 Calories, 2 g Gras total, 1 g Gras saturé, 1 mg Cholestérol, 125 mg Sodium, 18 g Glucide total, 1 g Fibres alimentaires, 3 g Protéines, 30 mg Calcium.

POINTS PAR PORTION : 2.

# Focaccia aux poivrons rouges et jaunes

## 16 PORTIONS

*Le mot* focaccia *vient du latin* focolare, *qui signifie âtre. À l'origine, le focacce était cuit dans le foyer. Si vous avez une pierre à cuisson, préchauffez-la et mettez la focaccia directement par-dessus pour obtenir une authentique focaccia des plus croustillantes. Pour une recette à la napolitaine, supprimez le basilic et mélangez les poivrons et l'huile avec 10 ml (2 c. à thé) de pâte d'anchois.*

2 poivrons rouges

2 poivrons jaunes

30 ml (2 c. à soupe) de basilic frais, finement coupé

12 ml (2 ½ c. à thé) d'huile d'olive

1 recette de Pâte à focaccia (p. 304)

1. Préchauffer le gril. Tapisser une plaque à pâtisserie avec du papier d'aluminium et mettre les poivrons par-dessus. Griller les poivrons à 5 ou 7 cm (2 ou 3 po) de la source de chaleur environ 10 minutes, jusqu'à ce qu'ils soient noircis, en les retournant souvent avec une pince. Replier le papier d'aluminium pour envelopper les poivrons et laisser reposer environ 10 minutes, puis frotter pour enlever la pelure. Épépiner les poivrons et les couper en tranches. Mélanger dans un bol avec le basilic et 10 ml (2 c. à thé) d'huile.

2. Vaporiser une plaque de cuisson de 27,5 x 37,5 cm (11 x 15 po) avec de l'enduit anticollant. Étendre la pâte sur la plaque en couvrant bien les coins. Plisser la pâte avec le manche d'une cuillère en bois et la piquer plusieurs fois avec une fourchette. Étendre la préparation aux poivrons sur la pâte, couvrir légèrement et garder environ 45 minutes dans un endroit chaud. Préchauffer le four à 220 °C (425 °F).

3. Cuire la focaccia au four environ 30 minutes, jusqu'à ce que la croûte soit dorée et croustillante tout autour et que les poivrons commencent à brunir. Brosser tout autour de la focaccia avec l'huile restante. Laisser refroidir environ 5 minutes dans le plat placé sur une grille avant de couper en morceaux.

PAR PORTION : 92 Calories, 2 g Gras total, 0 g Gras saturé, 0 mg Cholestérol, 1 mg Sodium, 17 g Glucide total, 1 g Fibres alimentaires, 2 g Protéines, 5 mg Calcium.

POINTS PAR PORTION : 2.

*Focaccia aux poivrons rouges et jaunes*

# Le parfait panini

**L**es paninis (« petits pains ») sont des sandwichs minces grillés que les Italiens adorent. Ils se préparent en un clin d'œil. Il suffit de couper horizontalement en deux
un morceau de focaccia, d'étendre une mince couche de votre tartinade préférée et d'y
ajouter la garniture de votre choix (voir suggestions ci après). Brossez légèrement l'ex-
térieur de la focaccia avec de l'huile d'olive et faites griller dans un poêlon en fonte
noire en pressant souvent sur le panini avec une spatule. Consultez l'index pour trouver les pages des recettes mentionnées.

- Étendre de la Tartinade de cannellinis au romarin sur
  une Focaccia au romarin ; couvrir avec du prosciutto.

- Étendre une couche très mince d'Anchoyade sur une
  Focaccia aux poivrons rouges et jaunes ; couvrir avec de
  fines tranches de Rôti de veau braisé.

- Étendre du pesto de roquette sur une Focaccia au parmesan ; couvrir avec des tranches de dinde braisée (voir
  Dinde braisée dans le lait avec pesto de roquette).

- Presser de la pulpe de Gousses d'ail rôties sur une
  Focaccia au parmesan ; couvrir avec des tranches de
  tomate.

- Couvrir une Focaccia au parmesan avec des tranches de
  Poitrines de poulet à la sauce au thon ; utilisez la sauce
  au thon comme tartinade.

- Étendre du pesto sur une Focaccia au gorgonzola ; couvrir avec des tranches de tomate et du Poulet rôti au
  basilic.

- Presser de la pulpe de Gousses d'ail rôties sur une
  Focaccia au romarin ; couvrir avec des tranches de Chapon au fenouil et de fromage asiago.

# Pâte à calzone

6 PORTIONS

*Les calzoni étaient traditionnellement façonnés en longs rectangles et ce mot signifie « jambes de pantalon ». De nos jours, on leur donne la forme d'une demi-lune et les habitants des Pouilles les appellent cappelli degli gendarmi ou « chapeaux de gendarme ».*

675 ml (2 ¾ tasses) de farine à pain

250 ml (1 tasse) de farine de blé entier

10 ml (2 c. à thé) de sucre

5 ml (1 c. à thé) de sel

1 sachet de 7 g (¼ oz) de levure rapide

1 œuf

7 ml (½ c. à soupe) d'huile d'olive

300 ml (1 ¼ tasse) d'eau du robinet très chaude

1. Mélanger les farines, le sucre, le sel et la levure dans le robot de cuisine et mélanger environ 1 minute. Ajouter l'œuf et l'huile. Pendant que le moteur tourne, verser l'eau lentement dans l'entonnoir. Quand la pâte forme une boule, laisser tourner le moteur environ 30 secondes pour pétrir la pâte.

2. Vaporiser un grand bol avec de l'enduit anticollant. Mettre la pâte dans le bol. Couvrir hermétiquement avec de la pellicule plastique et garder dans un endroit chaud environ 1 heure, jusqu'à ce que la pâte double de volume.

3. Utiliser la pâte en suivant les indications prescrites pour la recette choisie.

PAR PORTION : 326 Calories, 3 g Gras total, 1 g Gras saturé, 35 mg Cholestérol, 401 mg Sodium, 62 g Glucide total, 4 g Fibres alimentaires, 12 g Protéines, 21 mg Calcium.

POINTS PAR PORTION : 6.

*Di Giorno Couvrir le bol hermétiquement avec de la pellicule plastique permet de ne pas s'inquiéter des courants d'air qui pourraient nuire à la levée de la pâte.*

# Calzones au jambon et au fromage

## 6 PORTIONS

*Le prosciutto est aussi appelé jambon de Parme. Choisissez un prosciutto importé d'Italie, de préférence celui qui vient de Parme.*

125 ml (½ tasse) de roquette, hachée

375 ml (1 ½ tasse) de ricotta sans matières grasses

125 ml (½ tasse) de mozzarella partiellement écrémée, en lamelles

4 tranches de prosciutto (environ 60 g/2 oz), hachées

2 gros oignons verts, en tranches

5 ml (1 c. à thé) de sel

1 ml (¼ c. à thé) de poivre fraîchement moulu

1 recette de Pâte à calzone (p. 311)

1 blanc d'œuf, battu avec 15 ml (1 c. à soupe) d'eau

1. Préchauffer le four à 200 °C (400 °F). Vaporiser une plaque à pâtisserie avec de l'enduit anticollant.

2. Bien mélanger la roquette, la ricotta, la mozzarella, le prosciutto, les oignons verts, le sel et le poivre.

3. Couper la pâte en 6 morceaux et façonner chacun en un cercle de 15 cm (6 po) ayant environ 6 mm (¼ po) d'épaisseur. Mettre environ 75 ml (⅓ tasse) de la garniture sur la moitié de chaque cercle, puis brosser légèrement les bords avec un peu du mélange de blanc d'œuf et d'eau. Replier la pâte sur la garniture, pincer les bords pour bien sceller et brosser le dessus de la pâte avec le blanc d'œuf restant. Mettre les calzones sur la plaque à pâtisserie et piquer chaque calzone 4 fois avec une fourchette. Cuire au four de 20 à 23 minutes, jusqu'à ce qu'ils soient dorés. Laisser refroidir environ 5 minutes sur une grille avant de servir.

PAR PORTION : 426 Calories, 7 g Gras total, 2 g Gras saturé, 46 mg Cholestérol, 998 mg Sodium, 65 g Glucide total, 4 g Fibres alimentaires, 26 g Protéines, 158 mg Calcium.

POINTS PAR PORTION : 8.

# Calzones au poulet

## 6 PORTIONS

*Pas de restes de poulet sous la main? Faites simplement pocher pendant 10 minutes une poitrine de poulet sans peau et sans os de 240 g (8 oz) dans 250 ml (1 tasse) de bouillon de poulet (dissoudre 1 cube de bouillon de poulet dans 250 ml/1 tasse d'eau). Le poulet doit devenir complètement blanc. Les tomates séchées ramolliront un peu pendant la cuisson des calzones et vous obtiendrez de meilleurs résultats si vous utilisez des tomates séchées très tendres et souples. Si les vôtres sont fragiles, laissez-les tremper 5 minutes dans 50 ml (¼ tasse) d'eau bouillante.*

375 ml (1 ½ tasse) de poitrine de poulet, cuite et hachée (environ 180 g/6 oz)

2 oignons vert, en tranches

1 paquet d'épinards de 300 g (10 oz), décongelés et bien épongés

30 ml (2 c. à soupe) de tomates séchées, hachées

30 ml (2 c. à soupe) de basilic frais, haché

30 ml (2 c. à soupe) de persil plat frais, haché

150 ml (⅔ tasse) de ricotta sans matières grasses

1 œuf

5 ml (1 c. à thé) de sel

1 ml (¼ c. à thé) de poivre fraîchement moulu

1 recette de Pâte à calzone (p. 311)

1 blanc d'œuf, battu avec 15 ml (1 c. à soupe) d'eau

1. Préchauffer le four à 200 °C (400 °F). Vaporiser une plaque à pâtisserie avec de l'enduit anticollant.

2. Bien mélanger le poulet, les oignons verts, les épinards, les tomates, le basilic, la ricotta, l'œuf, le sel et le poivre.

3. Couper la pâte en 6 morceaux et façonner chacun en un cercle de 15 cm (6 po) ayant environ 6 mm (¼ po) d'épaisseur. Mettre 50 ml (¼ tasse) de garniture sur la moitié de chaque cercle, puis brosser légèrement les bords avec le mélange de blanc d'œuf et d'eau. Replier la pâte sur la garniture, pincer les bords pour bien sceller et brosser le dessus de la pâte avec le blanc d'œuf restant. Mettre les calzones sur une plaque à pâtisserie et piquer chacun deux fois avec une fourchette. Cuire de 20 à 22 minutes, jusqu'à ce qu'ils soient dorés. Laisser refroidir de 7 à 8 minutes sur une grille avant de servir.

PAR PORTION : 427 Calories, 5 g Gras total, 1 g Gras saturé, 95 mg Cholestérol, 903 mg Sodium, 66 g Glucide total, 6 g Fibres alimentaires, 28 g Protéines, 120 mg Calcium.

POINTS PAR PORTION : 8.

# Strombolis au pepperoni

## 6 PORTIONS

*Comme les calzoni, les stromboli, ainsi nommés en l'honneur d'une île tout près de Naples, ressemblent à une mince pâte à pizza renfermant une garniture, le plus souvent de la viande. Le pepperoni de dinde contient beaucoup moins de gras que le pepperoni véritable et il n'est pas nécessaire d'ajouter du sel ou du poivre à la recette puisqu'il est suffisamment salé et épicé.*

2 ml (½ c. à thé) d'huile d'olive

1 poivron jaune, épépiné et haché

1 petit oignon rouge, haché

60 g (2 oz) de pepperoni de dinde (environ 34 petites rondelles), haché

125 ml (½ tasse) de ricotta sans matières grasses

125 ml (½ tasse) de mozzarella partiellement écrémée, en lamelles

50 ml (¼ tasse) de persil plat frais, haché

1 recette de Pâte à calzone (p. 311)

1 blanc d'œuf, battu avec 15 ml (1 c. à soupe) d'eau

**1.** Préchauffer le four à 200 °C (400 °F). Vaporiser une plaque à pâtisserie avec de l'enduit anticollant.

**2.** Chauffer un poêlon à revêtement antiadhésif. Verser l'huile, puis ajouter les poivrons et les oignons. Cuire sur feu vif jusqu'à ce que les oignons commencent à brunir. Mettre les légumes dans un bol et mélanger avec le pepperoni, la ricotta, la mozzarella et le persil.

**3.** Couper la pâte en 6 morceaux et façonner chacun en un carré de 15 cm (6 po) ayant environ 6 mm (¼ po) d'épaisseur. Mettre 125 ml (½ tasse) de garniture au milieu de chaque carré, puis brosser les bord avec le mélange de blanc d'œuf et d'eau. Replier la pâte sur la garniture. Mettre les strombolis sur une plaque à pâtisserie. Faire deux fentes sur chacun avec la pointe d'un couteau. Cuire au four environ 20 minutes, jusqu'à ce qu'ils soient dorés. Laisser refroidir environ 10 minutes avant de servir.

PAR PORTION : 403 Calories, 7 g Gras total, 2 g Gras saturé, 47 mg Cholestérol, 544 mg Sodium, 66 g Glucide total, 5 g Fibres alimentaires, 20 g Protéines, 121 mg Calcium.

POINTS PAR PORTION : 8.

# CHAPITRE 12

# Desserts

# Sorbet au citron

## 12 PORTIONS

*Le citronnier pousse partout dans le sud de l'Italie et en Sicile. À une certaine époque,
les agrumes représentaient la deuxième culture en importance dans cette région, après le blé.
Servez ce sorbet rafraîchissant avec des raisins frais ou un biscotti au sésame pour lui ajouter
une touche typiquement sicilienne.*

250 ml (1 tasse) de sucre

1 litre (4 tasses) d'eau

5 ml (1 c. à thé) de zeste de
citron, râpé

250 ml (1 tasse) de jus de
citron fraîchement pressé

**1.** Dans une casserole moyenne, amener le sucre et
l'eau à ébullition. Réduire la chaleur et laisser mijoter, en remuant de temps à autre, jusqu'à ce que le
sucre soit dissous. Retirer du feu et incorporer le
zeste et le jus de citron. Laisser refroidir 30 minutes
à la température ambiante, couvrir et laisser dans le
réfrigérateur au moins 3 heures ou toute la nuit.

**2.** Transvider la préparation dans une sorbetière et
congeler selon les indications du fabricant.

PAR PORTION : 70 Calories, 0 g Gras total, 0 g Gras
saturé, 0 mg Cholestérol, 0 mg Sodium, 18 g Glucide total, 0 g Fibres alimentaires, 0 g Protéines,
2 mg Calcium.

POINTS PAR PORTION : 1.

# Granité au café

## 7 PORTIONS

*Le granité a une consistance plus dure et plus granuleuse que celle du sorbet. Si vous préférez un dessert plus onctueux, sautez l'étape 3 et faites la préparation à l'espresso dans une sorbetière.*

500 ml (2 tasses) d'espresso ou de café noir torréfié décaféiné, refroidi

75 ml (⅓ tasse) de sucre

10 ml (2 c. à thé) de zeste de citron

**1.** Congeler un moule en métal carré de 20 cm (8 po) et une fourchette pendant toute la nuit.

**2.** Mélanger l'espresso et le sucre en fouettant jusqu'à ce que le sucre soit dissous. Incorporer le zeste de citron.

**3.** Verser dans le moule congelé. Mettre dans le congélateur pendant 2 heures en prenant soin de remuer la préparation avec la fourchette congelée toutes les 20 minutes, jusqu'à ce que le granité soit congelé mais encore granuleux. Couvrir de papier d'aluminium et garder au congélateur jusqu'au moment de servir.

PAR PORTION : 38 Calories, 0 g Gras total, 0 g Gras saturé, 0 mg Cholestérol, 1 mg Sodium, 10 g Glucide total, 0 g Fibres alimentaires, 0 g Protéines, 2 mg Calcium.

POINTS PAR PORTION : 1.

*Di Giorno Même si le granité est moins raffiné que les autres desserts congelés, prenez soin de le mettre rapidement dans le congélateur pour empêcher les cristaux de glace de devenir trop gros. Le métal refroidit plus vite que le verre ou le plastique et il reste froid plus longtemps. Protégez vos mains avec des gants ou des mitaines à four lorsque vous remuez le granité. Les cristaux de glace resteront plus petits si vous les remuez souvent.*

# Yogourt glacé

*L'espresso bien chaud « noie » le yogourt juste assez pour lui donner une allure de flotteur au café.*

15 ml (1 c. à soupe) de zeste de citron, ciselé

50 ml (¼ tasse) d'eau

5 ml (1 c. à thé) de sucre

1 contenant de 480 ml (16 oz) de yogourt glacé écrémé à la vanille ou au café sans sucre

125 ml (½ tasse) d'espresso décaféiné, chaud

1. Dans une petite casserole, amener le zeste et l'eau à ébullition. Retirer du feu et laisser reposer 10 minutes. Éponger le zeste avec du papier absorbant et le mettre ensuite sur du papier ciré. Saupoudrer avec le sucre. Laisser reposer au moins 30 minutes.

2. Mettre 125 ml (½ tasse) de yogourt glacé dans chacun des 4 plats à dessert. Verser 30 ml (2 c. à soupe) d'espresso sur chaque portion. Garnir avec le zeste de citron confit et le sucre s'il en reste. Servir immédiatement.

PAR PORTION : 56 Calories, 0 g Gras total, 0 g Gras saturé, 2 mg Cholestérol, 66 mg Sodium, 10 g Glucide total, 0 g Fibres alimentaires, 5 g Protéines, 153 mg Calcium.

POINTS PAR PORTION : 1.

# Panna cotta à l'orange

## 4 PORTIONS

*Fait traditionnellement avec de la crème riche, ce dessert contient habituellement beaucoup de gras et de cholestérol. En utilisant de la gélatine pour épaissir le lait, on l'allège toutefois de façon remarquable sans pour autant altérer son goût ni son apparence.*

500 ml (2 tasses) de lait écrémé (1 %)

1 sachet de 7 g (¼ oz) de gélatine sans saveur

50 ml (¼ tasse) de sucre

5 ml (1 c. à thé) d'extrait de vanille

5 ml (1 c. à thé) d'extrait d'orange

5 ml (1 c. à thé) de zeste d'orange, râpé

1 pincée de sel

125 ml (½ tasse) de garniture à fouetter légère, congelée

Cannelle moulue

1. Dans une casserole à revêtement antiadhésif, mélanger le lait et la gélatine. Laisser reposer environ 5 minutes, jusqu'à ce que la gélatine ramollisse. Cuire sur feu doux environ 5 minutes, sans cesser de remuer, jusqu'à ce que la gélatine soit complètement dissoute. À l'aide d'un fouet, incorporer le sucre, les extraits, le zeste et le sel. Laisser mijoter en remuant souvent. Verser une quantité égale dans 4 petits ramequins. Laisser refroidir un peu, couvrir et mettre dans le réfrigérateur toute la nuit.

2. Pour servir, napper chaque portion avec 30 ml (2 c. à soupe) de garniture à fouetter et un peu de cannelle moulue.

PAR PORTION : 134 Calories, 2 g Gras total, 2 g Gras saturé, 5 mg Cholestérol, 96 mg Sodium, 21 g Glucide total, 0 g Fibres alimentaires, 5 g Protéines, 152 mg Calcium.

POINTS PAR PORTION : 3.

# Tiramisu

*Même si le tiramisu n'a été créé que dans les années soixante dans un restaurant vénétien, il est vite devenu l'un des desserts italiens les plus populaires au monde. Ne confondez pas les biscuits doigts de dame traditionnels avec les doigts de dame plus spongieux recommandés ici. Ceux-ci sont appelés* savoiardi *en italien et vous les trouverez dans la plupart des superma- chés. Pour une présentation originale, réservez quelques biscuits que vous mettrez en diagonale tout autour du plat.*

12 biscuits doigts de dame spon- gieux (savoiardi)

50 ml (¼ tasse) d'espresso ou de café fort décaféiné, refroidi

125 ml (½ tasse) d'eau chaude à 40 à 46 °C (105 à 115 °F)

40 ml (2 c. à soupe + 2 c. à thé) de blancs d'œufs en poudre

325 ml (1 ⅓ tasse) de ricotta sans matières grasses

75 ml (⅓ tasse) de substitut d'œuf sans matières grasses

125 ml (½ tasse) de fromage mas- carpone

30 ml (2 c. à soupe) de sucre

2 ml (½ c. à thé) d'extrait de vanille

10 ml (2 c. à thé) de poudre de cacao non sucrée

**1.** Tremper chaque biscuit dans l'espresso et les dresser sur une seule couche dans un plat de cuisson carré de 20 cm (8 po) en verre ou en céramique.

**2.** Dans un grand bol en acier inoxydable, mélanger dou- cement l'eau et les blancs d'œufs en poudre de 3 à 4 minutes, jusqu'à ce que la poudre soit dissoute. Battre de 5 à 7 minutes avec un batteur à main, à vitesse moyenne- élevée, jusqu'à la formation de pics.

**3.** Dans un autre grand bol, battre ensemble la ricotta, le substitut d'œuf, le mascarpone, le sucre et la vanille. Incorporer environ le tiers des blancs d'œufs battus, puis ajouter le reste délicatement avec une spatule en caout- chouc. Verser sur les biscuits. Couvrir et garder dans le réfrigérateur de 6 à 8 heures. Saupoudrer de poudre de cacao juste avant de servir.

PAR PORTION : 182 Calories, 8 g Gras total, 0 g Gras saturé, 80 mg Cholestérol, 117 mg Sodium, 15 g Glucide total, 0 g Fibres alimentaires, 10 g Protéines, 213 mg Calcium.

POINTS PAR PORTION : 4.

*Di Giorno Ces blancs d'œufs ne sont pas cuits. Pour obtenir plus de volume en battant les blancs, assurez-vous que le bol en acier inoxydable et les fouets sont très propres et complètement secs.*

*Tiramisu*

# Sabayon

## 6 PORTIONS

*Le zabaglione, aussi appelé zabaione, vient du Piémont où on le fait avec du vin barolo. Ailleurs en Italie, on utilise plutôt du marsala. On le sert traditionnellement dans un bol sur des fruits frais coupés en tranches.*

4 jaunes d'œufs

50 ml (¼ tasse) de sucre

50 ml (¼ tasse) de marsala sec ou de liqueur Frangelico

Mélanger les jaunes d'œufs, le sucre et la liqueur dans la partie supérieure d'un bain-marie au-dessus de l'eau qui mijote ou dans un bol en verre placé au-dessus d'une casserole d'eau qui mijote. Cuire de 4 à 5 minutes, en battant constamment à vitesse moyenne avec un batteur à main, jusqu'à ce que le sabayon soit suffisamment épais et mousseux.

PAR PORTION : 87 Calories, 3 g Gras total, 1 g Gras saturé, 142 mg Cholestérol, 6 mg Sodium, 10 g Glucide total, 0 g Fibres alimentaires, 2 g Protéines, 16 mg Calcium.

POINTS PAR PORTION : 2.

*Di Giorno Si vous utilisez un bol de verre pour faire cette recette, prenez-en un qui résiste bien à la chaleur et veillez à ce que l'eau qui mijote ne touche pas le fond.*

# Pouding à la ricotta

8 PORTIONS

*Ce pouding à l'ancienne est un croisement entre le flan et le soufflé.*

1 contenant de 450 g (15 oz) de ricotta partiellement écrémée

8 biscuits amarettis de 2,5 cm (1 po) de diamètre, émiettés

4 œufs, séparés (à la température ambiante)

50 ml (¼ tasse) de fécule de maïs

30 ml (2 c. à soupe) de liqueur amaretto

1 pincée (⅛ c. à thé) de crème de tartre

50 ml (¼ tasse) de sucre

*Di Giorno Amaretti signifie « petits biscuits amers ». Ce sont des petits macarons au goût d'amande. Si vous n'en trouvez pas au supermarché ou à l'épicerie italienne, prenez le temps de les faire vous-même (voir p. 334).*

**1.** Placer les grilles du four de manière à le séparer en deux parties égales. Préchauffer le four à 190 °C (375 °F). Vaporiser un moule à soufflé de 1,5 litre (6 tasses) avec de l'enduit anticollant.

**2.** Dans un grand bol, mélanger la ricotta, les biscuits, les jaunes d'œufs, la fécule de maïs et l'amaretto.

**3.** Avec un batteur à main, à vitesse élevée, battre les blancs d'œufs et la crème de tartre jusqu'à consistance mousseuse. Incorporer le sucre, 15 ml (1 c. à soupe) à la fois, et battre jusqu'à ce que les blancs soient fermes et luisants sans être secs. Incorporer délicatement les blancs d'œufs, un tiers à la fois, dans la préparation à la ricotta.

**4.** Verser à la cuillère dans le moule à soufflé. Mettre le plat dans une plaque à rôtir et placer celle-ci sur la grille du centre. Verser de l'eau bouillante dans la plaque à rôtir jusqu'à mi-hauteur du moule à soufflé. Cuire au four environ 45 minutes, jusqu'à ce que le dessert soit gonflé et doré. Servir chaud.

PAR PORTION : 198 Calories, 8 g Gras total, 4 g Gras saturé, 125 mg Cholestérol, 111 mg Sodium, 19 g Glucide total, 0 g Fibres alimentaires, 10 g Protéines, 180 mg Calcium.

POINTS PAR PORTION : 5.

# Torta à la ricotta

## 12 PORTIONS

*Le gâteau au fromage à l'américaine requiert du fromage à la crème tandis que cette torta contient d'abord de la ricotta, ce qui lui donne la consistance d'un gâteau sans farine un peu plus dense.*

12 biscuits graham de 6 cm (2 ½ po), finement émiettés

750 ml (3 tasses) de ricotta partiellement écrémée

125 ml (½ tasse) de fromage à la crème sans matières grasses

125 ml (½ tasse) de sucre

50 ml (¼ tasse) de fécule de maïs

10 ml (2 c. à thé) de zeste d'orange, râpé

4 œufs

22 ml (1 ½ c. à soupe) de rhum brun

10 ml (2 c. à thé) d'extrait de vanille

**1.** Préchauffer le four à 150 °C (300 °F). Vaporiser un moule à cheminée de 20 cm (8 po) avec de l'enduit anticollant. Bien tasser les miettes de biscuits graham au fond du moule.

**2.** Mélanger la ricotta et le fromage à la crème dans le robot de cuisine. Incorporer en tamisant le sucre et la fécule de maïs, puis ajouter le zeste. Actionner l'appareil jusqu'à consistance onctueuse.

**3.** Mélanger les œufs, le rhum et la vanille. Pendant que le robot de cuisine est en marche, verser la préparation aux œufs dans l'entonnoir. Bien mélanger en raclant les côtés du bol au besoin. Verser la pâte dans le moule. Cuire de 1 ½ à 2 heures, jusqu'à ce que le dessert soit doré et gonflé et qu'un couteau inséré au centre ressorte propre. Laisser refroidir 1 heure dans le moule placé sur une grille. Décoller le gâteau des parois du moule à l'aide d'un couteau bien affûté. Retirer la cheminée du moule et laisser refroidir le gâteau complètement sur la grille. Envelopper dans du papier d'aluminium et laisser dans le réfrigérateur toute la nuit.

PAR PORTION : 198 Calories, 7 g Gras total, 4 g Gras saturé, 91 mg Cholestérol, 186 mg Sodium, 20 g Glucide total, 0 g Fibres alimentaires, 11 g Protéines, 204 mg Calcium.

POINTS PAR PORTION : 5.

# Gâteau au fromage ricotta

## 10 PORTIONS

*Le gattò di ricotta est la version italienne du gâteau au fromage. Il n'a pas de croûte et il est souvent aromatisé à l'orange. La recette sicilienne est beaucoup plus légère que la recette américaine ou celle du nord de l'Italie où le gâteau prend le nom de torta (voir page précédente).*

| |
|---|
| 2 contenants de 450 g (15 oz) de ricotta, égouttée |
| 2 œufs |
| 250 ml (1 tasse) de substitut d'œuf sans matières grasses |
| 175 ml (¾ tasse) de sucre |
| 50 ml (¼ tasse) de farine tout usage |
| 1 pincée (⅛ c. à thé) de sel |
| 15 ml (1 c. à soupe) de zeste d'orange, râpé |
| 15 ml (1 c. à soupe) d'extrait de vanille |

1. Préchauffer le four à 150 °C (300 °F). Vaporiser un moule à cheminée de 22,5 cm (9 po) avec de l'enduit anticollant et le fariner.

2. Mettre la ricotta dans un grand bol. Avec un batteur à main, à faible vitesse, battre suffisamment pour le défaire un peu. Incorporer 1 œuf à la fois en battant. À vitesse élevée, verser le substitut d'œuf en battant. Incorporer, sans cesser de battre, le sucre, la farine et le sel, puis le zeste et la vanille. Verser la pâte dans le moule et cuire environ 1 ¼ heure, jusqu'à ce que le gâteau soit doré et ferme et qu'un couteau inséré au centre ressorte propre. Laisser refroidir complètement dans le moule placé sur une grille. Couvrir et laisser au moins 1 heure dans le réfrigérateur avant de servir.

3. Pour servir, décoller le gâteau des parois du moule à l'aide d'un couteau bien affûté. Retirer la cheminée avant de servir.

PAR PORTION : 135 Calories, 1 g Gras total, 0 g Gras saturé, 43 mg Cholestérol, 103 mg Sodium, 20 g Glucide total, 0 g Fibres alimentaires, 11 g Protéines, 70 mg Calcium.

POINTS PAR PORTION : 3.

*Di Giorno Il est préférable de choisir le fromage ricotta le plus sec possible pour cette recette. Égouttez-le dans une passoire ou, si vous avez le temps, mettez-le dans une passoire tapissée avec un filtre à café placée dans un bol et laissez-le égoutter jusqu'à 8 heures dans le réfrigérateur.*

# Tarte pascale

## 10 PORTIONS

*Cette tarte au fromage sublime est faite avec de l'orge, des grains de blé ou du riz. Utilisez de l'orge perlé et non pas de l'orge à cuisson rapide dans cette recette. La sambuca, cette merveilleuse liqueur italienne anisée, rehausse subtilement le goût de ce dessert napolitain classique.*

125 ml (½ tasse) d'orge perlé

750 ml (3 tasses) d'eau

265 ml (1 tasse + 1 c. à soupe) de sucre

50 ml (¼ tasse) de zeste d'orange confit, finement haché

2 croûtes de tarte préparées

1 contenant de 450 g (15 oz) de ricotta sans matières grasses

2 œufs

1 ml (¼ c. à thé) de cannelle

5 ml (1 c. à thé) d'extrait de vanille

22 ml (1 ½ c. à soupe) de sambuca

1. Mélanger l'orge et 500 ml (2 tasses) d'eau. Couvrir et laisser tremper de 8 à 24 heures.

2. Transvider l'orge dans une passoire et rincer à l'eau froide. Mettre dans une casserole à revêtement antiadhésif, ajouter l'eau restante (250 ml/1 tasse) et amener à ébullition. Réduire la chaleur et laisser mijoter à couvert de 30 à 40 minutes, jusqu'à ce que l'eau soit complètement absorbée. Ajouter 15 ml (1 c. à soupe) de sucre et le zeste confit. Retirer du feu et laisser refroidir.

3. Préchauffer le four à 180 °C (350 °F). Mettre une croûte de tarte dans une assiette à tarte de 22,5 cm (9 po). Couper la seconde croûte en 8 lamelles de 2,5 cm (1 po).

4. Avec le batteur à main, à vitesse élevée, réduire en crème la ricotta et le sucre restant. Incorporer, sans cesser de battre, 1 œuf à la fois, puis la cannelle, la vanille et la sambuca. Incorporer la préparation d'orge. Verser dans la croûte de tarte et couvrir avec les lamelles de pâte en formant un motif quadrillé. Cuire au four environ 1 heure, jusqu'à ce que le fond de la tarte soit doré. Laisser refroidir dans l'assiette placée sur une grille.

PAR PORTION : 304 Calories, 9 g Gras total, 1 g Gras saturé, 43 mg Cholestérol, 183 mg Sodium, 46 g Glucide total, 2 g Fibres alimentaires, 10 g Protéines, 60 mg Calcium.

POINTS PAR PORTION : 6.

*Tarte pascale*

# Gâteau au chocolat à la grappa

## 12 PORTIONS

*Ce gâteau est encore meilleur le lendemain de sa préparation. Servez-le, si vous le voulez, avec des quartiers et du zeste d'orange.*

### Gâteau

80 ml (¼ tasse + 2 c. à soupe) de raisins secs

50 ml (¼ tasse) de grappa (brandy italien)

75 ml (5 c. à soupe) de margarine sans sel, à la température ambiante

150 ml (⅔ tasse) de sucre

150 ml (⅔ tasse) de substitut d'œuf sans matières grasses

5 ml (1 c. à thé) d'extrait de vanille

550 ml (2 ¼ tasses) de farine tout usage

75 ml (⅓ tasse) de poudre de cacao non sucrée

3 ml (¾ c. à thé) de levure chimique (poudre à pâte)

2 ml (½ c. à thé) de bicarbonate de soude

1 ml (¼ c. à thé) de cannelle moulue

1 ml (¼ c. à thé) de sel

250 ml (1 tasse) de yogourt à la vanille sans matières grasses sucré à l'aspartame

### Sirop

125 ml (½ tasse) de sucre

75 ml (⅓ tasse) d'eau

*Voir Di Giorno p. 342.*

1. Laisser tremper les raisins secs 30 minutes dans la grappa. Égoutter et réserver la grappa dans un bol séparé.

2. Diviser le four en deux parties égales avec les grilles et préchauffer à 180 °C (350 °F). Vaporiser un moule à pain de 21 x 11 cm (8 ½ x 4 ½ po) avec de l'enduit anticollant.

3. Pour faire le gâteau, avec le batteur à main, à vitesse moyenne, réduire la margarine en crème. Ajouter lentement le sucre et continuer à battre environ 5 minutes jusqu'à consistance légère. Racler les parois du bol au besoin. Incorporer en battant le substitut d'œuf et la vanille.

4. Dans un autre bol, mélanger la farine, la poudre de cacao, la levure chimique, le bicarbonate de soude, la cannelle et le sel. Avec le batteur à main, à faible vitesse, incorporer ces ingrédients secs à la margarine, puis ajouter le yogourt et ensuite la farine. Incorporer les raisins secs. Verser la pâte dans le moule. Cuire au four environ 1 heure, jusqu'à ce qu'un cure-dent inséré au centre ressorte propre. Laisser reposer 15 minutes dans le moule placé sur une grille. Décoller le gâteau des parois du moule avec un couteau bien affûté, mais ne pas le démouler.

5. Pour faire le sirop, amener à ébullition le sucre et l'eau dans une petite casserole. Laisser bouillir 1 minute sans remuer. Retirer du feu et ajouter la grappa. Percer le gâteau à plusieurs endroits avec une brochette. Verser le sirop lentement sur le gâteau. Laisser refroidir complètement. Au moment de servir, démouler le gâteau et le couper en 12 tranches.

PAR PORTION : 251 Calories, 5 g Gras total, 1 g Gras saturé, 0 mg Cholestérol, 163 mg Sodium, 44 g Glucide total, 2 g Fibres alimentaires, 5 g Protéines, 57 mg Calcium.

POINTS PAR PORTION : 5.

*Gâteau au chocolat à la grappa*

# Gâteau étagé à la polenta

8 PORTIONS

*Le volume que prendront les blancs d'œufs battus dépendra du bol que vous utiliserez.
Le cuivre est idéal puisqu'il donne un rendement maximum, mais son coût est très élevé. L'acier
inoxydable est plus abordable et fait bien l'affaire. Évitez le verre (parce qu'il est trop glissant, les
blancs d'œufs montent difficilement sur les côtés), l'aluminium (il peut changer la couleur des
blancs d'œufs et les faire tourner au gris) et le plastique (trop poreux, il peut altérer le goût
des blancs d'œufs).*

250 ml (1 tasse) de fécule de maïs jaune

175 ml (3/4 tasse) de farine à gâteau *(self-rising)*

5 ml (1 c. à thé) de bicarbonate de soude

1 ml (1/4 c. à thé) de sel

150 ml (2/3 tasse) de sucre granulé

3 œufs, séparés (à la température ambiante)

50 ml (1/4 tasse) de babeurre (1 %)

20 ml (4 c. à thé) d'huile végétale

10 ml (2 c. à thé) d'extrait de vanille

125 ml (1/2 tasse) de tartinade de fruit

10 ml (2 c. à thé) de sucre glace

**1.** Préchauffer le four à 180 °C (350 °F). Vaporiser un moule à cheminée de 20 cm (8 po) avec de l'enduit anticollant.

**2.** Dans un grand bol, mélanger la semoule de maïs, la farine, le bicarbonate de soude et le sel.

**3.** Avec le batteur à main, à vitesse moyenne-élevée, réduire en crème 75 ml (⅓ tasse) de sucre granulé et les jaunes d'œufs environ 5 minutes, jusqu'à consistance légère. Ajouter le babeurre, l'huile et la vanille et battre 1 minute de plus. Sans cesser de battre, incorporer la préparation aux jaunes d'œufs dans la préparation de semoule de maïs.

**4.** Dans un bol en acier inoxydable, avec des fouets propres et secs, battre les blancs d'œufs à vitesse élevée jusqu'à consistance mousseuse. Incorporer le sucre restant (75 ml/⅓ tasse), 15 ml (1 c. à soupe) à la fois, jusqu'à ce que les blancs soient durs et luisants sans être trop secs. Incorporer doucement les blancs d'œufs dans la pâte, un tiers à la fois.

**5.** Verser la pâte dans le moule. Cuire au four environ 40 minutes, jusqu'à ce que le centre soit gonflé et doré et qu'un cure-dent inséré au centre ressorte propre. Laisser reposer 10 minutes dans le moule placé sur une grille. Décoller le gâteau des parois du moule avec un couteau bien affûté. Enlever la cheminée et laisser refroidir le gâteau complètement sur une grille.

6. Couper le gâteau en deux avec un couteau dentelé. Mettre la partie inférieure sur une assiette et couvrir avec la tartinade de fruit. Mettre l'autre moitié par-dessus et saupoudrer de sucre glace.

PAR PORTION : 266 Calories, 5 g Gras total, 1 g Gras saturé, 80 mg Cholestérol, 384 mg Sodium, 50 g Glucide total, 1 g Fibres alimentaires, 5 g Protéines, 21 mg Calcium.

POINTS PAR PORTION : 6.

# Cannolis

## 12 PORTIONS

*D'origine sicilienne, les cannolis sont des pâtisseries croustillantes en forme de petits tubes farcies avec une préparation sucrée à base de ricotta. Servis traditionnellement à l'époque du carnaval, ils sont offerts en cadeaux en quantité de douze, probablement pour commémorer les douze apôtres. Dans cette recette d'inspiration napolitaine, la ricotta est aromatisée avec du chocolat et du zeste d'orange confit plutôt qu'avec de l'eau de fleur d'oranger.*

175 ml (¾ tasse) de ricotta sans matières grasses

80 ml (¼ tasse + 2 c. à soupe) de sucre glace

30 ml (2 c. à soupe) de zeste d'orange confit, finement haché

2 ml (½ c. à thé) d'extrait de vanille

7 ml (½ c. à soupe) de chocolat mi-amer, finement haché

12 mini-coquilles à cannolis

Bien mélanger la ricotta et le sucre. Incorporer le zeste et la vanille, puis le chocolat. Mettre 20 ml (4 c. à thé) de cette préparation dans chaque coquille en la pressant de chaque côté pour bien la faire pénétrer. Servir les cannolis froids ou à la température ambiante.

PAR PORTION : 62 Calories, 1 g Gras total, 1 g Gras saturé, 0 mg Cholestérol, 7 mg Sodium, 9 g Glucide total, 0 g Fibres alimentaires, 3 g Protéines, 16 mg Calcium.

POINTS PAR PORTION : 1.

*Di Giorno Dans la recette traditionnelle, il est très long et très frustrant de farcir les cannolis puisqu'on les brise facilement. L'une des raisons est que l'on utilise de la ricotta de lait entier que l'on doit égoutter puis presser à travers une passoire pour la rendre très sèche. Cette crème épaisse est ensuite utilisée pour farcir les coquilles vides. Notre recette est moins compliquée puisqu'on utilise de la ricotta sans matières grasses qui est plus sèche que celle faite avec du lait entier. Notre version n'en est pas moins un véritable délice pour le palais.*

# Poires rôties à la crème de cannolis

4 PORTIONS

*Les poires et la crème peuvent être préparées à l'avance et gardées séparément dans le réfrigérateur. Pour servir, ramenez-les à la température ambiante puis farcissez les poires immédiatement.*

250 ml (1 tasse) de ricotta partiellement écrémée

2 ml (½ c. à thé) de cannelle moulue

4 petites poires bosc fermes, évidées et coupées en deux (non pelées)

50 ml (¼ tasse) de sucre glace

2 ml (½ c. à thé) d'extrait de vanille

15 ml (1 c. à soupe) de grains de chocolat miniatures

1. Verser la ricotta à la cuillère dans une passoire tapissée avec un filtre à café ou de la mousseline. Mettre la passoire dans un bol. Couvrir et laisser 2 heures dans le réfrigérateur. Jeter le liquide qui est dans le bol.

2. Préchauffer le four à 220 °C (425 °F). Vaporiser un plat de cuisson avec de l'enduit anticollant.

3. Saupoudrer uniformément 1 ml (1/4 c. à thé) de cannelle sur la face coupée des poires. Mettre les poires dans le plat de cuisson, face coupée vers le fond. Cuire au four 30 minutes. Laisser refroidir 30 minutes dans le moule placé sur une grille.

4. Pour faire la crème, fouetter vigoureusement ensemble la ricotta, le sucre, la cannelle restante et la vanille. Incorporer les grains de chocolat. Couvrir et laisser reposer 30 minutes à la température ambiante. Verser une généreuse cuillerée à soupe de crème sur chaque demi-poire et servir immédiatement.

PAR PORTION : 227 Calories, 7 g Gras total, 4 g Gras saturé, 19 mg Cholestérol, 77 mg Sodium, 37 g Glucide total, 4 g Fibres alimentaires, 8 g Protéines, 189 mg Calcium.

POINTS PAR PORTION : 4.

# Amarettis

### 45 PORTIONS

*Les amarettis viennent de Saronno, une ville de Lombardie qui est le lieu d'origine de la liqueur amaretto. Traditionnellement, ces petits macarons croustillants sont faits avec des amandes et des noyaux d'abricot. Notre recette tout aussi délicieuse exige moins de travail grâce à l'utilisation de la pâte d'amande. Achetez-la en conserve plutôt qu'en tube pour avoir la consistance désirée. La pâte d'amande en tube donnera des biscuits plus granuleux.*

4 blancs d'œufs (environ 125 ml/½ tasse)

1 pincée de sel

250 ml (1 tasse) de sucre

1 boîte de 240 g (8 oz) de pâte d'amande

*Di Giorno Ne vous en faites pas si les biscuits font du bruit en refroidissant; cela est tout à fait normal parce qu'ils sont en train de sécher.*

**1.** Préchauffer le four à 150 °C (300 °F). Tapisser des plaques avec du papier parchemin ou les vaporiser généreusement avec de l'enduit anticollant et les fariner ensuite.

**2.** Avec le batteur à main, à vitesse moyenne, battre 2 blancs d'œufs (environ 50 ml/¼ tasse) jusqu'à consistance mousseuse. Ajouter le sel. Toujours avec le batteur à main, incorporer doucement 50 ml (¼ tasse) de sucre en mince filet. Battre de 2 à 3 minutes, jusqu'à formation de pics fermes.

**3.** Dans un grand bol, mélanger la pâte d'amande, les 2 blancs d'œufs et le sucre restants (175 ml/¾ tasse). Battre à vitesse moyenne environ 2 minutes, jusqu'à consistance mousseuse. Incorporer en battant la moitié de la préparation aux blancs d'œufs, puis l'autre moitié. Battre quelques secondes de plus pour avoir une consistance homogène. Verser la pâte à l'aide d'une cuillère à thé sur les plaques en laissant 2,5 cm (1 po) entre les biscuits. Cuire au four environ 40 minutes, jusqu'à ce qu'ils soient d'un beau brun doré. Répéter les mêmes opérations avec la pâte restante pour faire 90 amarettis. Laisser reposer les biscuits sur une grille.

PAR PORTION : 42 Calories, 1 g Gras total, 0 g Gras saturé, 0 mg Cholestérol, 31 mg Sodium, 7 g Glucide total, 0 g Fibres alimentaires, 1 g Protéines, 9 mg Calcium.

POINTS PAR PORTION : 1.

# Biscottis au chocolat et aux amandes

15 PORTIONS

*En Italie, on appelle biscottis tout genre de biscuits, mais ce mot est souvent associé aux petits biscuits cassants cuits deux fois au four. Ils sont si bons trempés dans une bonne tasse de café. Vous pourrez les conserver pendant plusieurs semaines dans un contenant hermétique.*

250 ml (1 tasse) de sucre

500 ml (2 tasses) de farine tout usage

175 ml (¾ tasse) de poudre de cacao non sucrée

10 ml (2 c. à thé) de levure chimique (poudre à pâte)

2 ml (½ c. à thé) de sel

175 ml (¾ tasse) d'amandes entières

50 ml (¼ tasse) de miel

175 ml (¾ tasse) d'eau

1 œuf

*Di Giorno Un bon truc pour couper dans les matières grasses : Au lieu de faire fondre du chocolat à cuisson ou d'utiliser un mélange de beurre fondu et de poudre de cacao non sucrée, mélangez simplement de la poudre de cacao avec du miel. La consistance sera la même que celle du chocolat fondu. Vous pouvez aussi réduire légèrement la quantité de sucre suggérée dans la recette.*

1. Préchauffer le four à 180 °C (350 °F). Tapisser une grande plaque avec du papier parchemin ou du papier ciré.

2. Dans un grand bol, fouetter ensemble le sucre, la farine, la poudre de cacao, la levure chimique et le sel. Incorporer les amandes. Dans un petit bol, fouetter ensemble le miel, l'eau et l'œuf jusqu'à consistance mousseuse. Verser dans les ingrédients secs et bien remuer.

3. Rassembler la pâte avec des mains farinées et la mettre sur un comptoir légèrement fariné. Diviser la pâte en deux et façonner chaque morceau en un pain de 22,5 x 7,5 cm (9 x 3 po) ayant environ 2,5 cm (1 po) de haut. Mettre les deux pains sur la plaque et cuire environ 35 minutes, jusqu'à ce qu'ils soient bien levés et fermes. Retirer du four et laisser reposer environ 15 minutes. Couper chaque pain en 15 tranches de 1,25 cm (½ po) pour faire 30 biscottis. Étendre les tranches sur la plaque et cuire 10 minutes. Retourner les biscottis et cuire 10 minutes de plus, jusqu'à ce qu'ils soient très secs et légèrement croustillants. Laisser refroidir complètement sur une grille et conserver dans un contenant hermétique.

PAR PORTION : 187 Calories, 5 g Gras total, 1 g Gras saturé, 14 mg Cholestérol, 148 mg Sodium, 35 g Glucide total, 3 g Fibres alimentaires, 4 g Protéines, 46 mg Calcium.

POINTS PAR PORTION : 4.

# Biscottis à l'anis

## 18 PORTIONS

*Les biscuits aromatisés à l'anis sont appréciés dans le Piémont et en Sardaigne.*
*Les pignons sont essentiels dans toute bonne recette de pesto, mais on les aime aussi*
*dans plusieurs desserts et friandises à travers toute l'Italie.*

550 ml (2 ¼ tasses) de farine tout usage

5 ml (1 c. à thé) de levure chimique (poudre à pâte)

2 ml (½ c. à thé) de bicarbonate de soude

2 ml (½ c. à thé) de sel

75 ml (⅓ tasse) de pignons

250 ml (1 tasse) de sucre

175 ml (¾ tasse) de substitut d'œuf sans matières grasses

10 ml (2 c. à thé) d'extrait d'anis

*Di Giorno En faisant cuire les biscottis à la verticale, vous obtiendrez des biscuits un peu plus mous. Si vous préférez les biscottis plus cassants, étendez-les à plat sur la plaque et faites-les cuire 7 minutes de chaque côté.*

1. Préchauffer le four à 190 °C (375 °F). Tapisser une grande plaque avec du papier parchemin ou du papier ciré.

2. Dans un grand bol, fouetter ensemble la farine, la levure chimique, le bicarbonate de soude, le sel et les pignons. Dans un petit bol, fouetter ensemble le sucre, le substitut d'œuf et l'extrait d'anis. Verser dans les ingrédients secs et bien remuer.

3. Rassembler la pâte avec des mains farinées et la mettre sur un comptoir légèrement fariné. Diviser la pâte en deux et façonner chaque morceau en un pain de 22,5 x 7,5 cm (9 x 3 po) ayant environ 2 cm (¾ po) de haut. Mettre les deux pains sur la plaque et cuire environ 25 minutes, jusqu'à ce qu'ils soient dorés et fermes. Retirer du four et laisser reposer environ 10 minutes. Couper chaque pain en 18 tranches de 1,25 cm (½ po) pour faire 36 biscottis. Mettre les biscottis à la verticale sur la plaque et cuire environ 15 minutes de plus pour les faire brunir légèrement. Laisser refroidir complètement sur une grille et conserver dans un contenant hermétique.

PAR PORTION : 122 Calories, 1 g Gras total, 0 g Gras saturé, 0 mg Cholestérol, 144 mg Sodium, 24 g Glucide total, 1 g Fibres alimentaires, 3 g Protéines, 25 mg Calcium.

POINTS PAR PORTION : 2.

# Biscuits à la semoule de maïs à la vénitienne

72 PORTIONS

*Les biscuits à la semoule de maïs et aux raisins secs sont appelés* zeletti, *c'est-à-dire « les jaunes » en dialecte vénitien. Ils sont plus mous et moins colorés que les biscuits semblables portant le même nom qu'on trouve à Bologne.*

375 ml (1 ½ tasse) de farine tout usage

250 ml (1 tasse) de fécule de maïs jaune

3 ml (¾ c. à thé) de levure chimique (poudre à pâte)

2 ml (½ c. à thé) de sel

250 ml (1 tasse) de babeurre à faible teneur en matières grasses

175 ml (¾ tasse) de sucre

1 œuf

7 ml (½ c. à soupe) d'extrait de vanille

2 ml (½ c. à thé) d'extrait de citron

175 ml (¾ tasse) de raisins secs sans pépins

**1.** Préchauffer le four à 190 °C (375 °F). Vaporiser légèrement des plaques à revêtement antiadhésif avec de l'enduit anticollant.

**2.** Fouetter ensemble la farine, la semoule de maïs, la levure chimique et le sel. Avec le batteur à main, à vitesse moyenne, battre le babeurre et le sucre dans un grand bol jusqu'à ce que le sucre soit dissous et que la texture soit mousseuse. Incorporer l'œuf et les extraits de vanille et de citron. Incorporer la préparation de farine et les raisins secs.

**3.** Mettre la pâte sur un comptoir fariné et la rouler pour lui donner une épaisseur de 6 mm (¼ po). Couper la pâte en carrés de 3,75 cm (1 ½ po) en prenant soin de ne rien perdre de la pâte pour faire 72 biscuits. Mettre les biscuits sur les plaques et cuire de 12 à 14 minutes, jusqu'à ce qu'ils soient d'un beau brun doré. Laisser refroidir complètement sur une grille et conserver dans un contenant hermétique.

PAR PORTION : 32 Calories, 0 g Gras total, 0 g Gras saturé, 3 mg Cholestérol, 27 mg Sodium, 7 g Glucide total, 0 g Fibres alimentaires, 1 g Protéines, 8 mg Calcium.

POINTS PAR PORTION : 1.

# Index

# Table des matières

Cet ouvrage a été achevé d'imprimer
au Canada en septembre 2000.

IMPRESSION
IMPRIMERIE INTERGLOBE INC.